ケーススタディ・
上場準備実務

具体的事例でしっかり頭に入る

【三訂版】

［編］EY新日本有限責任監査法人

税務経理協会

執筆にあたって

　本書は，IPO実務検定を受験する方々のために，上場（IPO）準備担当者が，実務において多く直面する課題からなかなか答えが見つからない問題まで豊富な実例を通して一般化してわかりやすく解説したものとなっています。

　IPO実務検定試験の特徴として，実務を強く意識した問題が出題されることにあります。しかしながら，IPO準備の実務において，IPO準備担当者が直面する課題や問題などは，その会社が置かれている環境や状況によって発生するタイミングがまちまちであるし，その内容の強弱も異なってきます。そのため，本書においては，総論，コーポレートガバナンス，内部統制，コンプライアンス，ディスクロージャー及び資本政策の視点から，IPO準備で過去においてよく発生した課題や問題の実例について，豊富な上場支援経験をもつ執筆者たちによりケーススタディの形で説明しています。これにより，IPO実務担当者が，実際に過去直面していない課題や問題に対してもIPO準備の実務をイメージできるようにする狙いが本書にはあります。

　また，本書の利用において重要なことは，ケースごとに「何が問題なのか」を理解することにあります。なぜなら，IPO準備の過程で発生する課題や問題に対して，「何が問題なのか」をその時点で的確に把握しておかなければ，手続が後手に回り，場合によっては，その対応策を誤ってしまうことになるからです。一般的には，IPO準備での課題や問題の全てを自らが関与した特定の会社の中で実際に経験したことがある準備担当者は，ほとんど存在しないといっても過言はありません。そのため，IPOに深く関与したことのある専門家の知見を結集した本書のようなナレッジを活用して，豊富なケースを学ぶことが肝要になります。

　このように，本書においては，よくある事例ごとに「何が問題なのか」を明

示した上で，それぞれの課題や問題に対する解決案を一般化して解説する構成をとることで，IPO実務検定の受験者のみならず，実務においてもIPO上の課題や問題の解決にも実際に利用できるようにしてあります。

　また，今回の改訂にあたり，IPO実務に関係する上場審査基準，会計，監査，内部統制などに関する最新のトピックを加筆修正しております。

　最後に本書の発刊にあたりお世話になりました一般社団法人日本IPO実務検定協会及び株式会社税務経理協会の編集担当諸氏に心から御礼申し上げます。

監修者・執筆者一同

はじめに

　上場（IPO）準備においては，様々な問題に遭遇します。その中には，社内規程や販売・購買・在庫管理等の各業務プロセスの整備・運用などのほか，上場企業になれば許されない創業者と会社との取引の解消，株主構成の是正，反社会的勢力への対応，未払残業代の解消，個人情報保護法や下請代金支払遅延等防止法の遵守など，もし対処を誤れば，上場そのものが危うくなるような重大な問題も含まれます。

　こうした問題が起こる度に上場準備担当者や経営陣はその解決に頭を悩ませるわけですが，実は，この「問題発生→解決」というプロセスの繰り返しこそが上場準備そのものでもあります。

　そして，そのプロセスをどれだけ体験してきたかが，その人の持つ上場準備実務の"経験値"ということになりますが，実際にそのような体験を積むには，上場を目指す会社で上場準備を担当するか，証券会社の公開引受・上場審査部門や監査法人のIPO部門に所属するしかないのが現状です。

　そこで，このような体験を積む環境にない方にも，実際の上場準備において生じ得る問題を「疑似体験」していただこうという趣旨で企画されたのが本書です。

　本書は，上場準備に長年携わってきたプロフェッショナルが自ら実際に経験した実例をテーマ別に整理した50項目以上に及ぶ「ケーススタディ」を中心に構成され，それぞれのケースについて，「何が問題なのか」「それをどのように解決するのか」を1つ1つ明らかにしていきます。さらに「発展ケース」として，Q＆A形式により，ケーススタディの事例に関連して起こり得る問題とその解決策を示し，問題対応の"応用力"が養われるよう工夫しています。これらをしっかり読み込むことで，IPO実務検定試験・上級レベル試験の記述

式問題対策になることはもちろん，現実の実務にも十分に役に立つはずです。リアリティのあるケーススタディは，「経営書」として読んでも参考になることが多いでしょう。

　また，上場準備実務や関連法令等の知識が浅い方，もしくは，一定の知識はあるがそれを体系的に整理しておきたい方のために，「知識を整理」と題したコーナーを設け，本ケーススタディを理解するのに必要な知識をコンパクトかつ平易にまとめた上でこれに対応する「〇×問題」も付けており，スムーズに知識の定着を図っていただけるようになっています。こちらは，IPO実務検定試験・標準レベル試験対策としても有効です。

　このように，本書は，これまでは実際に経験してみなければ知り得なかった上場準備実務を疑似体験できるかつてない画期的な書籍です。本書を通じ，多くの方が効率的に上場準備の知識を身に付け，IPOの世界で活躍されることを願ってやみません。

　最後に，本書の執筆にご尽力いただいたEY新日本有限責任監査法人の皆様，公認会計士の高橋聡先生，IPOコンサルタントの辻村良弘先生，また，本書出版の機会を与えていただくとともに編集をご担当いただいた税務経理協会の皆様に感謝の意を表します。

一般社団法人日本IPO実務検定協会　事務局

＜本書の使い方＞

本書の構成は，以下のとおりとなっております。

事例の概要
A氏は，「A工業株式会社（以下，A工業という）」のオーナー兼社長である。A工業の業績は順調であるが，A氏の年齢も60歳に近付いており，そろそろ引退したいと考えている。A氏は，ある時，同年代の友人B氏に対してIPOについてどう思うか漠然と聞いてみた。
B氏「うまくいけば，IPO時に資金調達ができ，キャピタルゲインも手に入る。ただ，IPOによって生じる弊害もあり，最近では上場企業がMBO（マネジメント・バイ・アウト）という手法によって非公開

→ 上場を目指す企業が現在直面している事象が書かれています。
ケーススタディにおける「ケース」に該当する部分です。

何が問題なのか
一般的にIPOには多くのメリットが存在する一方で，デメリットも存在している。IPOを検討する際には，会社にとってのメリットとデメリットの両面を十分に理解した上で意思決定する必要がある。

→ 上場を目指す上で，本事象の何が問題になるのか（証券会社や証券取引所の上場審査で問題視されるであろう事項）を指摘しています。

？どのように解決するか？
株式市場に関係する利害関係者を株主，債権者，取引先，一般消費者，従業員とした場合，IPOを行うことによる主なメリットは，株式市場に関係する利害関係者に対し，様々な面から自社の優位性をアピールでき，その効果を享受できることにある。
まず株主をはじめとする投資家に対しては，投資適格性をアピールできる。IPOしている会社は，IPO準備段階から規程の整備，コンプライアンス対応，

→ その問題に対し，上場準備担当者等としてどのように対応すればよいのかを示しています。

「事例の概要」で取り上げたケースに関連もしくは付随して起こり得る問題とその対応策をQ＆A形式で示しています。

→ **発展ケース**
Q1
東京証券取引所には，TOKYO PRO Marketという市場があり，IPOされている銘柄もあると聞く。TOKYO PRO Marketとはどのような市場なのか。

A1
TOKYO PRO Marketは，東京証券取引所が開設している市場のひ

本ケーススタディを理解する上で必要になる上場準備実務法令等の知識をまとめています。

→ **知識を整理**
IPOによるメリット例及びデメリット例は，次のとおりである。
【メリット例】

会社・関係者	相手先	項目	期待される効果
会社	会社自体	資金調達の多様化及び財務内容の強化	・証券市場の機能を活かした多様な資金調達 ・多様な資金調達方法が可

「知識を整理」に関連する○×問題です。知識の定着を確認します。

→ **○×問題**
Q1
関連当事者取引が発生した場合，有価証券報告書に記載する必要がある。

A1
○ 企業情報の事業等のリスク，経理の状況の関連当事者情報に記載する必要がある（金額的に重要でないものなどは除く）。

＜学習方法＞

　上場準備に関しある程度の知識・経験を有する方は，事例の概要から順に読み進めてください。最初から答え（何が問題なのか，どのように解決するかの部分）を読まずに，まず自分で考えてみてください。それから答えを見ると，知識が定着しやすくなります。

　一方，あまり知識のない方は，最初に知識を整理を読み，○×問題を解いた後に，事例の概要を読んでください。最初は自分で答えを考えていただくのがベターですが，検討がつかない場合には無理をせず，何が問題なのか，どのように解決するかをじっくり読み込んでください。また，発展ケースにも必ずあたるようにしてください。

▶学習の流れ

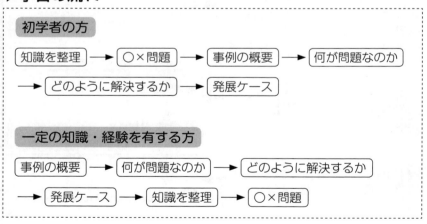

目次

Ⅰ．総論

市場の種類	1	IPOのメリット・デメリット	2
市場別上場審査基準	2	形式基準(流通株式数，流通株式比率の計算)	13
	3	実質基準	22
会社法概論	4	機関設計	29
	5	利益相反取引	35
金融商品取引法概論	6	行為規制(インサイダー取引)	40
監査法人対応	7	ショートレビュー	45
	8	監査法人による監査の特徴・各種専門家の利用	51
証券会社対応	9	引受審査	57
	10	主幹事証券会社の変更	66
証券取引所対応	11	審査スケジュール・申請書類	73

Ⅱ．コーポレートガバナンス

機関設計	1	取締役会の設置時期	86
役員構成	2	役員構成	93
取締役会	3	取締役会の運営	101
監査役	4	監査役の選任と監査役会の設置	114
三様監査	5	内部監査・三様監査	119
内部統制	6	内部統制システムの構築	125
組織的経営	7	社内規程の整備	132
特別利害関係者	8	特別利害関係者との取引	139
その他	9	定款の変更	144

Ⅲ．内部統制

内部管理体制	1	全社統制	152
	2	中期経営計画の策定	165
	3	予算管理の実務	170
	4	販売業務に係る内部管理体制	176
	5	棚卸業務に係る内部管理体制	186
	6	IT統制	191
	7	人事労務管理	195

IV. コンプライアンス

分類	番号	項目	ページ
人事労務	1	未払残業代について	204
	2	社会保険未加入について	212
	3	固定割増賃金制について	218
	4	年俸制について	226
反社会的勢力	5	反社会的勢力との取引排除	232
	6	反社会的勢力と個人情報保護法	240
その他	7	二重価格表示について	249

V. ディスクロージャー

分類	番号	項目	ページ
金融商品取引法	1	事業等のリスクの記載について	258
	2	訂正目論見書	271
適時開示	3	適時開示	282
会計処理	4	退職給付引当金の計上について	293
	5	ポイント引当金の計上について	299
	6	収益認識に関する会計基準について	308
	7	固定資産の計上基準について	320
	8	税効果会計の適用について	326
	9	減損会計の適用について	340
	10	資産除去債務の適用について	347
連結財務諸表	11	キャッシュ・フロー計算書の作成方法について	353
	12	企業結合	367

VI. 資本政策

分類	番号	項目	ページ
資本政策	1	ベンチャーキャピタルからの資金調達	378
	2	デッドロック解消策	385
	3	ストック・オプション	391
	4	種類株式	402
	5	自己株式の取得と税務上の株価	413
	6	デット・エクイティ・スワップ	420
	7	従業員持株制度	425

I

総論

1 【市場の種類】IPOのメリット・デメリット

事例の概要

　A氏は,「A工業株式会社(以下,A工業という)」のオーナー兼社長である。A工業の業績は順調であるが,A氏の年齢も60歳に近付いており,そろそろ引退したいと考えている。A氏は,ある時,同年代の友人B氏に対してIPOについてどう思うか漠然と聞いてみた。

　B氏「うまくいけば,IPO時に資金調達ができ,キャピタルゲインも手に入る。ただ,IPOによって生じる弊害もあり,最近では上場企業がMBO(マネジメント・バイ・アウト)という手法によって非公開化する例も多い。」

　A氏は,MBOについてよくわからなかったが,B氏との会話が忘れられず,翌日大手証券会社に相談に行った。

　証券マン「財務報告の信頼性を得るために監査証明が必要になります。加えて,内部管理体制の強化,経営の透明性が求められます。」

　B氏との会話の内容とは違い,IPOまでにかかる時間や費用も大きいという印象を受けた。会社に帰って,経理部長のC氏にもIPOについてどう思うか聞いてみた。

　C氏「当社が上場企業になるのはうれしいですが,上場準備作業が大変です。上場しても決算短信,有価証券報告書,四半期報告書と年中ディスクロージャー資料と格闘するのは,ちょっと…。」

　A氏は,IPOに向けてメリット,デメリットをもう少し考えることにした。

1 IPOのメリット・デメリット

> **何が問題なのか**
>
> 一般的にIPOには多くのメリットが存在する一方で，デメリットも存在している。IPOを検討する際には，会社にとってのメリットとデメリットの両面を十分に理解した上で意思決定する必要がある。

❓ どのように解決するか ❓

　株式市場に関係する利害関係者を株主，債権者，取引先，一般消費者，従業員とした場合，IPOを行うことによる主なメリットは，株式市場に関係する利害関係者に対し，様々な面から自社の優位性をアピールでき，その効果を享受できることにある。

　まず株主をはじめとする投資家に対しては，投資適格性をアピールできる。IPOしている会社は，IPO準備段階から規程の整備，コンプライアンス対応，決算の開示体制についての整備を行い，証券会社や取引所の審査を経てきている。上場承認されているということは，この審査過程で相応の内部管理体制及び開示体制が構築されており，証券会社や取引所などの第三者から投資対象としての「お墨付き」を得ているといえる。この「お墨付き」を背景に，自社株式を発行する公募増資など，直接金融による資金調達が可能となるという効果を享受できる。

　また，債権者に対しては，財務内容の信頼性をアピールできる。我が国の制度会計に則って作成された有価証券報告書等が，監査法人の監査を経て定期的に開示されることは，投資家ばかりではなく金融機関をはじめとした債権者に対しても会社の信頼性を裏付けるものとなる。この信頼性を背景に，金融機関からの評価も高まり，融資の際には未上場企業よりも貸出条件が優遇されるという効果を享受できる。

　取引先及び一般消費者に対しては，IPOにより会社の信頼性や社会的知名度が向上することに伴い様々な効果が期待できる。例えば，信頼性の向上によ

る与信枠の拡大，社会的知名度の向上による業績の向上，優秀な人材の確保などの効果が享受できると考えられる。

さらに，創業者に対しては，所有している株式のIPO時の売出しによりキャピタル・ゲインを得ることができることや従業員に対しては，勤務先が上場企業であることに対する誇りを生むとともに，ストック・オプション制度や持ち株会制度の導入により，自社株式の価値の増大に対するモチベーションを生むことなどの効果が期待できる。

一方，デメリットとしては，株主総会への対策を含めた株式関係の事務対応，ディスクロージャーへの対応，コンプライアンスへの対応のような事務負担の増加，上場維持のための固定的なコストの発生などが挙げられる。しかし，上場企業としての様々なメリットを享受するのであれば，上記の事務負担の増加や上場維持コストを受け入れることは社会的責務であるといえよう。

その他，一般的なメリット・デメリット例は㊙㊙㊙㊙を参照。

発展ケース

Q1
東京証券取引所には，TOKYO PRO Marketという市場があり，IPOされている銘柄もあると聞く。TOKYO PRO Marketとはどのような市場なのか。

A1
TOKYO PRO Marketは，東京証券取引所が開設している市場のひとつで，特定取引所金融商品市場と呼ばれるものである。この市場に参加できる投資家は，特定投資家（金融機関などの適格機関投資家，上場会社，資本金5億円以上の株式会社等）に限られている。

一般投資家は基本的に参加することができないが，IPO前からTOKYO PRO Marketに上場する株式を保有している投資家による売却は可能となっている。

Q2
TOKYO PRO Market における審査面の特徴は何か。

A2

TOKYO PRO Market はマザーズと比較して、IPO までのハードルが低くなっている。IPO に関する形式基準はなく、IPO までに必要となる監査期間も1年間でよい。

また大きな特徴として、J-Adviser 制度を挙げることができる。J-Adviser とは、東京証券取引所が求める資格要件を満たした会社をいい、東京証券取引所は、J-Adviser に IPO 又は上場廃止に関する基準、上場適格性要件に適合するかどうかの調査などを委託する。J-Adviser は、IPO 前の上場適格性の確認や上場後の適時開示の助言・指導、上場維持要件の適合状況の確認を行っていく。

【TOKYO PRO Market とマザーズの上場制度比較表】

	TOKYO PRO Market	マザーズ
開示言語	英語又は日本語	日本語
上場基準	数値基準なし	株主数、時価総額等に関する数値基準あり
上場申請から上場承認までの期間	10営業日（上場申請前にJ-Adviserによる意向表明手続あり）	2カ月（標準審査期間）
上場前の監査期間	最近1年間	最近2年間
内部統制報告書	任意	必須
四半期開示	任意	必須
主な投資家	特定投資家等（いわゆる「プロ投資家」）	制限なし

Q3 IPO後のディスクロージャーの対応が大変であると聞いているが,具体的なスケジュールはどのようになっているのだろうか。

A3 3月決算の会社を例に,決算短信・有価証券報告書を中心とした作業スケジュール例は次のようになる。

【3月決算の会社の主な作業スケジュール例】

月	作業内容	備考
4月	(決算作業)	
5月	決算短信作成・発表 株主総会招集通知,添付書類作成 中期経営計画作成	事業年度末日から45日以内 決算発表後2週間以内に東証に提出(JASDAQグロースのみ)
6月	株主総会招集通知発送 独立役員届出書提出 コーポレートガバナンス報告書 株主総会決議通知作成・発送 有価証券報告書作成・提出 内部統制報告書作成・提出	開催2週間以上前 変更が生じる日の2週間前までに東証に提出 総会後遅滞なく東証に提出 事業年度経過後3カ月以内 事業年度経過後3カ月以内
7月	(第1四半期決算作業)	
8月中旬まで	第1四半期決算短信作成・発表 第1四半期報告書	第1四半期末日から45日以内

10月	(第2四半期決算作業)	
11月中旬まで	第2四半期決算短信作成・発表 第2四半期報告書	第2四半期末日から45日以内
1月	(第3四半期決算作業)	
2月中旬まで	第3四半期決算短信作成・発表 第3四半期報告書	第3四半期末日から45日以内

Q4

IPO後のIR活動について,上場規則上で定められたものもあると聞いている。また,企業が任意で開示する事項もあると聞いたが,どのような内容があるのだろうか。

A4

東京証券取引所の有価証券上場規程には,次のとおり会社説明会の実施,中期経営計画の公表が義務付けられている。個人投資家向け説明会を開催するケースでは,四半期決算短信,決算短信発表後に対面形式で説明会を行っている例が大半である。

市場	内容
マザーズ	年2回以上,投資に関する説明会を行うこと(有価証券上場規程第421条の2)
ジャスダック (グロース)	1事業年度に1度,中期経営計画(3カ年の経営計画)を策定する(有価証券上場規程第421条の3) 提出された中期経営計画に基づいて,1事業年度の1回以上,投資家向けの説明会又は投資者向け説明会の開催に相当する活動を実施することを義務付け(有価証券上場規程第421条の4)

また，企業が任意で開示する事項としてアニュアルレポート（年次報告書），CSR レポート（サスティナビリティポリシー），環境報告書，知的財産報告書などがある。近年では，このような情報（非財務情報）が企業価値に影響を及ぼすとの観点から，非財務情報を一つにした「統合報告書」として開示している企業も見られる。

知識を整理

　IPO によるメリット例及びデメリット例は，次のとおりである。

【メリット例】

会社・関係者	相手先	項　　目	期待される効果
会　社	会社自体	資金調達の多様化及び財務内容の強化	・証券市場の機能を活かした多様な資金調達 ・多様な資金調達方法が可能になることによる財務体質の強化
		会社の知名度の向上	・営業政策面の優位性の向上 ・優秀な人材の確保
		会社の管理体制の充実	・迅速かつ正確な会社情報の開示 ・コーポレートガバナンスの確立
	株主	内部管理体制の構築による投資適格性	・公募増資の実施など直接金融の実施が可能
	債権者	監査法人による監査意見がついた決算書による財務内容の信頼性	・融資条件の向上

1　IPOのメリット・デメリット

	取引先 一般消費者	上場による信頼性及び社会的知名度の向上	・信頼性の向上による与信枠の拡大 ・交渉力の強化 ・社会的知名度の向上による業績の向上
経営者	―	創業者利潤の実現	・所有株式の売却が可能となることによる創業者利潤の発生
従業員	―	勤務先が上場企業であることに対する誇り	・株式価値の増大に向けたモチベーションの形成 ・インセンティブ制度の多様化
株　主	―	投資家保護のための監査制度	・投資適格性の確保による投資リスクの低減
	―	資産価値の明確化	・公正な株価が形成されることによる所有株式の価値の明確化
	―	流動性の向上	・容易な売買を可能にする

【デメリット例】

関係者	項　目	理　由
経営者	株式の買占めへの対応	・会社防衛のためのコスト及び事務負担増
総　務	株主総会への対策を含め株式関係の事務対応	・専任部門の設置によるコスト増 ・株式事務，株主対応の増大
経　理	ディスクロージャーへの対応	・専任部門の設置によるコスト増 ・開示遅延の場合は罰則もあり
管理全般	コンプライアンスへの対応	・専任部門の設置によるコスト増 ・上場企業として社会的責任の増加

上場維持のための事務対応	・管理部門の人員増 ・取引所，株主名簿管理人，監査法人等に対する固定的なコストの発生 ・広報，IRなどに関するコスト増

株式市場を有する証券取引所は下記のとおりである。

取引所名	市場名
東京証券取引所	本則市場（市場第一部，市場第二部），新興市場（マザーズ，JASDAQ（スタンダード及びグロース））
名古屋証券取引所	本則市場（市場第一部，市場第二部），新興市場（セントレックス）
福岡証券取引所	本則市場，新興市場（Q-Board）
札幌証券取引所	本則市場，新興市場（アンビシャス）

なお，東京証券取引所が2020年2月21日に「市場区分の概要等について」を公表している。以下のURLからダウンロード可能である。
https://www.jpx.co.jp/corporate/news/news-releases/0060/nlsgeu000004ke6p-att/J_kouhyou.pdf

これによると現状の5つの市場区分を2022年4月1日を目途に，プライム市場・スタンダード市場・グロース市場の3つの市場区分へ見直す予定となっている。

なお，2020年7月以降に上場申請する新規上場会社は，新市場区分の上場基準に近い枠組みで上場との記載があるが，その詳細は記載されていないため，主幹事証券会社等から適時に情報を入手し，対応することが必要となる。

◯×問題

Q1

IPO準備を行う過程で構築した内部管理体制は，IPO後も維持していく必要がある。

A1

○ IPO後も，内部統制によるモニタリング活動や内部監査活動により，内部管理体制を維持すべき必要がある。有効な内部管理体制は，投資適格性をアピールできる要因の1つであり，IPOを果たしたことにより体制維持の必要性から解放される類ではない。IPO後の会社の発展段階に応じた体制のものとする必要がある。そのため，必要に応じ，内部統制の見直しや再構築を適時に行うことが重要である。

Q2

IPOのデメリットとして，創業者による支配権の希薄化を挙げることができる。

A2

○ IPOを行うことによって，株式の新規発行や創業者が売出しを行うことで持分が低下し，支配権が希薄化する場合がある。支配権が希薄化することにより，敵対的企業買収などの危険にさらされることとなり，支配権の喪失につながりかねない。そのため，買収防衛に留意すべきである。しかし，過度の防衛策は株主全体の利害につながらない。最大の防衛策は，経営陣が主導する業績の向上である。

Q3

ある上場申請会社は，IPO後2～3年以内にMBOを実施する前提であるが，このような前提を明示した上でも上場申請は認められる。

A3

× JASDAQでは，有価証券に上場規程第216条の5，第216条の8，上場審査等に関するガイドラインⅢの2,4（4）において，「新規上場申請者の大株主，経営者，従業員その他特定者が行う株式の全部取得

その他の方法による上場廃止を上場申請日の属する事業年度の初日から3年以内に行う予定のある場合であって，新規上場申請者が実質的な存続会社でなくなると認めたとき」にはIPOできないことになっている。

東京証券取引所本則市場（市場第一部，第二部）においても，有価証券上場規程の第205条（12）において，上場申請日の直前事業年度末日から起算して2年以内に，申請会社が実質的な存続会社でなくなる，あるいは，解散会社となる合併を行う場合，他の会社の完全子会社化となる株式交換等を行う予定のある場合には，上場申請を受理しないこととなっている。

2 【市場別上場審査基準】形式基準（流通株式数，流通株式比率の計算）

事例の概要

次の資料は，20X1年3月期のS株式会社の株主名簿の抜粋である。S社は20X1年3月期を直前期としてマザーズに上場申請しようと考えている。専門家に相談したところ，株式について株主数，株式数，時価総額などについて，例えば，次の3点のようなIPOのための形式基準を満たす必要があると言われたが，どのように計算したらよいかわからない。

① 20X1年3月期の流通株式数（単位）
② 20X1年3月期の流通株式比率
③ 上場時に500単位の公募を行った場合，流通株式数（単位），流通株式比率

①～③はどのように計算したらよいだろうか。また，③の計算結果はマザーズ上場の形式基準を満たすことができるだろうか。

＜資料＞

発行済株式総数　773,500株
1単元　　　　　　100株

順位	氏名	株数	比率	単元数
1	S興産株式会社	376,695	48.70%	3,766
2	S氏（社長）	102,489	13.25%	1,024
3	A氏（取締役）	79,671	10.30%	796
4	D銀行	37,902	4.90%	379

5	株式会社 E 電機	37,901	4.90 %	379
6	株式会社 F 商事	37,127	4.80 %	371
7	G 工業株式会社	35,581	4.60 %	355
8	K 氏（執行役）	34,034	4.40 %	340
9	S 社従業員持株会	31,714	4.10 %	317
10	Q 氏（監査役）	386	0.05 %	3
合計		773,500	100.00 %	7,730

(注) ※1 S興産は，S氏の妻が総株主の議決権の過半数を保有している財産保全会社である。
※2 自己株式は所有していない。

何が問題なのか

20X1年3月期時点での流通株式数（単位）及び流通株式比率では，マザーズ形式要件の流動性に係る基準を充足できない。IPOに必要な流通株式数，流通株式比率，時価総額などの計算方法を理解しておく必要がある。

⁇ どのように解決するか ⁇

マザーズ上場における流動性に係る基準には，(1) 株主数，(2) 流通株式，(3) 公募の実施，(4) 時価総額に関する基準があり，全てを満たす必要がある。中でも (2) 流通株式の基準は，a. 流通株式数（2,000単位以上），b. 流通株式時価総額（5億円以上），c. 流通株式数（上場株券等の25％以上）が設けられている。

本問は，与えられた条件から (2) 流通株式のa及びcが形式基準を満たしているかを問う問題である。

流通株式とは，上場申請に係る有価証券のうち，大株主及び役員等の所有する有価証券並びに申請会社が所有する自己株式など，ほとんど流通可能性が認

2 形式基準（流通株式数，流通株式比率の計算）

められない株式を除いた有価証券をいう。したがって，まず，流通性の乏しい株券等の数を求める（流通性の乏しい株式の定義は，知識を整理を参照）。

1．20X1年3月期の流通株式数（単位）

① 申請会社の役員

氏　　名	株式数
S氏（社長）	102,489
A氏（取締役）	79,671
K氏（執行役）	34,034
Q氏（監査役）	386
合　計	216,580

② 10％以上保有する大株主

氏　　名	株式数	比　率	属　性
S興産	376,695	48.70％	申請会社の役員，役員の配偶者及び二親等内の血族により総株主の議決権の過半数が保有されている会社
S氏（社長）	※　　—	13.25％	申請会社の役員，有価証券の数の10％以上を所有する者又は組合
A氏（取締役）	※　　—	10.30％	申請会社の役員，有価証券の数の10％以上を所有する者又は組合
合計	376,695	—	—

※ 同じ者が所有する株式について，「申請会社の役員」と「有価証券の数の10％以上を所有する者又は組合」で重複するが「申請会社の役員」で計算

③ 流通性の乏しい株券等の数：593,275株（＝①＋②）

④ 流通株式数：180,225株

（発行済株式総数－③流通性の乏しい株券等の数）

流通株式単位：1,802単位

2．20X1年3月期の流通株式比率：

流通株式比率は，上記で求めた流通株式数を上場申請に係る株式数で除して計算する。

23.30％（＝180,225株（流通株式数）/773,500株（株式数）×100）

3．上場時に500単位の公募を行った場合の流通株式数（単位）及び流通株式比率

① 公募後の株式数：823,500株（＝773,500株＋100株×500単位）

② 公募後の流通株式数：230,225株（＝823,500株－593,275株）

公募後の流通株式単位：2,302単位

公募後の流通株式比率：

27.96％（＝230,225株（流通株式数）/823,500株（株式数）×100）

公募後の流通株式比率が25％以上であるため流通株式数（比率）の形式基準を充足している。

発展ケース

Q1
マザーズの形式基準には，ほかにどのような基準があるのか？

A1
マザーズの形式基準は，流通株式，公募の実施のほかに，株主数が上場の時までに，200人以上となる見込みのあること，上場日における時価総額（上場に係る公募等の見込み価格×上場株式数が10億円以上となる見込みのあること等となっている（知識を整理を参照）。

Q2
マザーズに上場してから，東証1部に市場変更を考えているが，どの程度の期間がかかるのだろうか。

A2

マザーズ上場から市場第一部に，1年程度で市場変更を行ったケースと数年かけて市場変更を行ったケースがある（2019年9月現在）。

1年程度で市場変更を行ったケース

会社名	マザーズ上場日	市場変更日
RPAホールディングス（株）	2018/3/27	2019/3/27
（株）グローバル・リンク・マネジメント	2017/12/13	2018/12/13
（株）テンポイノベーション	2017/10/25	2018/10/25
（株）レノバ	2017/2/23	2018/2/23
（株）力の源ホールディングス	2017/3/21	2018/3/22
（株）オロ	2017/3/24	2018/3/26
（株）システムサポート	2018/8/2	2019/8/5
（株）ビーグリー	2017/3/17	2018/3/20
（株）ツナグ・ソリューションズ	2017/6/30	2018/7/18

数年かけて市場変更を行ったケース

会社名	マザーズ上場日	市場変更日
アイティメディア（株）	2007/4/19	2019/3/29
インフォテリア（株）	2007/6/22	2018/3/26
（株）エニグモ	2012/7/24	2019/4/18
エンカレッジ・テクノロジ（株）	2013/12/11	2019/3/4
（株）クロス・マーケティンググループ	2013/6/3	2018/3/27

（注）市場変更日が2017年1月以降の会社，社名は市場変更時の社名を記載
（出典：日本取引所グループホームページ「市場変更一覧」より，筆者加筆修正）

なお，マザーズにIPOして10年経過した後には，マザーズ市場におけるIPOの継続又は本則市場（市場第二部）への変更のいずれかを選択することになる。ここでマザーズ市場にIPOの継続を選択した場合，5年経過するごとに再度市場選択を行うことになっている。

知識を整理

マザーズ市場，市場第一部，第二部の形式要件は，次のとおりである。

項目	マザーズ市場の形式要件	市場第一部，第二部の形式要件
(1) 株主数 （上場時見込み）	200人以上 （上場時までに500単位以上の公募を行うこと）	800人以上
(2) 流通株式 （上場時見込み）	a. 流通株式数　2,000単位以上 b. 流通株式時価総額　5億円以上 c. 流通株式数（比率）　上場株券等の25％以上	a. 流通株式数　4,000単位以上 b. 流通株式時価総額　10億円以上 c. 流通株式数（比率）　上場株券等の30％以上
(3) 時価総額 （上場時見込み）	10億円以上	20億円以上
(4) 事業継続年数	新規上場申請日から起算して，1年前以前から取締役会を設置して継続的に事業活動をしていること	新規上場申請日の直前事業年度の末日から起算して，3か年以前から取締役会を設置して，継続的に事業活動をしていること
(5) 純資産の額 （上場時見込み）	―	連結純資産の額が10億円以上 （かつ，単体純資産の額が負でないこと）
(6) 利益の額又は時価総額 （利益の額は，連結経常利益金額）	―	次のa又はbに適合すること a. 最近2年間の利益の額の総額が5億円以上であること b. 時価総額が500億円以上

			(最近1年間における売上高が100億円未満である場合を除く)
(7)	虚偽記載又は不適正意見等	a.「上場申請のための有価証券報告書」に添付される監査報告書(最近1年間を除く)において,「無限定適正」又は「除外事項を付した限定付適正」 b.「上場申請のための有価証券報告書」に添付される監査報告書等(最近1年間)において,「無限定適正」 c. 上記監査報告書又は四半期レビュー報告書に係る財務諸表等が記載又は参照される有価証券報告書等に「虚偽記載」なし d. 新規上場申請に係る株券等が国内の他の金融商品取引所に上場されている場合にあっては,次の(a)及び(b)に該当するものでないこと (a) 最近1年間の内部統制報告書に「評価結果を表明できない」旨の記載 (b) 最近1年間の内部統制監査報告書に「意見の表明をしない」旨の記載	a. 最近2年間の有価証券報告書等に「虚偽記載」なし b. 最近2年間(最近1年間を除く)の財務諸表等の監査意見が「無限定適正」又は「除外事項を付した限定付適正」 c. 最近1年間の財務諸表等の監査意見が原則として「無限定適正」 d. 新規上場申請に係る株券等が国内の他の金融商品取引所に上場されている場合にあっては,次の(a)及び(b)に該当するものでないこと (a) 最近1年間の内部統制報告書に「評価結果を表明できない」旨の記載 (b) 最近1年間の内部統制監査報告書に「意見の表明をしない」旨の記載
(8)	株式事務代行機関の設置	東京証券取引所(以下「東証」という)の承認する株式事務代行機関に委託しているか,又は当該株式事務代行機関から株式事務を受託する旨の内諾を得ていること	同左

(9) 単元株式数及び株券の種類	単元株式数が，100株となる見込みのあること 新規上場申請に係る株券等が，次のaからcのいずれかであること a．議決権付株式を1種類のみ発行している会社における当該議決権付株式 b．複数の種類の議決権付株式を発行している会社において，経済的利益を受ける権利の価額等が他のいずれかの種類の議決権付株式よりも高い種類の議決権付株式 c．無議決権株式	同左
(10) 株式の譲渡制限	新規上場申請に係る株式の譲渡につき制限を行っていないこと又は上場の時までに制限を行わないこととなる見込みのあること	同左
(11) 指定振替機関における取扱い	指定振替機関の振替業における取扱いの対象であること又は取扱いの対象となる見込みのあること	同左

(出典：日本取引所グループホームページ，2019年9月現在)

○ 流通株式数の算定方法

流通株式数は，直前の基準日等現在における申請会社の発行済株式総数から，流通性の乏しい株券等の数を合算した数を減じて算定する。

＜流通性の乏しい株券等の数＞

直前の基準日等現在における，流通性の乏しい株券等として東証が定める株式の数を合算する。具体的には，以下の者が所有する株式を合算する。

なお，同じ者が所有する株式については，重複して計算しない。

2 形式基準（流通株式数，流通株式比率の計算）

- 申請会社（所有する自己株式を指す）
- 申請会社の役員（役員持株会を含み，取締役，会計参与（会計参与が法人である時はその職務を行うべき社員を含む），監査役，執行役（理事及び監事その他これらに準ずるものを含む）をいう）
- 申請会社の役員の配偶者及び二親等内の血族
- 申請会社の役員，役員の配偶者及び二親等内の血族により総株主の議決権の過半数が保有されている会社
- 申請会社の関係会社（「財務諸表等の用語，様式及び作成方法に関する規則」（以下「財務諸表等規則」という）第8条第8項に規定する関係会社をいいます）及びその役員
- 有価証券の数の10％以上を所有する者又は組合

○×問題

Q1

未上場企業がIPOをする際，時価総額基準を算定する株価は，上場時の時価である。

A1

× IPOに係る公募等の見込み価格（想定発行価格）である。

Q2

株主数，流通株式数は，上場申請時の数で判断される。

A2

× 上場申請時ではなく，上場日までの見込み数が数値基準を満たせばよい。

3 【市場別上場審査基準】
実質基準

事例の概要

　S社は衣料品の輸入，販売を行っている会社である。S社が輸入した衣料品は，日本国内で検品・検針を行う必要があるため，検査業務を甲社（S社の社長が100％出資）に委託している。

　甲社が行っている検品・検針内容及び検品・検針結果は，一般の業者の内容と大差はなく，代替先の企業が多数存在していることを認識しているが，S社社長が設立したという経緯や，S社社長の指示により甲社との取引を優先的に行っている。

　S社がIPOに向けて準備を進める場合，甲社との取引を継続してもよいのだろうか。また，S社が甲社との取引を見直すとした場合，どのような手順を踏む必要があるだろうか。

何が問題なのか

　本問は，実質審査基準の1つである「企業経営の健全性」の内容を問う問題である。同項目は，申請会社が関連当事者との取引を継続する合理性，取引価格を含めた取引条件の妥当性，関連当事者その他の特定の者との取引により，新規上場申請者の企業グループの利益が不当に損なわれる状況にないことを確認するものである。

　その際に，次の3項目について審査されることになる。

- 　関連当事者その他の特定の者との間で，取引行為その他の経営活動を通じて不当に利益を供与又は享受していないと認められること
- 　役員の相互の親族関係，その構成，勤務実態又は他の会社等の役

> 職員等との兼職の状況が，公正，忠実かつ十分な業務の執行又は有効な監査の実施を損なう状況でないと認められること
> ・（申請会社が親会社等を有している場合）経営活動が親会社等からの独立性を有する状況にあると認められること

❓ どのように解決するか ❓

設問では，検品・検針内容及び検品・検針結果について，甲社の業務と一般の業者との間に大差がないことが明らかであり，S社社長が設立し，S社社長の指示があったことを理由に取引を継続している状態である。

審査項目である「企業の健全性」という観点から甲社とS社の取引関係を考えた場合，次の点について検討する必要がある。

① 甲社との取引継続の合理性（注）

当該取引の事業上の必要性，継続して取引相手として選ぶ理由の観点から，関連当事者である甲社と取引する必要性がどの程度あるのか確認する必要がある。本問の場合，甲社の業務と一般の業者との間に大差がないことから，甲社と独占的な取引を見直す必要があると考える。

② 取引条件の妥当性

甲社と他社との料金体系の比較を行い，取引条件の妥当性を問うことになる。その結果，甲社と比較して料金面でも大差ない，もしくは他社の方がリーズナブルな値段のようであれば，甲社との取引を見直し，他社に業務委託することが考えられる。

発展ケース

Q1
> S社は，あくまでも甲社との取引の継続を希望している。上場審査上問題視されないようにするにはどのような方法をとればよいのだろうか。

> **A1**
>
> S社が社長から甲社株式を買い取り，甲社を100％子会社化するか，社長が保有する甲社株式を第三者に売却するなどした上でS社と甲社との取引を継続することが考えられる。ただし，甲社の業績が悪い，又は他社より有利な取引条件を見直すことができない場合には，甲社を清算又は売却するなどして，関係を解消することも検討すべきである。

> **Q2**
>
> S社は取引内容を見直した結果，社長から甲社株式を買い取り，100％子会社化することに決めた。しかし，甲社の業務は，社長が所有する不動産の一部を借りて建てた工場を中心に作業が行われている。この場合，何が問題となるだろうか。

> **A2**
>
> 不動産賃貸借の場合，近隣の同種同類の不動産に係る標準的な賃貸事例に基づく賃貸料と比較し，適切な水準であるかを調査する必要がある。上場審査上，事業上の取引継続に合理性がないのであれば，社長からの賃貸借という形態は早期に解消することが望まれる。例えば，社長から工場の敷地を甲社又は親会社となるS社が買い取ることが考えられる。

知識を整理

　実質基準の審査項目に該当する事項は，形式基準のように基準をクリアしたかどうか明確な判断が難しい場合も多いことから，論理的な説明が必要となる。

　中でも関連当事者との取引関係は，一般株主が獲得すると期待される利益が減少するような取引がないかどうかという観点で，常に取引継続の合理性，妥当性について検討する必要がある。また，取引関係の事実については一定の開

示を行う必要があるため，開示すべき範囲や内容を十分に把握しておくべきである。

なお，本問で論点とした「企業経営の健全性」は実質基準の１つであり，審査項目は上場するまで全てクリアにする必要がある。
東京証券取引所の「有価証券上場規程」及び「上場審査等に関するガイドライン」には，東京証券取引所本則（市場第一部，第二部）での実質基準の審査項目として次の５つが掲げられている。

有価証券上場規程に定める項目	上場審査等に関するガイドラインに定める内容
１．企業の継続性及び収益性 継続的に事業を営み，かつ，安定的な収益基盤を有していること	(1) 事業計画が，そのビジネスモデル，事業環境，リスク要因等を踏まえて，適切に策定されていると認められること (2) 今後において安定的に利益を計上することができる合理的な見込みがあること (3) 経営活動が，安定かつ継続的に遂行することができる状況にあると認められること
２．企業経営の健全性 事業を公正かつ忠実に遂行していること	(1) 関連当事者その他の特定の者との間で，取引行為その他の経営活動を通じて不当に利益を供与又は享受していないと認められること (2) 役員の相互の親族関係，その構成，勤務実態又は他の会社等の役職員等との兼職の状況が，公正，忠実かつ十分な業務の執行又は有効な監査の実施を損なう状況でないと認められること (3) （申請会社が親会社等を有している場合）経営活動が親会社等からの独立性を有する状況にあると認められること

3．企業のコーポレート・ガバナンス及び内部管理体制の有効性 コーポレート・ガバナンス及び内部管理体制が適切に整備され，機能していること	(1) 役員の適正な職務の執行を確保するための体制が，適切に整備，運用されている状況にあると認められること (2) 内部管理体制が適切に整備，運用されている状況にあること (3) 経営活動の安定かつ継続的な遂行及び適切な内部管理体制の維持のために必要な人員が確保されている状況にあると認められること (4) 実態に即した会計処理基準を採用し，かつ，必要な会計組織が，適切に整備，運用されている状況にあると認められること (5) 法令等を遵守するための有効な体制が適切に整備，運用され，また，重大な法令違反となるおそれのある行為を行っていない状況にあると認められること
4．企業内容等の開示の適正性 企業内容等の開示を適切に行うことができる状況にあること	(1) 経営に重大な影響を与える事実等の会社情報を管理し，投資者に対して適時，適切に開示することができる状況にあると認められること 　また，内部者取引の未然防止に向けた体制が，適切に整備，運用されている状況にあると認められること (2) 新規上場申請書類のうち企業内容の開示に係るものについて法令等に準じて作成されており，かつ，投資者の投資判断に重要な影響を及ぼす可能性のある事項や，主要な事業活動の前提となる事項について適切に記載されていると認められること (3) 関連当事者その他の特定の者との間の取引行為又は株式の所有割合の調整等により，企業グループの実態の開示を歪めていないこと (4)（申請会社が親会社等を有している場合）当該親会社等に関する事実等の会社情報を，投資者に対して適時，適切に開示できる状況にあること

5．その他公益又は投資者保護の観点から当取引所が必要と認める事項	(1) 株主の権利内容及びその行使の状況が，公益又は投資者保護の観点で適当と認められること
	(2) 経営活動や業績に重大な影響を与える係争又は紛争等を抱えていないこと
	(3) 反社会的勢力による経営活動への関与を防止するための社内体制を整備し，当該関与の防止に努めていること及びその実態が公益又は投資者保護の観点から適当と認められること
	(4) 新規上場申請に係る内国株券等が，無議決権株式又は議決権の少ない株式である場合は，上審ガイドラインⅡ 6（4）に掲げる項目のいずれにも適合すること
	(5) 新規上場申請に係る内国株券等が，無議決権株式である場合は，上審ガイドラインⅡ 6（5）に掲げる項目のいずれにも適合すること
	(6) その他公益又は投資者保護の観点から適当と認められること

(以上，東京証券取引所「有価証券上場規程」の第207条及び「上場審査等に関するガイドライン」より抜粋)

○×問題

Q1

関連当事者取引が発生した場合，有価証券報告書に記載する必要がある。

A1

○　企業情報の事業等のリスク，経理の状況の関連当事者情報に記載する必要がある（金額的に重要でないものなどは除く）。

関連当事者との取引は，一般株主の利益を損なう可能性があるため，取引の事実や取引条件などを開示することにより，一般株主を含む利害関係者の意思決定に資することを可能にさせる。

Q2

関連当事者の範囲には,財務諸表提出会社の役員及びその近親者が議決権の過半数を自己の計算において所有している会社等が含まれる。

A2

○ 「役員」とは,取締役,会計参与,監査役,執行役又はこれらに準ずる者をいう。また,「近親者」とは,本人から二親等以内の親族をいう(関連当事者の開示に関する会計基準 第5項(3))。対象となる議決権は「自己の計算」において所有する株式に係るものであるため,他人名義であっても自己の計算により所有するものも含まれることに注意が必要である。

4 【会社法概論】機関設計

事例の概要

株式会社A社は，資本金300万円であり，会社法上の大会社に該当しない。現在A氏のみが取締役であるため取締役会，監査役会は設置していない。

以下は，A社社長と財務担当者のやりとりである。 ▭ に入る言葉は何か。

社長：「業績も好調なことだし，マザーズ市場へIPOしようと思うのだが。」
財務担当：「そうですか。しかし，社長，現在の当社の状況では，IPOに向けて形式を整える必要があります。」
社長：「具体的には？」
財務担当：「例えば，取締役会の設置です。現在当社では，取締役会が設置されていないため， ① を開催して ② を変更して取締役会設置会社にする必要があります。」
社長：「今の当社がそうであるように，会社法上では，全ての株式会社に取締役会の設置義務はなかったはず……。」
財務担当：「確かにそうなのですが，東京証券取引所のマザーズ市場のIPO審査の形式要件では，『新規上場申請日から起算して ③ 年前より前から取締役会を設置して継続的に事業活動をしていること』が求められています。というのも，上場企業になる場合，外部の株主からすれば，コーポレートガバナンスの体制が整備されているか気になります。とりわけ，取締役会は重要な役割が求められます。例えば，会社の業務に関する意思決定や，取締役の業務執行状況の監督，月次業績の報告などが行われるからです。」

社長:「そうか。」

財務担当:「ほかにも会社法上の大会社や　④　でなくとも，　②　を変更して　⑤　，　⑥　を設置する必要があります。」

社長:「そんなことはIPO審査基準のどこに書いてあるのだ？」

財務担当:「実質的な審査基準として，『企業のコーポレート・ガバナンス及び内部管理体制の有効性』という項目があります。東京証券取引所の上場審査等に関するガイドラインには，『新規上場申請者の企業グループの役員の職務の執行に対する有効な牽制及び監査が実施できる機関設計及び役員構成であること。』という文言があります。」

社長:「機関設計と役員構成？」

財務担当:「機関設計については，有価証券上場規程に，取締役会，　⑤　又は委員会（会社法第2条第12号に規定する委員会をいう），　⑥　を設置するものとなっています。役員構成については，同族色が強いと，特定グループ（同族）に有利な判断がされ，会社の意思決定が歪められるおそれがあるため，公正，忠実かつ十分な職務の執行が行えないと判断されます。」

社長:「なるほど。会社法だけではなく，東京証券取引所が定めるガイドラインや規程も守る必要があるというわけか。」

財務担当:「ほかにも，一般株主と利益相反が生じるおそれのない社外取締役又は社外監査役である　⑦　を1名以上確保しなければならないとされているほか，　⑥　を有価証券報告書又は四半期報告書に記載される財務諸表又は四半期財務諸表等の監査証明等を行う公認会計士等として選任すること，取締役，執行役又は理事の職務の執行が法令及び定款に適合することを確保するための体制，業務の適正を確保するために必要な体制の整備を大会社でなくとも行う必要があります。」

4 機関設計

何が問題なのか

　IPOにあたっては，会社法上の大会社や公開会社でなくとも監査役会や会計監査人の設置が求められているように，東京証券取引所の有価証券上場規程や上場審査等に関するガイドラインに定める形式基準を満たす内容に定款を変更し，機関設計を行う必要がある。

？ どのように解決するか ？

　取締役会設置会社にするためには，株主総会を開催し，定款を変更する必要がある。したがって，　①　は，「株主総会」，　②　は，「定款」が入る。

　　③　は，マザーズ市場のIPO審査の形式要件より，『新規上場申請日から起算して1年前より前から取締役会を設置して継続的に事業活動をしていること』となるため，「1」が入る。

　　④　は，「公開会社」が入る。上場するための機関設計として，監査役会の設置，会計監査人の選任が求められているため，　⑤　は，「監査役会」，　⑥　は，「会計監査人」が入る。

　　⑦　は，「独立役員」が入る。

■ 発展ケース

Q1 監査等委員会設置会社とはどのような機関設計となるのか。

A1
　監査等委員会設置会社における機関設計は，株主総会，取締役会，代表取締役，監査等委員会，会計監査人となる。監査等委員会設置会社は，過半数の社外取締役から構成される監査等委員会から構成されている点が特徴であり，従来の監査役会設置会社における監査役は存在しな

い。

　監査役会設置会社と比較した場合，主な違いは次のとおりとなる。

	監査等委員会設置会社	監査役会設置会社
監査役	監査役を置かない	監査役を置く
監査役会の構成	―	3名以上（半数以上は社外監査役）である監査役によって構成
監査等委員会の構成	3名以上（過半数は社外取締役）の監査等委員である取締役によって構成	―
常勤性	義務付けなし	義務付けあり
選任	株主総会	株主総会
任期	監査等委員である取締役の任期は2年（短縮不可）	4年

　監査等委員会設置会社は複数の社外取締役が監査を行う点が特徴となる。委員会設置会社では必須であった指名委員会，報酬委員会の設置は監査等委員会設置会社では必要ではなく，執行役も存在しない。

Q2

　監査役会設置会社と比較して監査等委員会設置会社を導入するメリットは何か。

A2

　従来の監査役会設置会社では，社外監査役を2名，社外取締役を1名，合計3名が必要となるが，監査等委員会設置会社では，監査等委員会を構成する2名の社外取締役で足りる点がメリットと言える。
　東京証券取引所が発表したコーポレートガバナンス・コードの原則4

−8 では,「独立社外取締役を少なくとも 2 名以上選任すべき」と定めている。つまり,従来の監査役会設置会社の場合,社外取締役 2 名と社外監査役 2 名の合計 4 名の選任が求められ,上場企業であっても負担になる可能性がある。

　このコーポレートガバナンス・コードの原則 4-8 は,上場会社に 2 名以上の独立社外取締役の選任を義務付けるものではなく,原則を遵守できない場合は,実施しない理由を,コーポレートガバナンスに関する報告書等を通じて株主や投資家に説明するものである。監査等委員会設置会社に移行すれば,従来の社外監査役 2 名が社外取締役となるため,コーポレートガバナンス・コードが求めている 2 名以上の社外取締役の要件を満たすことになるため,多くの上場企業が監査等委員会設置会社に移行している(コーポレートガバナンス・コードについては,107〜110 ページを参照)。

知識を整理

取締役会を設置していない会社の場合,機関設計を行う際は次の点に注意する。

① マザーズ市場の場合,『新規上場申請日から起算して 1 年前より前から取締役会を設置して継続的に事業活動をしていること』という上場審査の要件を満たす必要がある。

② 株主総会を開催し,定款を変更し,取締役会設置会社とする。

③ 会社法上の大会社,公開会社でなくとも,監査役会の設置,会計監査人を選任する。

④ 東京証券取引所では,1 名以上の独立役員の選任を求めている。さらに,コーポレートガバナンス・コードでは,独立社外取締役を少なくとも 2 名以上選任すべきと定めており,原則を遵守できない場合は,実施しない理由をコーポレートガバナンス報告書等を通じて説明する必要がある。

⑤ 監査役会設置会社のほか，監査等委員会設置会社を設置することも可能である。

○×問題

Q1
会社法上の公開会社とは，証券取引所にIPOしている企業のことをいう。

A1
× その発行する全部又は一部の株式の内容として譲渡による当該株式の取得について株式会社の承認を要する旨の定款の定めを設けていない株式会社をいう（会社法第2条第5号）。つまり，発行している株式の一部にでも譲渡制限がなされていなければ公開会社に該当する。

Q2
会社法上の公開会社は，取締役会を必ずしも設置する必要はない。

A2
× 会社法第327条では，公開会社，監査役会設置会社，監査等委員会設置会社，指名委員会等設置会社は取締役会を置かなければならないと定めている。

5 【会社法概論】利益相反取引

事例の概要

株式会社 Z は避暑地に別荘を有している。これは実態としては Z 社の代表である取締役 A が主として個人で利用するために，代表取締役 A が個人で保有していた別荘を会社資金で購入したものである。会社法上どこに問題があるのか。

何が問題なのか

会社資金で個人利用の別荘を購入したという点が公私混同といえる。会社のお金は会社のために使われるべきものであり，取締役といえ個人のために使用することはできない。会社法上は利益相反取引が問題になる。

利益相反取引は，会社法第 356 条に規定されており，取締役会設置会社であれば取締役会の承認が必要である。利益相反取引の形態は大別して 2 つに分けることができる。

① 取締役が自己又は第三者のために株式会社と取引をしようとするとき（同条第 1 項第 2 号）
② 株式会社が取締役の債務を保証することその他取締役以外の者との間において株式会社と当該取締役との利益が相反する取引をしようとするとき（同条第 1 項第 3 号）

①の取引は，利益相反取引のうち直接取引と呼ばれ，例えば，Z 社から取締役 A に対する無利息での金銭貸付などが該当する。
②の取引は，利益相反取引のうち間接取引と呼ばれ，例えば，Z 社が

取締役A個人の債務保証を行うことなどが該当する。
　①，②の取引では利益を得るのは取締役Aであり，一方で不利益を被るのはいずれもZ社である。このような取引を行う場合は取締役会の承認が必要であり，利害関係のある取締役は決議に参加できない（会社法第369条第2項）。
　本問の場合，主として個人で利用する目的であり，代表取締役Aが保有していた別荘を会社の資金を使ってZ社に別荘を購入させたことになり，利益相反取引に該当することとなる。

❓どのように解決するか❓

　過去の利益相反取引については事後的な承認を得る。もし，会社に損害を与えていたのであれば取締役Aが補填する必要がある。
　今後については，会社として別荘を利用することの必要性を取締役会で検討する。会社の福利厚生施設として不要であれば，速やかに売却する。売却損が発生すれば，取締役Aが損害賠償を行う必要があるか検討すべきである。もし，従業員の福利厚生施設や取引先の接待に必要ということであれば，利用規程を整え，従業員に周知し，実際に有効活用させる必要がある。
　同様のケースで，社用車の購入がある。表向きは社用車としながらも，高級外車を会社の資金で購入しているケースがある。この場合も，真の利用者は誰なのかはっきりさせる必要がある。社長が主に使用しているのであれば，社長個人の資金で購入すべきであるし，社用車とするのであれば，社用車を高級外車にする合理的な理由が問われることになる。利用形態も，社用車管理規程，運転日誌等をつけ，会社のために利用されているか実態を明確にする必要がでてくる。

発展ケース

Q1

Z社が別荘を売却しようとしたものの，買い手がなかなか見つからない場合，取締役Aが取得することも考えられる。その場合の問題点は何か。

A1

取締役Aが取得する場合の価格が公正妥当なものかどうかが問題となる。また，売却額が会社が取得した時点の価額を下回った場合，取締役Aが利用料に相当する額及び売却損を補填する場合がある。

Q2

Q1のケースで取締役Aの手持ち資金に不足がある場合，どうすればよいか。

A2

銀行等から融資を受けざるを得ない。合理的でない役員報酬の増額や会社からの資金貸付，取締役個人の借入に対する会社の債務保証などを決して行ってはいけない。

知識を整理

利益相反取引は会社法第356条に規定されている。取締役会設置会社の場合，利益相反取引の承認機関は取締役会である。

利益相反取引には，自己取引による利益相反取引の禁止（同条第1項第2号），間接取引による利益相反取引の禁止（同条第1項第3号）がある。

また，利益相反取引を行った取締役は，遅滞なくその取引について重要な事実を取締役会に報告しなければならない（会社法第365条第2項）。

利益相反取引に関係する取締役は，その議決に加わることができない（会社法第369条第2項）。

○×問題

Q1
代表取締役の公私混同により取得した資産については，上場準備上，必ず売却しなければならない。

A1
× たとえ取得時には公私混同であったとしても，当該資産が結果的に会社にとって必要なものであれば，必ずしも売却しなければならない訳ではない。

Q2
取締役会設置会社において，利益相反取引の承認決議は株主総会で行われる必要がある。

A2

× 取締役会設置会社であれば取締役会の決議事項である(会社法第365条第1項)。

Q3

取締役の利益相反取引について取締役会において利益相反取引の承認決議をする場合,当該取締役は議決に加わることができない。

A3

○ 取締役会設置会社においては,特別の利害関係を有する取締役は取締役会における当該議決に加わることができない(会社法第369条第2項)。

6 【金融商品取引法概論】
行為規制（インサイダー取引）

事例の概要

　　上場準備中のR社の主要な取引先であるK社は上場企業である。K社とは，資本関係はないものの，営業部門との交流が盛んである。例えば，K社と共同で進めている開発プロジェクトの進捗状況や，K社の主な製品の売上に関する情報の入手にとどまらず，開示前のK社の役員人事の情報が営業部門を通じ，容易に入手できる状況である。ちなみにR社では，社員の個人的な株式売買にあたり，規程や制限を特段定めていない。

何が問題なのか

　　K社の開示前の重要情報が容易に入手できる状況にありながら，上場会社であるK社の株式売買について規制がなされていない点が問題である。また，R社における内部情報の管理体制も問題である。

　　インサイダー取引は，内部者取引ともいい，上場会社等の役員等が，会社の業務等に関する重要事実を知り，その重要事実が公表される前に，会社の株券等の売買を行うことをいう。一般投資家の知らない内部情報を知って株券等の売買を行うことは一般投資家にとり著しく不公正になり，証券市場の信頼性を損なう原因となる。そのため，インサイダー取引規制として，金融商品取引法第166条で，会社関係者，元会社関係者及び情報受領者の禁止行為として，上場会社等に係る業務等に関する重要事実を知った者は，これらの重要事実の公表がなされた後でなければ，株券等に係る売買をしてはならない，と規制されている。

　　本問においては，取引先であるR社の社員が，K社から公表前の「重

要事実」にあたる内部情報を入手し，その内部情報に基づいてK社株式を売買すればインサイダー取引となる。

❓ どのように解決するか ❓

　インサイダー取引管理規程を制定し，K社株式売買について，例題のような内部情報を基にした売買が行われないような仕組みを作る必要がある。例えば，K社株式については，事前届出制とし，K社の決算発表前は売買をしない，短期売買を行わない，反対売買を行う場合は6カ月経過後とするなどの制限を設ける必要がある。さらに，不祥事を防ぐために，R社として自主ルールを設け，K社をはじめとした重要な取引先については一切株式売買を禁止するなどの措置を検討すべきである。また内規等により仕組みを作るだけでなく，これらが実際に運用されるよう，インサイダー取引の講習会や勉強会を開催することで，インサイダー取引に馴染みのない従業員の知識レベルを上げることも必要となる。

■ 発展ケース

Q1
　K社は業界トップのH社と合併することになっている。K社，H社の社長同士が3カ月前に合併の合意をしており，両社ともその準備を行っていた。202X年×月26日の取締役会で正式に決議される予定である。
　R社の社員の1人が，その情報を聞きつけ，202X年×月24日にK社・H社両社の株式を購入していた。しかし，K社・H社両社の取締役会で正式に機関決定される前であるので，インサイダー取引に該当しないというが，本当なのだろうか？

> **A1**
>
> 　取締役会での機関決定をする前の合併の合意が，金融商品取引法の「重要事実」に該当するか否かが問題となる。同法の第166条第2項第1号において，重要事実とは，「当該上場会社等の業務執行を決定する機関が次に掲げる事項を行うことについての決定をしたこと」をいうと定義している。
>
> 　ここでいう「業務執行を決定する機関」，「行うことについての決定」というのは，平成11年6月10日の最高裁判決（日本織物加工事件）において，次のように解された。
>
> 「業務執行を決定する機関」…会社法所定の決定権限のある機関には限られず，実質的に会社の意思決定と同視されるような意思決定を行うことのできる機関
>
> 「行うことについての決定」…株式の発行それ自体や株式の発行に向けた作業等を会社の業務として行う旨を決定したこと
>
> 　つまり，取締役会等の機関決定前であっても，社長同士の合意を得ている時点で重要事実は成立していることになる。本問の場合，機関決定の2日前であるが，合併は事実上決定しているものと見なされ，インサイダー取引に該当するとされる。

> **Q2**
>
> 　K社と業界トップのH社との合併に関する記事が，会社発表によるものとして202X年×月27日の朝刊各紙に掲載されていた。これは，重要事実の公表と考えてよいか？

6 行為規制（インサイダー取引）

A2

金融商品取引法上の「公表」は，次のとおりである。

①会社の代表取締役等が重要事実について2つ以上の報道機関に公開し12時間以上経過した場合，②上場する取引所等に重要事実を通知し，証券取引所において電磁的方法により公衆の縦覧に供された場合（適時開示情報システムに掲載された場合）③重要事実に係る事項が記載された有価証券報告書等が公衆の縦覧に供された場合である。したがって，会社発表の内容が2つ以上の報道機関に公表され，12時間以上経過すれば，公表措置がとられたことになる。

知識を整理

① 取引先が上場企業の場合，受領する情報の中に重要事実が含まれていることがあり，情報管理に注意する必要がある。

② 取引先が上場企業である場合，取引先の株式を売買するにあたりインサイダー取引に抵触しないようにする必要がある。

③ 重要事実の公表前の株式の取得であっても，実質的に会社の意思決定がなされた場合や株式の発行や株式の発行に向けた作業等を会社の業務として行う旨の決定は機関決定と見なされる。

④ 重要事実の公表は，次のとおりである。

　ⅰ）情報事実が2つ以上の報道機関に公表され，12時間経過

　ⅱ）上場先の証券取引所等に重要事実を通知し，当該証券取引所等のHP（適時開示情報システム，TDnet）に掲載

　ⅲ）重要事実の記載された有価証券報告書等の公衆縦覧

⑤ 罰則

違反した場合，5年以下の懲役もしくは500万円以下の罰金，又はこれら両者が科される。また，法人の代表者等が，その法人の計算でインサイダー取引規制に違反した場合には，その法人に対して5億円以下の罰金刑が科される。

○×問題

Q1
K社が業界トップのH社と合併するという情報を入手後, すぐに退職しK社株式を購入したが, 金融商品取引法の会社関係者には該当しない。

A1
× 退職後1年後までは会社関係者に該当するため, 退職前と同様にインサイダー取引規制の対象とされる。(金融商品取引法第166条)

Q2
J-IRISS(ジェイ・アイリス:Japan-Insider Registration & Identification Support System)とは, 上場会社の役員情報を上場会社が登録してデータベース化し, 証券会社が定期的に自社の顧客情報と当該データベースを照合確認することで, 不公正取引の未然防止等に活用するためのシステムである。

A2
○ 日本証券業協会が運営するシステムである。上場会社の役員による意図せぬ不公正取引の未然防止や上場会社の役員による証券取引に係る法令違反の未然防止が期待されている。2019年9月現在, 全上場会社の約87%が加入している(日本証券業協会HPより)。

7 【監査法人対応】ショートレビュー

事例の概要

　A社（取締役会設置会社）は製造業を営んでいる。BはA社の創立者兼代表取締役社長である。A社の主力製品は携帯電話用ガラスのレーザー加工機であり，完全個別受注生産形態で価格は1機当たり3千万円程度，生産開始から完成までのリードタイムは概ね2カ月程度である。

　A社ではレーザー加工の技術開発のため，多くの資金が必要であり，多数のVCから出資を受けていた。そうした事情もあり，将来的なIPOはいわば既定路線であった。

　VCとの投資契約上の約束もあり，B社長はIPOに向けて監査法人のショートレビューを受けることとした。B社長はIPO準備期間をできる限り短期間にしたかったため，既に事業年度として開始している当期を直前々期とし，当期と翌期の2期間の監査証明を入手する意向であった。

　監査法人のショートレビューは程なく終了し，報告会が行われた。監査法人担当者からは「当期と翌期について，監査報告書を出してほしいとのことですが，当期については監査報告書を出すことは極めて難しいと思います。」と告げられた。B社長は驚き，「VCとの約束もあるため，当期の監査報告書を何としても頂きたい。」と担当者に伝えた。しかし，監査法人担当者からは「最終的には当法人の内部審査会の結論によりますが，既に当期は事業年度が開始している点や，貴社の内部統制の整備運用状況及びたな卸資産の重要性を考慮しますと，やはり，監査報告書の提出は極めて難しいとお考え下さい。」と言われてしまった。

何が問題なのか

　監査法人は財務諸表（貸借対照表，損益計算書，株主資本等変動計算書等）について，監査意見を表明する。その場合，損益計算書の数値の適正性を検証するためには，期末貸借対照表の数値の適正性のみならず，期首貸借対照表の数値の適正性も検証（一般的には「期首残高監査」という）しなければならない。したがって，原則として監査法人との監査契約締結は，遅くともIPO直前々期開始前に行う必要がある。

　事例の場合は，直前々期開始後にショートレビューを受けているため，監査法人としては，直前々期の期首残高監査（特に，棚卸資産に関する監査）を行えず，直前々期の損益計算書の数値の適正性に関する監査証拠の入手が困難な場合が多い。

　ただし，例外的に期首の棚卸資産残高に重要性がない場合や，内部統制の整備・運用状況が極めて良好な場合には，直前々期開始後の監査契約締結でも，監査証明を行うことが可能となる場合もある。したがって，ショートレビュー依頼の際に，経験豊富な公認会計士に判断を仰ぎ，直前々期の監査証明の可否について事前に確認した方がよいであろう。

　なお，日本公認会計士協会では，監査契約締結時期に関して解説した「新規上場のための事前準備ガイドブック」を作成し，公表している。以下のURLからダウンロード可能である。
https://jicpa.or.jp/news/information/docs/120409_JICPA-IPOGuideBook_finish2.pdf

? どのように解決するか ?

　事例では既に事業年度開始後のショートレビューであったが，まずはショートレビュー実施前の早いタイミングで監査法人に会社の内容等を確認してもら

い，対象期が直前々期の監査対象となり得るか検討してもらうべきである。

事例のように監査法人側から直前々期の監査証明は不可能との報告を受けた場合は，在庫の重要性や内部統制上の課題があるケースと思われるので，もはや上場時期を1期遅らせるしかない。経営者の中には，このような場合に，監査証明を行ってくれる監査法人を別途探す者もいるが，1つの監査法人が監査証明を行えないとしている場合には，他の監査法人に打診しても通常は同じ結論になる。逆に監査証明を行えるとする監査法人は，監査の品質がそもそも異なる可能性があるのでそのような監査法人との監査契約締結については，慎重に考えるべきである。

なお，VCとの投資契約上で上場時期について定められていることが多く，上場時期を延期することが難しい場合もあるが，事情を説明し，無理をせずに理解を得る努力をすべきである。

ちなみに，前述の「新規上場のための事前準備ガイドブック」では，監査対象期間開始後の監査契約の締結に伴うリスクについて次のように説明している（同ガイドブック14ページ）。

・ 監査対象期間の開始前に監査契約を締結していないことにより，直前々期の期首残高に検証ができない部分が生じてしまう場合，その重要性の程度によっては，直前々期について意見不表明になってしまう可能性が生じる。
・ 監査法人等の指導を受ける期間が短くなるため，内部管理体制の整備等の上場準備（内部統制報告制度の対応を含む。）が間に合わず，上場時期を延期しなくてはならない可能性が高まる。

発展ケース

Q1
仮にA社のショートレビューが直前々々期中に行われたにもかかわらず，すぐに監査法人との監査契約締結に至らない場合，その理由としてはどのようなことが考えられるか。

A1

　監査法人によるショートレビュー実施後に監査契約締結に至らない理由として、主に次の2つが考えられる。

　① IPOに向けての内部統制上及び会計処理上の重大な問題点が抽出され、会社がその問題点を解消するためには多くの時間が必要であると考えられる場合
　② 会社に監査を受け入れるための最低限の体制が整っておらず、監査を受けることで日常業務等に大きな支障が生じると考えられる場合

　ショートレビューの結果、通常は内部統制上、会計処理上の様々な問題点が浮き彫りになり、「これを改善していくために、私たち監査法人とともに頑張りましょう。」ということで監査契約締結となる。ところが、ショートレビュー時に指摘された問題点の内容や、その解消に時間を要するなどの理由から、また、管理部門をはじめとした会社の監査受入体制の問題などから、監査契約の締結が持ち越しになる場合がある。その際に、会社として一旦IPO準備を見合わせる場合もあれば、監査実施前の内部統制や会計に関する各種助言業務の契約を締結し、監査法人からアドバイスを受ける場合もある。直前々期として監査契約を締結するまでの間、自社で各種課題に取り組むことも考えられるが、IPO準備の経験豊富な監査法人若しくは、その他の外部コンサルとしての会計士の方々からのアドバイスを受けることで、自社で取り組むよりも課題の解消の近道になるほか、スムーズに直前々期の監査へと移行し、無理のない効率的なIPO準備が可能になると考えられる。

知識を整理

　ショートレビューとは監査契約締結前に行われる監査法人によるIPOのための短期間の調査をいう。概ね3〜4名程度の人員で2〜5日程度（大規模会社

の場合は1，2週間程度かかる場合もある）かけて行われる。報酬は会社規模や業務内容の複雑さによって異なり，調査に投入する人員数や日数によるが，通常，数百万円程度はかかるものである。ショートレビューでは，主に次の事項について調査及び報告が行われる。

① 利益管理体制の調査
② 業務管理体制の調査
③ 経営管理組織の調査
④ 関係会社の状況の調査
⑤ 特別利害関係者等との取引状況の調査
⑥ 会計処理に関する調査

※ 上記のほか，会社の要望に応じて，事業概要の把握や内部統制報告制度への対応状況の調査，IFRS（国際財務報告基準）への対応状況の調査等も行われる場合もある。

ショートレビュー報告書は，IPO準備作業の最も初期段階における会社の問題点を抽出したものであるため，主幹事証券会社からはその提出が会社側に求められることもあり，また，指摘された問題点については，審査の過程で改善されているか否か確認される。

なお，ショートレビュー報告書は通常は会社内での利用に限定されているため，主幹事証券会社等社外に提出する必要が場合には，監査法人からの開示承諾の手続が必要になる点に注意が必要である。

○×問題

Q1
監査法人による監査報告書において無限定適正意見が表明された場合，財務諸表上に一切の誤りがないことを意味する。

A1
× 監査報告はあくまでも「重要な誤りがないことを保証している」に

過ぎず，一切の誤りがないことを保証するものではない。

Q2

ショートレビューの実施によって，IPO に関する会社の課題を全て網羅的に抽出できる。

A2

× ショートレビューは監査とは異なり，限られた手続と時間で行われる限定的な調査であり，主として会社から提出のあった資料や公表情報，担当者へのインタビューなどに基づいて実施されるものである。そのため，IPO に関する会社の主要課題を指摘するものの，全ての課題を網羅的に抽出するものではない。

8 【監査法人対応】
監査法人による監査の特徴・各種専門家の利用

事例の概要

　A社（取締役会設置会社）は製造業を営んでいる。BはA社の創立者兼代表取締役社長である。A社の主力製品は携帯電話用ガラスのレーザー加工機であり，完全個別受注生産形態で価格は1機当たり3千万円程度，生産開始から完成までのリードタイムは概ね2カ月程度である。

　A社はショートレビューを受けたが，ショートレビュー実施時期の関係から上場時期を1期延期せざるを得ないこととなった（45ページ参照）。その後，A社は監査法人Cと正式に監査契約を締結した。

　監査法人Cによる直前々期の期首残高監査（直前々々期の期末残高監査）は無事終了し，期中監査の実施中のころ，A社では，個人株主の1人から株式譲渡承認請求（会社法第136条）を受けていた。しかし，譲渡希望先が会社とは全く無関係な人物であったため，A社としては株主構成の観点から自ら取得（会社法第140条）することを検討していた。B社長はこの自己株式取得手続について監査法人Cの現場責任者D（一般的には「主査」という）に相談した。D会計士は，取得については財源規制（会社法第461条）がある点や会社法所定の手続（会社法第140条，第141条，第144条）を踏む必要性がある点等を説明した。さらにB社長は顧問税理士Eにも相談の上，自己株式取得手続を進めた。その後，譲渡承認請求者とA社との間で買取価格について協議し，合意に至ったため，買取りが成立した。

　期末残高監査に至り，A社の監査責任者である監査法人Cの業務執行社員FがA社を訪れた。F会計士はB社長に挨拶を済ませ，監査調書のレビューを行っていた。その際に上記の自己株式取得が税法上の「みなし配当」を発生させることを発見し，これに伴う源泉所得税400

万円の徴収漏れが発覚した。B社長がD会計士やE税理士に相談した際には「みなし配当」に関する説明は一切なかった。

何が問題なのか

　監査法人による監査の際に，会社側から様々な事項について現場責任者（主査）に相談することはよくあることであり，また，監査法人とコミュニケーションを取ることは監査業務の円滑化のためにも望ましいことである。しかし，監査法人は，相談事項に関して何らかの問題が生じても，監査意見表明に関する責任は負うが，それ以外の事項の責任は原則として負わない。事例の場合，生じた問題は源泉所得税の徴収漏れであり，基本的に財務諸表の適正性に大きな影響を及ぼすものではない（損益に影響がない又は軽微である）。したがって，基本的には監査意見表明に対しても影響を与えないため，監査法人側に法的責任が生じるものではない。

　一方，顧問税理士Eは，Bから相談を受けた際に税法固有の概念である「みなし配当」課税について説明すべき責任があったと思われる。したがって，顧問税理士Eに法的責任が生じる可能性はある。

❓ どのように解決するか ❓

　一口に専門家といっても，その能力や経験は個人によって千差万別で，大きな差があるのは事実である。たとえ税理士であっても自己株式取得というような特殊な取引に伴う課税関係について正確に理解している者は意外と少ないと思われるため，IPO実務に精通した専門家を選ぶことがポイントであるといえる。

　監査法人の担当者は，会計及び監査の専門家であるため，会社としては，企業会計に関しては監査法人，税務に関しては顧問税理士，労務に関しては顧問

社労士，企業法務全般に関しては顧問弁護士というように，各専門家の専門分野をよく理解した上で活用しなければならない。

さらに，IPO のためには顧問契約を締結している各専門家の力を活用することは非常に重要である。したがって，会社は顧問契約をしている各専門家が，IPO のためにどういった面で役立つのか，それとも役立たないのか，各専門家の能力を冷静に見極めて，時には IPO 実務に精通した各種専門家に変更することも検討すべきである。

発展ケース

Q

監査法人による監査時には，担当者から様々な資料の提出を求められ，これにより日常経理業務に影響が生じる場合がある。このような事態を防ぐためにはどうすればよいだろうか。

A

事前に監査法人側と協議の上，監査時に必要とされる資料一覧表を作成し，それに基づいて各勘定科目と注記項目別に必要資料をまとめた「監査資料ファイル」を作成すると，都度の監査対応も減り，日常業務への影響も最小限に抑えることができてよい。また，「監査資料ファイル」を作成しないまでも，会社の決算に関連する資料をまとめた「決算資料ファイル」を作成することも，監査に限らず会社の決算効率化の観点からも有用である。

監査法人は，監査業務全般について「監査調書」と呼ばれる書類（又は電子データ）にまとめる。監査調書は監査意見の前提となる重要な書類であるが，この監査調書は年々引き継がれるものであるため，いわば医者のカルテのようなものともいえる。そのため，監査チームの担当者に変更がある場合でも，監査調書が監査業務を効率的に進める上での拠り所の1つとなる。

しかし，仮に監査調書に記載漏れ等が存在すると，担当者が変わる度に会社は前年と同じ質問を受ける可能性もあり，日常業務にも影響が生じることがある。そこで，事前に監査法人側と協議の上，監査時に必要とされる資料一覧表を作成し，それに基づいて各勘定科目と注記項目別に必要資料をまとめた「監査資料ファイル」を作成すると，そのような影響も排除することが可能となる。

知識を整理

○ **監査法人による会計監査**

　監査法人とは，公認会計士法上の特殊法人であり，公認会計士5名以上で設立される。監査法人は一般的に「社員」（パートナー）と呼ばれる経営者層を最上位階層とし，以下シニアマネージャー，マネージャー，シニア，スタッフという内部階層構造を持っているケースが多い。なお，「社員」（パートナー）といっても，「従業員」という意味ではなく，「出資者」という意味である。したがって，監査法人の「社員」（パートナー）は法人経営などにも従事しつつ，株式会社でいうところの「株主」にも該当する存在である。

　監査法人では各被監査会社別に監査チームを組む。監査チームは，監査責任者と監査補助者によって構成される。

① 監査責任者

　監査チームを統括する監査実施の責任者である。監査業務とその実施及び発行する監査報告書に対する責任を負う公認会計士をいう。監査法人においては，監査報告書に責任者としてサインする際の肩書として業務執行社員という表現を用いる。監査責任者は監査調書の査閲（レビューという）を行って，必要な手続が行われているか，進捗状況はどうかなどをチェックし，監査現場や監査法人内において監査業務全体を統括管理する。

② 監査補助者

　監査チームの中の監査責任者以外の者をいい，実際の監査の現場作業を担

う者をいう。監査補助者には，IT関係の専門家など，公認会計士でない者が含まれることもある。監査補助者のうち，監査の現場作業を取り仕切る者を一般に主査という。主査には，通常は監査法人に入社後4年～6年以上の実務経験を経た者が就任することが多い。

このように監査チームは監査責任者と監査補助者から構成されるが，「監査」が人的サービスである以上，最終的には監査サービスの品質は，その監査法人の品質管理に対する体制や取組姿勢のほか，監査法人が抱える人材の量と質に比例するとも考えられる。そのため，こうした観点からすれば，品質管理体制や教育体制も充実し，多くの人員を抱え，多様なサービスの提供が可能な監査法人による監査を受けることが最も無難な選択肢といえる。ちなみに，上場会社（約3,800社）のほとんどは大手監査法人及び準大手監査法人によって監査が実施され，毎年IPOする会社も同様の事実がある。

なお，被監査会社の中には，監査法人による会計監査について誤解している場合があり，税務調査と同視して，必要以上に警戒心を抱く会社もある。しかし監査法人はIPOのためのよきパートナーと考えるべきであり，監査法人のアドバイスを有効活用することで，上場会社としての体質が身につき，IPOの実現が近づくものと考える。そのため，会社が認識している問題点等も全て監査法人に伝え，必要なアドバイスを受け，早めに課題解決をする，という方針で監査に臨むことが肝要である。

○×問題

Q1
監査法人による会計監査は違法行為の発見を目的としている。

A1
× 監査法人による会計監査は財務諸表が一般に公正妥当と認められる企業会計の基準に準拠しているか否かに関する意見を表明することを

目的としているものである。したがって，監査の過程で違法行為を発見することはあっても，監査人は企業の違法行為の防止に対して責任は負わず，違法行為の全てを発見することが期待されているわけではない。

Q2

残高確認書は被監査会社自ら作成し，回収するものである。

A2

× 残高確認は，監査人が確認の相手先である第三者（確認回答者）から文書による回答を直接入手する監査手続をいう。そのため残高確認書は，被監査会社からの同意を経て，監査人自ら作成するか監査人のコントロール下で被監査会社が作成し，監査人が直接発送及び回収するものである。

9 【証券会社対応】引受審査

事例の概要

T社はIPO準備を開始して2年が経過した。主幹事であるM証券会社の引受審査から書面による質問状が届いた。回答するポイントは何だろうか。

質問状

1. 上場申請理由についてご説明ください。
2. 事業内容及びビジネスモデルを具体的に説明してください。
3. 現在の事業を起こすこととした経緯・目的，現在に至るまでの沿革を説明してください。
4. 市場規模，市況等の最近の業界の動向及び今後の見通しについて説明してください。
5. 現在就任されている役員について，就任経緯を役員の前職や選任・招聘理由等について説明してください。
6. 大株主による出資の経緯及び理由について説明してください。
7. 取締役会，監査役会等の状況について説明してください。
8. 内部監査（目的，部署と人員，監査手続，今年度の監査計画，実施状況等）について説明してください。
9. 主要事業に対する法的規制，行政指導の概要，監督官庁の有無がありましたらご説明ください。
10. 反社会的勢力に対する調査対象，調査のタイミング，調査方法，調査

> 対象期間，入手資料，調査担当部署，利用した外部機関，調査結果についてご説明ください。

何が問題なのか

上記の質問例は，極めて基本的な内容であり，引受審査だけでなく証券取引所の審査でも質問される内容である。回答内容は，IPO準備の過程で主幹事証券の公開引受部門や監査法人などからアドバイスを受けてきた事項を反映する。

回答における注意点は，当然のことではあるが，面倒がらずに丁寧に答えること，期日を厳守すること，回答にあたり添付する資料があればその内容と整合が取れていること，回答書で使用する用語に統一感を持たせること等が考えられる。また，質問によっては回答に窮する場合も出てくると思われる。例えば，IPO準備企業であれば行われていて当然のことが，自社ではできていないというような場合には，取り繕うことなくありのままを回答することが重要である。

審査質問の次のステップとして，審査部によるヒアリングや書面による追加質問が行われ，改善すべき課題が審査部から提示されることになる。その際に，できていない事項は改善すべき課題として列挙され，解決に向けた具体的な対策をとることになる。

また，書面審査の目的は，決められた期限内に，わかりやすく正確な回答を作成するといった書類作成能力，開示対応能力を試されているとも言えるので心得ておきたい。

❓どのように解決するか❓

まず，回答にあたり，回答書の形式の指定があれば専用回答書に回答し，特に指定がなければ，自社で作成した回答書に回答することになる。回答書に

は，回答者，添付資料の有無，回答日などが記載されることが多い。また回答にあたり，文体を「〜です，〜ます」調にするか，「〜である」調にするか，「令和〇〇年〇月期」とするか「202X年〇月期」とするかなど細かい点まで統一して望みたい。このあたりは上場申請書類Ⅰの部，Ⅱの部の作成と同じ要領でよい。

次に，回答にあたり留意すべきと思われる点を記載する。

1. **上場申請理由についてご説明ください。**

   自社におけるIPOのメリットや，IPOによって会社がどのように変貌するのかなどについてコメントする。

   ① どうしてIPOするのか。
   - 間接金融ではない資金調達の必要性，IPOによる信用力の向上の必要性などの説明を行い，IPOすることで得られるメリットや会社がどのように成長していくのかを記載する。

   ② IPOして調達した資金で何を行い，その結果どのように業績に貢献するのか。
   - 設備投資，工場建設，研究開発，運転資金の調達など，調達資金使途を明らかにする。事業計画における資金計画などとの整合性が重要となる。

   ③ IPOに期待する効果は何か。
   - 知名度の向上，優秀な人材の確保，経営の透明性などを記載し，IPOが，業績発展の1つのステップであることを記載する。

2. **事業内容及びビジネスモデルを具体的に説明してください。**

   ① 事業の特徴，他社との差別化要因は何か
   - 例えば，「小ロット，低単価，短納期，高品質」など他社との差別化要因をわかりやすく記載する。
   - 事業の特徴，差別化要因は，なぜ当社において実現可能なのか。他社

　　　　が行えない要因は何か。
　　　・　当社が構築したビジネスモデルが継続的に行える理由を説明する。
　②　事業計画，中期経営計画と整合しているか
　　　・　市場動向，競合の状況，原材料価格の動向，法的規制の動向について考慮されているか。

3. 現在の事業を起こすこととした経緯・目的，現在に至るまでの沿革を説明してください。
　①　創業時から同じ業態か，もしくは業態を転換しているか。
　　　・　創業の理由，業態転換した理由は何か具体的に記載する。
　②　経営理念に基づいているか。
　　　・　経営理念と新事業を始めるにあたり考え出されたテーマは合致，あるいは関連していることを確認する。
　③　株主総会議事録，取締役会議事録と整合が取れているか確認する。
　　　・　定款の追加，商号の変更，役員の異動などと会社の沿革，履歴事項全部証明書との整合が取れているか確認する。

4. 市場規模，市況等の最近の業界の動向及び今後の見通しについて説明してください。
　①　マーケット全体の市場規模はどのくらいか
　　　・　市場規模について，公的機関や業界団体からの情報があれば活用する。
　　　・　マーケット全体の市場規模が不明な場合，競合他社の上位10社の売上はどのくらいか。そのうち，当社の売上はどのくらいか比率を算出する。
　②　当社の属する市場は成長市場か，安定成長市場か自社で分析を行う。
　③　当社の強み，弱みは何か自社で分析を行う。

5. 現在就任されている役員について，就任経緯を役員の前職や選任・招聘理

由等について説明してください。
① 創業時のメンバー
② 自社内からの登用
③ 外部から招聘者
  ・ 専門的な役割を期待して招聘（公認会計士，弁護士等）
  ・ 取引銀行，主要取引先からの招聘
  など招聘理由を記載する。
④ 役員の就退任年月日と履歴事項全部証明書との整合の確認を行う。

6. **大株主による出資の経緯及び理由**について説明してください。
   ① 創業者一族による出資の経緯及び理由を具体的に記載する。
   ② 取引先による出資の経緯及び理由を具体的に記載する。
   ③ ベンチャーキャピタルによる出資の経緯及び理由を具体的に記載する。

7. **取締役会，監査役会等の状況**について説明してください。
   ① 取締役会，監査役会の開催手順について
     ・ 各規程との整合性を確認の上，開催手順を記載する。招集方法，各事務局の有無を記載する。
   ② 取締役会，監査役会の開催状況
     ・ 各種議事録，監査計画との整合を確認し，開催状況を記載する。
   ③ 出席者の状況，欠席者の状況
     ・ 欠席者の理由を記載する。

8. **内部監査**（目的，部署と人員，監査手続，今年度の監査計画，実施状況等）について説明してください。
   ① 内部監査の実施手順について
     ・ 内部監査規程との整合性を確認の上，担当部署，監査計画の立案・承認手順，内部監査実施手順等について記載する。

② 内部監査の実施状況
- 内部監査計画書、実施報告書、改善命令等との整合を行い、内部監査の実施状況を記載する。

9. 主要事業に対する法的規制、行政指導の概要、監督官庁の有無がありましたらご説明ください。
① 法的規制、免許、許認可、届出の有無
- 公官庁への届出資料をもとに、監督官庁、許認可の内容、有効期限等を記載する。
- 経理データから、登録免許料等の支払項目を探し出し、記載した規制項目の漏れがないか確認する。
- 主要事業に関連する法律の有無を調査し、記載する。

10. 反社会的勢力に対する調査方法についてご説明ください。
反社会的勢力に対する調査方法について、例えば、次のような項目を具体的に記載する。
① 調査のタイミング
② 調査方法
③ 調査対象期間
④ 利用した外部機関、調査結果、入手資料
⑤ 調査担当部署

発展ケース

Q1

当社は過去に、労働基準監督署からの是正勧告や、税務調査による修正申告、業法違反（以下、法令違反等という）を指摘された事実がある。このような場合でも IPO することは可能だろうか。

A1

　一般的にIPO審査では，過去における法令違反等があった場合には，法令違反の状態の是正状況や，法令違反後の再発防止に向けた体制等が審査されることになる。審査の内容については，法令違反等の内容によりケースバイケースの判断となる。

　実質審査基準の企業の継続性という観点からすれば，法令違反等の事実による許認可の取り消しや免許の更新が不可能になり事業が継続して行えなくなるリスクが考えられるため，その後の再発防止策を含め慎重に審査される可能性が高い。

　また，「Ⅱの部」を作成する場合には，最近3年間及び申請事業年度における法令違反の状況，最近3年間及び申請事業年度の国税庁及び税務署からの調査について記載することになっているため，法令違反等の経緯や顛末を整理しておく必要がある。

Q2

　書面審査にあたり，取締役会議事録，社内規程を提出することになった。注意すべき事項は何かあるだろうか？

A2

　取締役会議事録や社内規程のコピーを提出する際，原本証明を求められることが多いので提出する時に確認する。原本証明は，例えば規程の写しをコピーし，最後の頁に「この○○規程の写しは原本に相違ありません　会社印」とすればよい。

　取締役会議事録の原本の保存は，改竄や差替を防ぐために袋とじや各頁間に割印を行う。これらの写しを求められたら，原本の写しなのか，単に内容がわかるデータでもよいか念のため確認したい。

Q3 回答期限が近付いてきたが，回答書を提出できそうにない。提出期限を延期してもらえるだろうか？

A3

結論から言えば，提出できない理由を伝え期限を延期することは可能である。しかし，引受審査部門に対する心証は悪くなる可能性があると心得ておきたい。

審査質問の数は，細かい設問を含めると300〜400問程度になる。そのような質問回答を作成していると，締切ぎりぎりまで回答内容や整合性に気を取られてしまう。しかし，回答書及び添付資料を紙に印刷する場合，その時間も考慮して回答スケジュールを管理する必要がある。限られた時間で膨大な質問に対応する必要があり，IPO実務担当者にかかる負荷はとても大きいため，全社を挙げて対応することが必要となる。

知識を整理

主幹事証券会社からの質問の回答に対し次の事項を心がける。

① 審査質問の回答には丁寧に答え，期日を厳守すること。
② 回答にあたり添付する書類があればその内容と整合が取れていること。
③ 回答書に統一感を持たせること。
④ 回答に困る質問には正直に答えること。
⑤ 審査質問の回答内容だけでなく，会社の書類作成能力，開示対応能力も問われていることを意識すること。
⑥ 全ての回答について首尾一貫性があること。

9 引受審査

◯×問題

Q
証券会社の引受審査部門からの書面審査の回答と，実務上の乖離があってはいけない。

A
◯ 既に運用されている制度について問われることが多いので，質問の回答と実務上の乖離は発生しないはずである。回答提出時に，実際に使用している帳票類のサンプルの提示を求められることが多い。

10 【証券会社対応】
主幹事証券会社の変更

事例の概要

A社は主幹事証券会社を変更したいと考えている。主幹事証券会社の変更にはどのようなリスクがあるだろうか。

何が問題なのか

　主幹事証券会社の変更を行うにあたり，A社のIPOに関する課題について何が原因で主幹事証券の理解が得られないのかはっきりさせる必要がある。

　例えば，業績の問題や内部統制など管理面の問題であれば，他の証券会社に変えても結論は通常同じであるため，主幹事証券会社を変更する意味はあまりない。主幹事の変更理由として考えられる想定のケースは，例えば非常に高度な法的解釈が要求される場面において，証券会社間で見解が分かれる場合がある。また，A社に生じたある取引事実について，投資家の判断が分かれそうな内容で，市場の反応の読み方など証券会社によって見解が異なる場合がある。このように見解が分かれるような事象に対し，新たな主幹事証券がどのような判断を下すのかがポイントとなる。例えば，申請会社の業績に与える影響や信用力，訴訟などの観点から，投資家に対するリスクが少ないと判断できれば，新たな主幹事証券会社の理解を得られることも考えられよう。

　主幹事証券会社は，株式公開業務のコンサルフィーを得てIPOに関する助言を行っているが，同時に新規公開時には引受契約を行い，投資家に対し申請会社の株式を販売する側に回ることになる。証券会社としても投資家に高いリスクのある株式を勧めないであろうし，引き受けた

株式の人気が低ければ売れ残るリスクもある。まして，上場後に万が一のことがあれば，主幹事証券会社の評判自体も悪くなる。よって主幹事証券会社は慎重に引受審査を行うのである。

次に，主幹事証券会社の変更は，様々なコストがかかることを肝に銘ずるべきである。

主幹事契約開始から現在まで，会社の社風や事業の内容を理解してもらったものが，一からやり直しでは，これまでの時間が無駄になってしまう。

また主幹事証券会社間においても，前任の証券会社が残した公開引受・審査資料は存在するものの，明確な形で引継は行われない。後任の証券会社は前任の審査資料等を全面的に信頼するわけではなく，独自の審査手順を踏み，違った角度からの質問が行われることが通例である。そのため，時間もコストも追加的にかかることを忘れてはいけない。

主幹事証券会社側から見て申請会社と距離を置くようになる理由としては，①申請会社の予算の未達・業績の悪化，②主幹事証券会社の指導に対する申請会社のレスポンスの遅さ，③株式市況の悪化による新規公開価格の食い違いなどによるものが考えられる。

逆に申請会社から見て，主幹事証券会社と距離を置くようになる理由は，④公開引受担当者の訪問頻度が少ないことに対する不満，⑤公開引受審査・指導に一貫性がなく信頼が置けない，⑥公開価格の水準に対する低い認識に対する不信感など，といったことがよく聞かれるところである。

❓ どのように解決するか ❓

①について

　予算や業績に関する事項は，申請会社が主体となって取り組むべきものであり，主幹事証券会社の変更理由とするのは筋違いである。

　業績達成については証券会社も監査法人も直接的に助言できるものではない。IPOまでに利益管理体制をきちんと構築できているかどうかが業績の向上のための1つのポイントになるといえるため，その観点にて助言することになる。

　なお，予算の乖離が大きい場合には（特に未達の場合），引受審査において予算の達成状況について追加の確認が必要となり，上場申請が延期される可能性がある。その場合には，適切な現状把握に基づいたタイムリーな予算修正と今後の見込みを合理的に説明することで，申請時期の遅れを最小限にとどめることが望まれる。

②について

　基本的に指摘事項に対応するレスポンスが遅い会社は，指導する側としては証券会社に限らずIPOに対する本気度を確認したくなるところである。目標とした上場スケジュールの中で問題を解決することはどの会社も同じであるため，レスポンスが遅い会社は案件として後回しになりがちになる。IPOを目指すにあたり，弁護士，監査法人，社労士などの各分野からレポートが作成されることが多いが，そこで指摘されたIPOに向けての課題を早期に認識し，対応策を検討すべきである。

　また，レスポンスの遅さは，IPO後の適時開示（タイムリーディスクロージャー）にてトラブルを起こしやすいとネガティブに見られるおそれがあるため，意識的にレスポンスをよくするよう意識し，作業を工夫すべきである。

③について

　公募価格は，IPOによりいくら資金を調達するかという前提条件に加え，株式市場の状況，申請会社の利益計画の達成確度，成長性等が加味される。一般に，経営者は自社の評価を高くしがちであり，主幹事証券はあらゆる局面を想定し，専門アナリストの評価を基に堅く評価する傾向にある。

　経営者の考えは理解できる部分もあるが，主幹事証券会社の立場からすれば，公開指導の後は，販売側に立場が変わることになる。利益計画から見て割高な公募価格を付けてしまえば，IPO時の新規公開株の需要が集まらず，証券会社は新規公開株を商品在庫として抱えた状態になってしまう。また，相場の状況にもよるが，IPO時に高い株価で市場に出てしまい，IPO以降株価の下落が続くと，いわゆる「初値天井」という結果になり，主幹事証券，申請会社，投資家に良くない結果をもたらしてしまう。割高なイメージの企業の株式は，公開後の買いも期待できない。これらの理由から主幹事証券会社は慎重に株価形成を行うものである。

　ちなみに，公募価格を決める際によく用いられる手法として，同じ業種の既に上場している類似会社の時価総額やPER（株価収益率）を参考にすることが多い。しかし，この方法は株式市況による影響が大きく，株式市場が活況の時は，類似会社の時価総額やPERも高めであり，公募価格も高くなる傾向にあるが，市況が低迷している時は，逆に時価総額やPERが低いため，公募価格も低めに設定されてしまうことがある。

　主幹事証券を決定する際には，IPO実績を見て，その主幹事証券会社が手掛けた新規公開株の公募価格，初値，IPO後の株価の推移を確認し，どのような傾向にあるのか把握することも判断材料となり得る。

④について

　主幹事契約を締結する際，どのくらいの頻度で訪問するのか確認すべきである。また，公開引受部門の担当者についてプロフィール，担当社数などを確認しておきたい。しかし，担当者のスキルもさることながら，熱意や相性なども

重要な要素となる場合も多い。

⑤について

　主幹事証券会社を変更する理由の１つとして，「非常に高度な法的解釈が要求される場面において，証券会社間で見解が分かれるような場合」等があることは前に述べた。このような証券会社間で見解が分かれるような問題がある場合，主幹事証券会社を依頼する証券会社が引受の実績の中で多くのケースを経験しているかどうか，課題があったとしても本質を捉え，冷静に解決の糸口を見出し，柔軟に対処するアプローチがイメージできているかなども主幹事証券会社を決める際に確認するべきである。主幹事証券会社が類似の事例を扱っていれば，公開までの指導も経験に基づいたものになり，最短ルートになることも期待できる。主幹事証券会社選定の際に必ず確認しておきたい。

　やや別の観点になるが，主幹事証券会社の指導レベルも，会社ごとに多少のばらつきがあることは否めず，さらには選任された担当者によっては必要以上に細かい事項にまで指導が及ぶことも散見される。そのような場合，指導内容について最終目的を問いただし，代替案を探れないかなど問題の所在をきちんと整理することが必要な局面も見受けられる。

⑥について

　③の裏返しでもあり，公開価格の落としどころをお互いに見出すことが，IPOにおける最後の大仕事といえる。経営者は自社の成長性を合理的に説明できることが重要なポイントになる。

発展ケース

Q1 主幹事証券の変更は上場申請書類Ⅱの部に記載する必要があるか？

A1

Ⅱの部に記載する必要がある。例えば，Ⅱの部において，「Ⅹ　その他について　(3) 主幹事の決定時期等」に主幹事証券会社と主幹事契約をした時期，変更を行った理由を記載することになっている。

Ⅱの部は本則市場（東京証券取引所であれば市場第一部，第二部）向けの上場申請書類であり，マザーズでは作成不要である。しかし，マザーズにおいてもⅡの部に相当する各種説明資料を提出する必要があり，主幹事証券会社の締結・変更等に関して，Ⅱの部と同様の情報を記載することになっている。

Q2

IPO をするにあたり，主幹事証券会社はどの証券会社に依頼してもよいのだろうか？

A2

東京証券取引所では，最近において主幹事実績のある証券会社又は実績がなくとも東京証券取引所が引受体制面の確認を行った会社をホームページ上で公表している。

知識を整理

① 主幹事証券会社を決定する際には，実績や担当者の熱意，相性などを基に選定を進めることが考えられる。
② 非常に高度な法的解釈が要求される問題，証券会社間で見解が分かれるような問題などを有している場合，類似案件の経験の有無を確認する。
③ 主幹事証券の変更は可能だが，新たな主幹事証券に自社を理解してもらうことに追加的な時間やコストがかかることも理解して検討すべきである。
④ 主幹事証券会社を変更した場合には，Ⅱの部に変更理由を記載，又はヒア

リング時に変更の理由を説明する。
⑤ 主幹事の候補となる証券会社は，東京証券取引所ホームページに紹介されている。

○×問題

Q1
証券会社のコンサルフィーは，毎月支払う部分と成功報酬部分とがある。

A1
○ 主幹事証券会社との契約次第だが，毎月支払う部分と成功報酬部分とに分かれている場合がある。

Q2
取引所は，新規上場申請が行われた場合には，その旨を，主幹事証券会社として直近3年間において新規上場に係る推薦書等を提出したことのある証券会社に対して通知する。
一方で，通知を受けた証券会社は，新規上場申請者の上場適格性の判断に重大な影響を及ぼすおそれのある情報を有している場合には，取引所に対して，直ちにその内容を報告することになっている。

A2
× これはかつて取引所から提示されたパブリックコメントの内容である。現在はこのようなことは行われていない。

11 【証券取引所対応】審査スケジュール・申請書類

事例の概要

T社は主幹事証券会社の審査も終了し，いよいよ証券取引所に上場申請を行う段階にきている。上場申請から上場承認までどのようなスケジュールなのだろうか？ また，上場申請書類にはどのようなものがあるのだろうか？ 取引所審査で注意すべき事項は何だろうか？

何が問題なのか

審査スケジュール，上場申請作成書類は，取引所によってそれぞれ異なる場合がある。ここでは，審査スケジュール，上場申請作成書類についておおまかな流れを確認しておくことにする。

？ どのように解決するか ？

　東京証券取引所は，標準上場審査期間の設定や，審査の合理化を打ち出した。その中でも上場承認までのスケジュールに焦点をあてると，従来であれば，東証一部・二部上場の場合，上場申請から上場承認まで約4カ月かかっていたものが，上場申請を受理してから上場承認まで，3カ月以内とするよう努めるとしている。マザーズにおいても上場申請を受理してから上場承認まで，2カ月以内とするよう努めることになった。JASDAQ市場では45日程度となっている。

　また，東京証券取引所において，従来は，申請期の翌年度（定時株主総会前まで）に上場する期越えを前提とした上場申請スケジュールは原則として受付されていなかったが，期越え上場を前提とした上場申請も可能となった。

東京証券取引所の上場スケジュール（本則市場）を例に各項目を確認することとする。

1. 上場申請のエントリー

2. 上場申請に係る事前確認

3. 上場申請
(1) Ⅰの部，Ⅱの部の提出
(2) 上場申請受付時ヒアリング
(3) 上場スケジュール調整

4. 証券取引所による審査
(1) 書面審査，ヒアリング
(2) 実地調査（実査）
(3) 公認会計士ヒアリング
(4) 社長（CEO）面談，監査役面談等
(5) 社内協議・決裁

5. 上場承認（対外発表）

6. ファイナンス手続

7. 上場

1. 上場申請のエントリー

主幹事証券会社は，申請会社名，主幹事証券の連絡先，希望する上場スケジュールなどを記載した「上場申請エントリーシート」を作成し，東京証券取引所に提出する。

上場申請前に，審査基準などの疑問点は，直接又は主幹事証券を通じて問い合わせすることができる。

2. 上場申請に係る事前確認

上場申請に係る事前確認として，上場申請の受付の1週間以上前に，主幹事

証券会社の担当者と東証の審査担当者の間で，次の事項について事前確認が行われる。

① 公開指導・引受審査の内容に関する事項

主幹事証券会社は「公開指導・引受審査の内容に関する報告書」を作成する。これには上場申請に至るまでに実施した公開指導や引受審査の過程で特に留意した事項及び重点的に確認した事項（公開準備過程で整備した内容を含む）が含まれる。

この書面は主幹事証券が作成することになるが，内容的には，上場申請書類Ⅰの部のリスク情報，上場申請書類Ⅱの部の「Ⅹ．その他について （3）主幹事の決定時期等 （4）他の金商品取引所への申請」とも内容が整合していることが求められる。

② 反社会的勢力との関係

主幹事証券会社が作成する「確認書」及び調査の内容・方法を記載した別紙（ドラフトで可）並びに申請会社作成の「反社会的勢力との関係がないことを示す確認書のドラフト（別紙添付）」を提出する。

内容は，履歴・属性を調査した新規上場申請者の関係者（役員，株主，取引先等）の範囲，その範囲決定にあたり考慮した業界慣行，反社会的勢力との関係を調査するにあたって採った方法について記載することになる。

③ 審査日程など

主幹事証券会社は，申請会社の希望する上場ファイナンス日程案を提示し，東京証券取引所は提示された日程案に合わせて，上場申請から上場承認までを3カ月とする審査スケジュール案を提示する。ただし，申請会社グループの規模が大きい場合，事業分野が広範な場合，審査上の論点が多岐に渡る場合等は3カ月以上の審査期間の設定がなされることがあるため，余裕をもって準備を進める必要がある。

3. 上場申請

上場申請時には，上場申請に伴う提出書類を提出するとともに，審査担当者

から今後の上場審査スケジュール及びおおまかな審査内容，審査の具体的な進め方などが伝えられる。

　上場審査期間の短縮化・効率化に伴い，上場申請時にも，次のような項目のヒアリングが行われる。回答はできるだけ具体的に行うことが求められている。

【申請受付時の質問内容】
① 上場申請理由
　〇上場を申請した理由（目的，期待する効果を含めて）
② 沿革・事業内容
　〇事業内容及びビジネスモデル（必要に応じてプレゼンテーション用資料等を用意する）
　〇現在の事業を起こすこととした経緯・目的，現在に至るまでの沿革（ビジネスモデルがどのような経過を経て構築されるに至ったのか）
　〇設立から現在に至るまでの主な事業の変遷
③ 業界の状況
　〇市場規模（把握可能な場合），市況等の最近の業界の動向及び今後の見通し
　〇自社の特徴（同業他社と比較しながら）
④ 役員・大株主の状況
　〇役員の就任経緯
　〇大株主による出資の経緯及び理由

（以上，東京証券取引所HP「新規上場の手引き　市場第一部・第二部編　Ⅰ上場制度の概要　4上場までのスケジュール（3）上場申請　a．通常申請」より抜粋）

4．証券取引所による審査

　先に提示されたスケジュールに従い，ヒアリング，実地調査（実査），公認会計士へのヒアリング，社長（CEO）面談・監査役面談，社長説明会が行わ

れる。

　ヒアリング，実地調査（実査）では，Ⅰの部，Ⅱの部を中心に行われる。業務フローの整合性の確認や，会計伝票，給与台帳等人事系の帳票も実査の対象となるので準備が必要である。

　審査期間内において，役員に対するeラーニングの受講，公認会計士に対するヒアリング，社長面談，監査役面談，社長説明会もスケジュールに従い行われる予定である。

　社長説明会が終了した後，取引所は，審査基準に基づき，上場の可否の最終的な判断を行い，上場審査は実質的に終了する。

5. 上場承認

　東京証券取引所内での決裁が終わると，報道機関に対し，新規上場承認の発表が行われる。また，「新規上場会社概要」が公表される。その中には，会社名，上場予定日，市場区分のほか，公募・売出しのスケジュール等も掲載されている。

6. ファイナンス手続

　ファイナンス手続は，IPO審査と並行して，財務局に対し日程相談が行われる。これは，有価証券届出書等に記載の不備等があった場合に予定通りの日程でファイナンスが行われない等の不都合を回避するため，有価証券届出書や目論見書のカラーページの内容などを財務局に持ち込み，事前に記載内容について相談を行うことである。この日程相談は，上場承認の約1カ月前に行われる。

　上場承認後は，有価証券届出書や訂正有価証券届出書の届出をEDINET経由で行う。また仮条件が決定した際には訂正目論見書を作成する。

　なお，EDINETを使用して電子書類を提出する場合，EDINETコードが必要となる。EDINETコードの取得には，「電子開示システム届出書」を作成し，定款等の添付書類とともに，管轄する財務局に提出し，ユーザーID及びパス

ワードを受領する手続が必要となるので注意が必要である。

7. 上場

　東京証券取引所と上場契約を取り交わし，上場日より適時開示等に関して定められた諸規則を遵守することが必要となる。

■ 発展ケース

Q1

　主幹事証券より引受審査資料の作成を求められた。引受審査資料とは何か。

A1

　証券会社が新規上場企業の株式の引受を行う場合には，「有価証券の引受け等に関する規則」第12条第2項に従い引受審査を行うことになっている。その際に使用されるのが引受審査資料である。引受審査資料は，新規上場企業が主幹事証券に提出し，主幹事証券から引受証券会社に渡される。引受審査資料の項目は，次のとおりである。

Ⅰ　調達資金使途（売出しの場合は当該売出しの目的）
Ⅱ　予想貸借対照表及び予想キャッシュ・フロー表
　　1. 予想貸借対照表
　　2. 予想キャッシュ・フロー表
Ⅲ　企業集団の概要
　　1. 業界に占める地位及びシェアー
　　2. 業界の動向
　　3. 事業の概況
　　4. 事業内容の変更等
Ⅳ　営業の状況と利益計画

1. 営業の状況
2. 利益計画

Ⅴ 経理の状況
1. 販売先一覧表
2. 仕入先一覧表
3. 偶発債務一覧表
4. 重要な後発事象
5. 関係会社一覧表

Ⅵ 最近の財政状態及び経営成績
1. 最近の財政状態
2. 最近の経営成績
3. 最近のセグメント別受注高，受注残高及び売上高
4. 月次ベースでの経営成績（受注高，受注残高及び売上高）

Ⅶ 事業等のリスクに係る検討事項

Ⅷ その他会員が必要と認める資料

（「有価証券の引受け等に関する規則」に関する細則第9条に基づく細目等を含む）

　引受審査資料は，Ⅱの部の概略版という位置付けになり，Ⅱの部，中期経営計画，月次業績管理資料，審査質問回答資料等を利用しながら作成することになる。予想貸借対照表，キャッシュ・フロー，月次ベースでの経営成績などは直近の業績の動向を踏まえて新たに作成する必要がある。

Q2
取引所審査において行われる社長面談，社長説明会とはどのような内容なのか？

A2

東京証券取引所が行う社長面談と社長説明会の違いは，次のとおりである。

	社長面談	社長説明会
形式	審査担当者が申請会社まで赴く	社長が取引所に足を運ぶ
内容	・　経営ビジョン ・　上場企業になった際のIRの対応 ・　業績管理体制 ・　内部管理体制	・　会社の特徴 ・　経営方針及び事業計画等 ・　上記事項の東証役員との質疑応答 ・　上場会社になった際の留意事項及び要請事項（東証より）

（出典：東証HP「新規上場の手引き　市場第一部・第二部編」より筆者抜粋）

Q3

監査役ヒアリングの内容はどのような内容を想定すればよいのだろうか？

A3

原則として常勤監査役に対するヒアリングが行われる。ヒアリングが予想される項目として，監査役就任の経緯，監査役協会への加入状況，最近行った取締役への主な提言・勧告及びその結果，社内での情報収集方法，内部監査・監査人との連携状況，監査役から見た会社の強み・弱み，コーポレートガバナンスに対する評価が考えられる。日常業務のほかに，監査役としての問題意識の有無を問われる場面である。

Q4

証券取引所の審査が予想以上に長期化している。このままでは決算日を迎えてしまうかもしれない。このまま決算日を越えても上場承認され

るのだろうか？

A4
　上場審査手続等により，上場申請事業年度に係る定時株主総会日前までに IPO できないこととなった場合には，再申請の手続が必要となる。

知識を整理

東京証券取引所に上場申請するケースである。

① 上場申請のエントリーは，主幹事証券会社が行い，事前に取引所と公開指導・引受審査の内容に関する事項，反社会的勢力に関する事項，審査日程の事前確認が行われる。申請受理から上場承認まで3カ月以内とするとしている（マザーズは2カ月以内）。

② 取引所の審査期間の短縮化の流れから，申請書類の提出時にもヒアリングが行われる。

③ 取引所による実地調査（実査），公認会計士ヒアリング，社長（CEO）面談・監査役面談，社長説明会が行われる。

④ 上場承認が出される。

⑤ ファイナンス手続を行う。提出書類は EDINET を使用するので，EDINET コードを取得しておく。

⑥ 上場を迎える。

○×問題

Q1
　取引所から審査質問が送付された場合，回答までの期間は7営業日程度である。

A1

○ 回答書作成の時間は十分あるので万全を期して臨みたい。提出期限を守ることも上場準備の重要事項といえる。

Q2

上場申請のための有価証券報告書（Ⅰの部），有価証券届出書，目論見書は，第二号の4様式，第3号様式などそれぞれ記載様式が違う箇所があるが，これに添付する「独立監査法人の監査報告書」は，全て金融商品取引法第193条の2第1項の規定に基づく監査証明を行うために作成しており，監査法人から受領する監査報告書は東証に提出するⅠの部と有価証券報告書とで共通である。

A2

× 例えば，東京証券取引所マザーズに上場した会社の例を取り上げると，上場申請のための有価証券報告書（Ⅰの部）の監査証明の冒頭には，「当監査法人は，株式会社東京証券取引所の「有価証券上場規程」第216条の2第6項の規定に基づく監査証明を行うため…」となっており，あくまでも証券取引所の規程に基づく監査証明を行うことになっている。

その他の書類である，有価証券届出書，目論見書に添付する「独立監査法人の監査報告書」の冒頭には，「金融商品取引法第193条の2第1項の規定に基づく監査証明を行うため」となっている。

Q3

審査費用は，上場承認時に発生する。

A3

× 上場申請時後に上場審査料が発生する。

市場	上場審査料
東証1部・2部	400万円
マザーズ	200万円
JASDAQ	200万円

　過去に上場申請又は予備申請を行ったことがある場合，直近の上場申請日（予備申請の場合，有価証券上場予備申請書に記載した上場申請日）の属する事業年度の初日から起算して3年以内に再度上場申請を行う場合は，半額となる。

Ⅱ

コーポレートガバナンス

1 【機関設計】
取締役会の設置時期

事例の概要

　A社はインターネット上での情報サイト運営を主たる事業としている。BはA社の創業者兼代表取締役社長である。A社は設立3期目を終え，黒字化を達成した。

　B社長は会社設立当初から将来のIPOを考えていたが，IPO実務に関する知識はほとんど持ち合わせていなかった。そこで，早い段階で監査法人の指導を受けた方がよいと考え，早速ショートレビューを受けた。

　ショートレビューの結果，機関設計に関して，取締役会の設置，監査役（会）の設置，及び議事録の作成について，監査法人の担当会計士からアドバイスを受けた。

　A社では，取締役はBのほか，共同創業者であるC（技術担当）及びD（管理担当）がいた（C及びDに代表権はない）。B社長，C取締役及びD取締役は，会社の運営について頻繁に話し合ってはいたが，会社法上の取締役会は設置しておらず，話し合いの内容についても，全く記録を残していなかった。また，監査役も選任していなかった。

何が問題なのか

　IPOする際には，適切なコーポレートガバナンスを構築することが求められ，たとえ会社法を遵守していても，より実効的な体制の構築が求められる。

　そのため，上場審査上，必ず取締役会を設置（有価証券上場規程第437条第1項第1号）しなければならず，マザーズ等の新興市場へのIPOのためには原則として最低1年以上の取締役会設置実績が必要で

ある。

また，取締役会は，会社法上3カ月に1回以上開催することが義務付けられている（会社法第363条第2項）が，IPO上，機動的な開催による迅速な意思決定の観点から，1カ月に1回程度の開催が目安とされている。そして，取締役会において，決議・報告された事項の記録を残すため，議事録の作成が必要である。

なお，取締役会設置のためには，最低取締役3名が必要となる（会社法第331条第5項）。

さらに，上場審査上は，指名委員会等設置会社及び監査等委員会設置会社を除き，監査役会（会社法第390条）の設置も必要（有価証券上場規程第437条第1項第2号）であり，各監査役は取締役会への出席も求められる（会社法第383条第1項）。

なお，ジャスダックのうちグロースに上場する内国会社については，上場日から1カ年を経過した日以後，最初に終了する事業年度に係る定時株主総会の日までに取締役会等を設置するものとして，猶予措置が定められている（有価証券上場規程第437条第2項）。

⁇ どのように解決するか ⁇

取締役会の設置について，上場基準上は原則として最低1年間の実績が求められているが，IPO準備作業上は，取締役会運営ノウハウを社内に蓄積させるため，できる限り早い段階で取締役会設置会社とする必要がある。

A社においても，早急に取締役会及び監査役を設置する必要があり，取締役会開催時には会社法施行規則第101条で定められた内容を含む取締役会議事録を作成する必要もある。

また，監査役会設置の際には，証券取引所審査を踏まえて，独立役員の要件を満たす社外監査役も合わせて選任するのが望ましい。

発展ケース

Q1

独立役員とは何か？

A1

独立役員とは，会社法で定める社外取締役又は社外監査役であって，「一般株主と利益相反の生じるおそれがない者」である。

IPOのためには最低1名の「独立役員」を選任し，株式上場時に証券取引所に届け出ることが義務付けられている（有価証券上場規程第436条の2第1項。ただし，ジャスダックのうちグロースに上場する内国会社については，上場後最初に終了する事業年度に係る定時株主総会の日までに独立役員を1名以上確保するものとして，猶予措置が定められている（有価証券上場規程第436条の2第3項））。

加えて，取締役である独立役員を少なくとも1名以上確保するよう努めるものとされている（有価証券上場規程第445条の4）。

なお，東京証券取引所が公表している「コーポレートガバナンス・コード」（詳細は107〜110ページ参照）では，上場会社は「独立社外取締役を少なくとも2名以上選任すべきである」（原則4-8）としている。これは上場会社に2名以上の独立社外取締役の選任を義務付けるものではないが，「コンプライ・オア・エクスプレイン」（原則を実施するか，実施しない場合には，その理由を説明するか）の手法の下，仮に2名以上の独立社外取締役の選任を行わない場合には，その理由の説明が求められることになる（※令和元年改正会社法では，上場会社に対し社外取締役の選任を義務付けている（改正会社法第327条の2））。

独立役員の法的な地位，責任範囲は会社法上の社外取締役，社外監査役と異なることはなく，その権限と責任，選任方法，任期等は，会社法の範囲内で定められるものである。

Q2
独立役員に期待される役割とは何か。

A2
　独立役員には，上場会社の取締役会などにおける業務執行に係る決定の局面等において，一般株主の利益への配慮がなされるよう，必要な意見を述べるなど，一般株主の利益保護を踏まえた行動をとることが期待されている。

　独立役員は，上記の期待される役割を果たすにあたり，例えば次のような点を考慮した適切な判断を行うことが望まれる。

① 　上場会社の業務執行に係る決定等が，その会社の事業目的の遂行及び企業価値の向上という視点からみて合理的なものであるかどうか。特に，一般株主の利益に対する配慮が十分に行われているか。

② 　業務執行に係る決定等を独立役員として適切に評価するために必要な情報が，あらかじめ十分に提供されているか。

③ 　業務執行に係る決定等の目的，内容及び企業価値に与える影響が，正確，適切に開示されるよう工夫されているか。

知識を整理

○　独立役員となる条件

　独立役員は，会社法上の社外取締役又は社外監査役に該当する者で，かつ「一般株主と利益相反の生じるおそれがない者」をいう。

　原則として，下記のような関係にある場合は，「一般株主と利益相反が生じるおそれがある」と判断されることになるため，そのような関係にない社外取締役又は社外監査役を独立役員として選任しなければならない。

【一般株主と利益相反が生じるおそれがある関係】
（上場管理等に関するガイドラインⅢ5.（3）の2【独立性基準】）

A. 上場会社を主要な取引先とする者又はその業務執行者
B. 上場会社の主要な取引先又はその業務執行者
C. 上場会社から役員報酬以外に多額の金銭その他の財産を得ているコンサルタント，会計専門家又は法律専門家（当該財産を得ている者が法人，組合等の団体である場合は，当該団体に所属する者をいう。）
D. 最近（概ね1年内）において次の（A）から（D）までのいずれかに該当していた者
　（A）上記A，B又はCに掲げる者
　（B）上場会社の親会社の業務執行者又は業務執行者でない取締役
　（C）上場会社の親会社の監査役（社外監査役を独立役員として指定する場合に限る。）
　（D）上場会社の兄弟会社の業務執行者
E. 次の（A）から（H）までのいずれかに掲げる者（重要でない者を除く。）の二親等内の親族
　（A）上記AからDまでに掲げる者
　（B）上場会社の会計参与（当該会計参与が法人である場合は，その職務を行うべき社員を含む。以下同じ。）（社外監査役を独立役員として指定する場合に限る。）
　（C）上場会社の子会社の業務執行者
　（D）上場会社の子会社の業務執行者でない取締役又は会計参与（社外監査役を独立役員として指定する場合に限る。）
　（E）上場会社の親会社の業務執行者又は業務執行者でない取締役
　（F）上場会社の親会社の監査役（社外監査役を独立役員として指定する場合に限る。）
　（G）上場会社の兄弟会社の業務執行者
　（H）最近において上記（B）～（D）又は上場会社の業務執行者（社外監査役を独立役員として指定する場合にあっては，業務執行者でない取締役を含む。）に該当していた者

　なお，東京証券取引所の集計結果（2019年7月12日）によると，独立社外取締役を2名以上選任する上場会社（市場第一部）の比率は99.0％であり，独立社外取締役を3分の1以上選任する上場会社（市場第一部）の比率は55.7％となっている。

◯×問題

Q1
代表取締役の親族を取締役として選任した場合，会社法上の社外取締役に該当することはない。

A1
× 会社法上の社外取締役の要件の一つに「株式会社の取締役若しくは執行役若しくは支配人その他の重要な使用人又は親会社等（自然人であるものに限る。）の配偶者又は二親等内の親族でないこと。」（会社法第2条第15号ホ）がある。一方，親族とは，六親等内の血族，配偶者及び三親等内の姻族をいう（民法第725条）。したがって，代表取締役の親族であっても，二親等内でなければ，社外取締役になり得る。

Q2
監査役会設置会社は，必ず常勤監査役を選定しなければならない。

A2
◯ 正しい。監査役監査の実効性を確保するため，会社法第390条第3項において，1名以上の常勤監査役の選定が義務付けられている。

Q3
監査等委員会設置会社においては，監査等委員である取締役は，3人以上で，その過半数は，社外取締役でなければならない。

A3
◯ 正しい（会社法第331条第6項）。

Q4

監査等委員会設置会社においては，監査等委員の中から必ず常勤者を1名以上選定しなければならない。

A4

× 会社法上，常勤者の選定は求められていない。

2 【役員構成】役員構成

事例の概要

　Y氏は、「Y工業株式会社（以下、Y工業という）」のオーナー兼社長である。Y工業の業績は順調であるが、Y氏の年齢も60歳に近付いており、そろそろ引退したいと考えている。Y氏は、IPOをして、後継者の育成をすべきか、非公開のまま親族に事業承継すべきか悩んでいるという。

　Y工業の取締役の構成は、Y氏のほか、Y氏の息子、及びY氏の父親が名目上就任している。監査役には妻が就任している。

　Y工業の現状は、Y社長のワンマン経営が行われており、設備投資など社長が独断で決定している事項が多い。日常の備品・消耗品の購入に関しても、全てY氏の許可が得られないと購入できない状態であり、現場には権限委譲が進んでいない。また、管理部門よりは、営業部門に対し人的資源を投入したいと思っている。

　経理は顧問税理士に任せており、月次決算には関心がなく、取締役会も、登記事項が発生しない限り開催されない。

　Y工業がIPOに向けて準備する場合、何が問題であり、どのような解決策をとる必要があると考えるべきだろうか。

何が問題なのか

　Y工業の例での問題点は、①Y工業の取締役の役員構成、②名目上の取締役の存在、③同族関係にある監査役の存在と監査役の人数、④Y社長の独断で設備投資を決めている点、⑤備品・消耗品もY氏の許可

> がないと購入できないといった現場に権限委譲が進んでいない点，⑥管理部門に人的資源を投入しない，⑦経理に関し顧問税理士に任せている点，⑧月次決算に関心がなく，登記事項が発生しない限り取締役会が開催されていない点が考えられる。

❓ どのように解決するか❓

①について

　新規上場申請者の役員としての公正，忠実かつ十分な職務の執行を行う上で，役員構成上，同族色を排除し，Y氏と同族の取締役が過半数以上にならないようにする必要がある。なぜならば，ある議案について取締役会で決議を行う際，会社にとって正しい結論であっても，Y氏一族に不利な内容であれば，その議案は否決される可能性が高く，取締役会の監督機能が形骸化してしまうためである。

　なお，役員構成に関して，東京証券取引所は以下のように定めている。

　東京証券取引所の「有価証券上場規程」第437条によれば，上場内国株券の発行者は取締役会を設置する必要があり，申請会社も同様である。したがって，3名以上の取締役の選任が必要である（会社法第331条第5項）。

　また，IPO審査の観点からは，「新規上場申請者の役員，監査役又は執行役の相互の親族関係，その構成，勤務実態又は他の会社等の役職員等との兼職の状況が，新規上場申請者の役員としての公正，忠実かつ十分な職務の執行又は有効な監査の実施を損なう状況でないと認められること（東京証券取引所「上場審査等に関するガイドライン」Ⅱ3.(2)）となっている。

②について

　IPO審査の観点からは，取締役は業務の執行を行うだけでなく，取締役間相互の業務執行が，法令や定款に沿った内容か監視を行う必要があることに加え，取締役の勤務実態（常勤性）も必要となる（東京証券取引所「上場審査等

に関するガイドライン」Ⅱ3.(2))。

　名目的な取締役がいると，適切かつ適時な意思決定が阻害される可能性があり，コーポレートガバナンス上問題が生じることから，名目的な取締役は解消する必要がある。

③について

　監査役の職務は，取締役の職務執行を監査することである。監査役の構成に焦点を当てれば，監査役がY氏の妻ということは，Y氏から独立性が確保されているとはいえない。当該監査役は，一族に対し，公平な判断を行うことが期待できず，監査業務が適切に行われる環境にあるとはいえない。したがって，当該監査役は交替させる必要がある。なお，IPO審査上，配偶者並びに二親等内の血族及び姻族の監査役就任は認められない（東京証券取引所「上場審査等に関するガイドライン」Ⅱ3.(2))。

　また，監査役会は会社法上，大会社である公開会社（委員会設置会社を除く）にのみ設置義務があるが，IPO準備会社も原則として，IPOまでに監査役会の設置が求められている。監査役会は，3名以上で構成され，そのうち半数以上は社外監査役で構成されなければならない。また，監査役会は，監査役の中から常勤監査役を選定しなければならない。

④について

　Y社長の独断で決定する慣習を改め，Y社長の独断に対し歯止めをかける仕組みが求められる。具体的な解決策としては，取締役会を適宜開催し，決定しようとする事項に対し，取締役間で十分に議論が行われる必要がある。

　設備投資をする際には，設備投資の内容や目的，事業戦略との整合性，投資採算性，投資回収期間，資金繰りなど事前に考慮すべき事項が数多く存在し，取締役会においても十分議論する必要がある。十分議論をしないまま，会社に損害を与えた場合，取締役としての任務懈怠により，善管注意義務・忠実義務違反で損害賠償を求められる可能性もある。

⑤について

　Y社長はY工業のオーナーでもあるので,「会社のお金はY社長のお金」という意識が永年にわたり染みついており,オーナー会社では社長の許可がないと備品・消耗品の購入もできないという会社も多い。しかし,それでは企業規模が拡大するにつれ,Y社長が日常業務に追われ,重要な経営判断に支障をきたしてしまうおそれがある。

　したがって,解決策として考えられるのは,業務分掌規程,決裁権限規程,稟議制度などを定めて権限の移譲を図り,Y社長が全てを決定する属人的な経営から,組織的経営に移行することが必要となる。

⑥について

　Y社長に依存した属人的な経営から,組織的な経営へ移行するためには,管理部門も重要な役割を担うことになる。組織的な経営を行うためには,業務分掌を定め,様々な管理制度及び規程を整備し運用するとともに,適切に運用されているか監視する必要がある。そのためには管理部門の人員の充実は欠かせない。

　特にIPO後に向けて,内部統制報告書(いわゆるJ-SOX)対応,四半期ごとの決算短信等の作成,株主総会招集通知や有価証券報告書といった法定書類作成への対応,適時開示対応といった業務に人員が短期間で必要となるため,IPO準備の段階から常に1,2年先を見越した人員確保・育成を念頭に置いておく必要がある。

⑦について

　基本的には,自社で決算業務を行えるようにする必要がある。一部経理業務等を外部委託することが上場審査上認められていない訳ではないが,外部委託をした結果の分析力を自社で持っていることが前提であり,業績の見直しなど適時開示に対する対応,外部委託先の継続性などが問題になるおそれがある。

　IPOを行うためには,投資家に対して適時適切に情報を開示するために,

利益管理制度を整える必要がある。IPO準備過程において、前月の実績値を早期に把握し、予算との比較分析を行い、当月の経営に生かすという仕組みの構築が必須となる。場合によっては、年間の業績の見直しを、月次決算報告の取締役会で決定する必要も生じる。

　決算対応の面からも、決算短信等の開示期間も短縮化の傾向があり、監査法人との会計処理上の折衝も予想されることから、外部と書類のやりとりをする手間や時間を考えると、原則経理業務を内製化する必要がある。

⑧について

　会社法では、取締役会は、業務執行の決定を行うとともに、取締役の職務執行を監督することとされ、この監督機能を担保するために、3カ月に1回以上取締役会を開催して、職務執行の状況を取締役会に報告することになっている。ただし、IPOを行う上では、3カ月に1回の開催ではなく、上場会社と同様に通常月次決算の報告及び年間業績の見直しの判断の必要があるため、毎月定例の取締役会の開催が審査上求められている。

■ 発展ケース

Q1

　社外取締役を招聘するにあたり、社外取締役候補者から責任限定契約を締結するのであれば可能との返事を得た。責任限定契約を付してもIPOは可能なのだろうか？

A1

　IPOすることは可能である。責任限定契約とは、会社法第427条の規定により、取締役（業務執行取締役等であるものを除く）、会計参与、社外監査役又は会計監査人が職務を行うにつき善意でかつ重大な過失がないときは、定款で定めた額の範囲内であらかじめ株式会社が定めた額と最低責任限度額とのいずれか高い額を限度とする旨の契約ができると

いうものである。

責任限定契約の状況は，有価証券報告書や有価証券届出書等の「コーポレート・ガバナンスの状況」や東京証券取引所「コーポレート・ガバナンス報告書」の「会社との関係」で見ることができる。

Q2

③に関連して，Y工業の定款によれば，Y工業は会社法上の公開会社でなく，定款の定めにより，監査役の権限を会計監査に限定していることがわかった。IPO準備に向けて，会計業務限定の定款を変更することを考えている。現在のY工業の定款を変更する際に注意すべきことは何か。

A2

会計業務に限定した監査役は，定款変更の効力が生じた際に，監査役の任期が一旦終了することから（会社法第336条第4項第3号），監査役を新たに選任し直す手続が必要になることに注意する必要がある。

Q3

Y社長の役員引退に備え，退職慰労金の支給の検討を行う時期に来ているが，どのような手続が必要であろうか。また支給時に一括して費用計上を行えばよいか。

A3

役員退職慰労金についても，役員報酬の一形態であることから，株主総会での支払決議が必要である。退職慰労金の支払を準備しているIPO準備会社では，退職慰労金規程を整備・運用するとともに，各事業年度の負担額を引当処理する必要がある。社長等の在任期間が長期に及ぶ場合には，損益への影響が大きい可能性があるため，早めに検討するべき

である。

知識を整理

① 取締役会について，役員構成は，同族関係にある取締役が過半数在籍しており，一族の意思で会社の行動が左右されるとみなされる状態は上場審査上認められない。また，名目上の取締役の存在も認められない。また，取締役会は毎月定時開催し，会社の意思の決定や，利益管理を行う必要がある。

② 会社法上では要請されていないが，IPO準備会社も監査役会の設置が求められている。IPOの審査上，配偶者並びに二親等以内の血族及び姻族の監査役就任は認められない。

【監査役になれない親族の範囲（IPOを前提とした場合）】

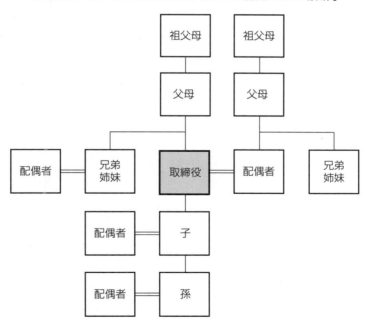

③ 属人的な経営から組織的な経営への移行には，管理制度の構築や各種規程

の整備が必要になる。また，IPO 後には内部統制報告書対応や決算短信，有価証券報告書の作成といった業務が発生するので，IPO の準備の段階から管理部門の人材の充実を図る必要がある。

④　経理のアウトソースに際しては，経理情報の分析や適時開示に対する対応，外部委託先の継続性などに留意が必要となるが，決算対応や適時開示の観点から原則は自社で対応することが必要である。

3 【取締役会】取締役会の運営

事例の概要

　A社はインターネット上での情報サイト運営を主たる事業としている。BはA社の創業者兼代表取締役社長である。A社は設立3期目を終え、黒字化を達成した。

　A社では、監査法人のショートレビュー結果（86ページ参照）を受けて、早速取締役会（メンバーはB社長、C取締役、D取締役の3名）を設置し、常勤社外監査役として、独立役員の要件を満たすため、B社長の学生時代の友人であり、最近監査法人を退職した公認会計士のEを選任した。

　B社長は、独自に会社法を学び「今の会社法は便利になったものだ。メール決議（会社法第370条）も認められるなんて。これならば、決議事項は原則メール決議でもよいだろう。」と考えた。B社長は、取締役と監査役を集め、今後の取締役会運営方法について、「自分も会社法を知っているぞ。」と言わんばかりに、次のとおり説明した。

① 取締役会は会社法の規定（会社法第363条第2項）に基づき、原則として3カ月に1回、定例取締役会を開く。
② 臨時取締役会は特に開催することはなく、電子メールを利用して適宜決議を行う。

　この説明に対し、E監査役は、B社長に諭すように言った。

　「IPOするためには、毎月実際に取締役会を開催しないとダメなんだよ。それにメール決議は、確かに便利だけど、頻繁に利用することは望ましくないね。もし仮に決議事項を全てメール決議としたら、IPOの審査上も問題になるよ。」

何が問題なのか

　IPOする場合，コーポレートガバナンスの観点から，取締役会は原則として毎月1回以上，実際に開催されることが求められる。この点につき，東京証券取引所が公表している「新規上場ガイドブック（マザーズ編）」（https://www.jpx.co.jp/equities/listing-on-tse/new/guide/01.html）では次のように説明している。

【上場審査に関するQ&A（マザーズ事前チェックリスト関連）】

Q3	事前チェックリスト2（1）①に「取締役会を定期的に開催していますか。また，必要に応じて機動的に開催し，迅速な意思決定を行うことができますか。」とあります。取締役会の開催頻度はどの程度が適当でしょうか。また，機動的な開催による迅速な意思決定とは，具体的にどのような状況であればよいのでしょうか。
A3	取締役会の開催頻度については，会社法において少なくとも3カ月に1度は開催しなければいけないと定められていますが，取締役会で意思決定すべき事項や報告すべき事項は様々であると考えられます。また，月次の業績や事業の状況などを取締役会の報告事項としている場合が多いと思われます。このようなことを考えあわせると，少なくとも月に一度以上開催することが望まれます。 　機動的な開催による迅速な意思決定については，取締役会で決議すべき事項との関係となります。つまり，取締役会の議案とすべき事項が発生したにもかかわらず，何らかの理由で取締役会を開催できないことにより，または適切なタイミングで開催しないことにより，タイムリーな意思決定が行えないのであれば，機動的な開催による迅速な意思決定を行うことができない状況と考えられます。 　なお，例えば遠隔地から招聘している社外取締役や社外監査役のように，物理的に取締役会への出席に制約があり取締役会の機動性を損なうような状況にある場合においてはテレビ会議等の手当てを行うことも考えられます。

　また，会社法で定められている「取締役会の決議の省略」（会社法第370条）については，採用するにしても利用できる場合を極めて限定することが必要である。この点について，「新規上場ガイドブック（マザーズ編）」では，次のように説明している。

3 取締役会の運営

【上場審査に関するQ&A（マザーズ事前チェックリスト関連）】

Q7	事前チェックリスト2（1）⑦に「取締役会の決議方法が，コーポレート・ガバナンスの観点から適当な決議方法となっていますか。」とありますが，上場審査における取締役会の決議方法に関する考え方はどのようなものでしょうか。
A7	取締役会の決議にあたっては，原則として，取締役及び監査役全員出席のもと，議論がなされた上で決議することが望ましいと考えられます。 　一方，会社法第370条では一定の条件のもとで，書面又は電子的記録による決議（以下，「書面決議等」といいます）が認められています。 　しかしながら，書面決議等は，取締役会における経営の意思決定の迅速化を図ることができる一方，実質的な議論がなされないまま重要事項が決議される可能性もあるため，コーポレート・ガバナンスを有効に機能させるという観点から望ましくないケースも考えられます。 　したがって，上場審査においては書面決議等を一律否定するものではありませんが，書面決議等を行っている場合には，コーポレート・ガバナンスが有効に機能しているかどうかを個別に確認することとなります。

❓ どのように解決するか ❓

　取締役会での決議事項は会社の重要な意思決定であるため，十分議論して決議される必要がある。そのため，会社法で認められている書面決議・メール決議（会社法第370条）については，意思決定の迅速化という意味では便利な制度であるが，取締役会の形骸化にもつながるので，その利用はどうしてもやむを得ない場合に限定する必要がある。

　したがって，毎月取締役会は実際に開催することが原則となる。

　また，取締役会の開催にあたっては，例えば「毎月第3木曜日（ただし，当日が休日の場合は翌営業日）午前10時より本社第1会議室において，定例取締役会を開催する。」というように，定例取締役会の開催時期と場所を特定すれば，招集通知は省略できると解されている（会社法第368条第2項参照）ため，事前に定例取締役会の開催日を決めておくと事務負担が軽くなる。また，取締役会の招集手続の瑕疵（招集通知期間の不足，招集通知漏れ等）は，取締

役会決議の無効原因ともなり得るため，そうした事態を避けるためにも，定例取締役会の開催時期と場所を特定しておくのが望ましいといえる。

この場合，定例取締役会の開催時期と場所については，取締役会決議によって制定・改定する「取締役会規程」に記載しておくとよい。「取締役会規程」については，ネット上にも上場会社の事例が多数アップされているので，これらを参考にするとよいであろう。

IPO準備会社では，会社内に会社法務に詳しい人材を置くことが困難であることも多いため，社内で何が取締役会決議事項や報告事項となるか，適切に判断できないことも多い。そこで，会社法務に詳しい弁護士等の専門家の手を借りて，どのような事項が取締役会における決議事項及び報告事項となるのかを，あらかじめ取締役会規程において詳細に定めておくことで対応することが重要である。また，例外的に実施される書面決議・メール決議の運用基準について定めることも重要である。

発展ケース

Q1

A社では，その後，E監査役の指摘に基づき毎月1回，定例取締役会を開催することとした。開催時期は，月次決算の確定時期の関係から毎月25日前後，遅い場合は月末に開催していた。この開催時期について問題はないか。

A1

開催時期の遅滞を審査上指摘される可能性がある。IPOするためには，会社業績及び予算実績分析を踏まえて，適時に適切な経営意思決定を行える体制を整える必要がある。明確な規定はないが，実務的に月次決算は遅くとも翌月10日までには確定し，定例取締役会は遅くとも翌月15日前後には開催できる体制整備が通常求められる。

Q2

A社では、就業規則の改定等人事規程の制定・改定については、会社法第362条第4項に記載がないため、取締役会決議によらず、代表取締役の決定によって行っていた。この運用に問題はないか。

A2

原則として、取締役会決議とすべきである。会社法第362条第4項は「取締役会は、次に掲げる事項その他の重要な業務執行の決定を取締役に委任することができない。」として、第1号から第7号（後述）まで取締役会決議事項を掲げている。この第1号から第7号に掲げた事項はあくまでも例示であり、その他にも「重要な業務執行の決定」は取締役に委任できない。この「重要な業務執行の決定」とは、会社の目的である具体的事業活動に関係する事項のうち、会社に重大な影響を与える事項といえるが、具体的にどのような事項が該当するかは一概にはいえない。

一般的に、就業規則は会社と従業員との間の法律関係を規律する基本規則であり、定め方如何によっては会社に重大な影響を与える可能性もあるため、その制定・改定は重要な業務執行と考えられる。そのため、取締役会決議事項としているケースが多い。したがって、A社でも、就業規則等人事規程の制定・改定は、取締役会決議事項とすることが必要である。

なお、何を取締役会決議事項とするかについて、取締役会規程等において、具体的な付議基準を定めておく必要がある。また付議基準を定める際には、会社の実情を熟知している各取締役や監査役の意見も踏まえ、妥当な付議基準を策定する必要がある。

Q3

A社でも，取締役会への具体的な付議基準を検討した。その際に会社法第362条第4項の「重要な財産」，「多額の借財」とは，具体的にどの程度であれば，「重要な財産」，「多額の借財」といえるのかという点が疑問点として挙がった。金額基準としては，どの程度を目安とすべきであろうか。

A3

この点に関して最高裁は，旧商法の判例ではあるが，次のように述べている（平成6年1月20日最高裁判所第一小法廷判決　民集第48巻1号1頁）。

「商法第260条第2項第1号（現：会社法第362条第4項第1号）にいう重要な財産の処分及び譲受けに該当するかどうかは，当該財産の価額，その会社の総資産に占める割合，当該財産の保有目的，処分行為の態様及び会社における従来の取扱い等の事情を総合的に考慮して判断すべきものと解するのが相当である。」

上記判例の考え方は，要約すれば，「当該財産の量的重要性及び質的重要性を総合的に考慮の上判断する」ものといえるが，この量的重要性について，東京弁護士会会社法部では次のような基準を提案している（『新・取締役会ガイドライン』商事法務，142～147ページ）。

①　原則として，会社の総資産の1％程度の額を基準とする。
②　寄附金については，会社の総資産の0.01％程度の額を基準とする。
③　債務免除については，会社の総資産の0.1％程度の額を基準とする。

また，「多額の借財」の量的基準については，同じく東京弁護士会会社法部では，総資産のほか資本金も考慮すべきとして，次のような基準を提案している（『新・取締役会ガイドライン』商事法務，151～155ページ）。

①　金銭の借入れについては，会社の総資産の1％程度の額又は資本

金の3％ないし12％程度の額のいずれか数値の低い方を基準とする。
② 債務保証については，会社の総資産の0.3％ないし0.5％程度の額もしくは資本金の2％ないし6％程度の額のいずれか数値の低い方又は絶対額1億円を基準とする。
③ 手形割引及びリース契約については，①の金銭借入れと同程度の基準とする。

いずれの基準も上場会社へのアンケート結果及び判例・裁判例を踏まえた基準であるので，合理性はあるものと思われる。IPO準備段階で，取締役会付議基準に迷った場合は，参考にするとよいであろう。

Q4

「コーポレートガバナンス・コード」に照らして，A社の機関設計に問題はないか。

A4

東京証券取引所の有価証券上場規程では以下のように規定している。

有価証券上場規程（抜粋）

> 第445条の3　上場会社は，別添「コーポレートガバナンス・コード」の趣旨・精神を尊重してコーポレート・ガバナンスの充実に取り組むよう努めるものとする。

コーポレートガバナンスとは，「会社が，株主をはじめ顧客・従業員・地域社会等の立場を踏まえた上で，透明・公正かつ迅速・果断な意思決定を行うための仕組み」を意味する。

「コーポレートガバナンス・コード」は，上場会社が自社独自のコーポレートガバナンスに関する規範を表明・開示することを義務付けた制度である。これは，法令とは異なり法的拘束力を有する規範ではなく，

その実施にあたっては，いわゆる「コンプライ・オア・エクスプレイン」（原則を実施するか，実施しない場合には，その理由を説明するか）の手法を採用している。すなわち，コードの各原則（基本原則・原則・補充原則）の中に，自らの個別事情に照らして実施することが適切でないと考える原則があれば，それを「実施しない理由」を十分に説明することにより，一部の原則を実施しないことも本制度は想定している。

「コーポレートガバナンス・コード」では，5つの基本原則の下に，さらに具体化した31の原則と42の補充原則を定めている。

コーポレートガバナンス・コードの5つの基本原則

【株主の権利・平等性の確保】
1．上場会社は，株主の権利が実質的に確保されるよう適切な対応を行うとともに，株主がその権利を適切に行使することができる環境の整備を行うべきである。
　また，上場会社は，株主の実質的な平等性を確保すべきである。
　少数株主や外国人株主については，株主の権利の実質的な確保，権利行使に係る環境や実質的な平等性の確保に課題や懸念が生じやすい面があることから，十分に配慮を行うべきである。

【株主以外のステークホルダーとの適切な協働】
2．上場会社は，会社の持続的な成長と中長期的な企業価値の創出は，従業員，顧客，取引先，債権者，地域社会をはじめとする様々なステークホルダーによるリソースの提供や貢献の結果であることを十分に認識し，これらのステークホルダーとの適切な協働に努めるべきである。
　取締役会・経営陣は，これらのステークホルダーの権利・立場や健全な事業活動倫理を尊重する企業文化・風土の醸成に向けてリーダーシップを発揮すべきである。

【適切な情報開示と透明性の確保】
3．上場会社は，会社の財政状態・経営成績等の財務情報や，経営戦略・経営課題，リスクやガバナンスに係る情報等の非財務情報について，法令に基づく開示を適切に行うとともに，法令に基づく開示以外の情報提供にも主体的に取り組むべきである。
　その際，取締役会は，開示・提供される情報が株主との間で建

設的な対話を行う上での基盤となることも踏まえ，そうした情報（とりわけ非財務情報）が，正確で利用者にとってわかりやすく，情報として有用性の高いものとなるようにすべきである。

【取締役会等の責務】
4．上場会社の取締役会は，株主に対する受託者責任・説明責任を踏まえ，会社の持続的成長と中長期的な企業価値の向上を促し，収益力・資本効率等の改善を図るべく，
 (1) 企業戦略等の大きな方向性を示すこと
 (2) 経営陣幹部による適切なリスクテイクを支える環境整備を行うこと
 (3) 独立した客観的な立場から，経営陣（執行役及びいわゆる執行役員を含む）・取締役に対する実効性の高い監督を行うこと
をはじめとする役割・責務を適切に果たすべきである。
 こうした役割・責務は，監査役会設置会社（その役割・責務の一部は監査役及び監査役会が担うこととなる），指名委員会等設置会社，監査等委員会設置会社など，いずれの機関設計を採用する場合にも，等しく適切に果たされるべきである。

【株主との対話】
5．上場会社は，その持続的な成長と中長期的な企業価値の向上に資するため，株主総会の場以外においても，株主との間で建設的な対話を行うべきである。
 経営陣幹部・取締役（社外取締役を含む）は，こうした対話を通じて株主の声に耳を傾け，その関心・懸念に正当な関心を払うとともに，自らの経営方針を株主にわかりやすい形で明確に説明しその理解を得る努力を行い，株主を含むステークホルダーの立場に関するバランスのとれた理解と，そうした理解を踏まえた適切な対応に努めるべきである。

 「コーポレートガバナンス・コード」の全文については，以下の URL をご覧頂きたい。
 https://www.jpx.co.jp/news/1020/nlsgeu000000xbfx-att/nlsgeu0000034qt1.pdf
 ところで，「コーポレートガバナンス・コード」（原則 4-8）において

は、上場会社に対して、次のとおり独立社外取締役2名の選任を求めている。

> 【原則4-8.独立社外取締役の有効な活用】
> 　独立社外取締役は会社の持続的な成長と中長期的な企業価値の向上に寄与するように役割・責務を果たすべきであり、上場会社はそのような資質を十分に備えた独立社外取締役を少なくとも2名以上選任すべきである。
> 　また、業種・規模・事業特性・機関設計・会社をとりまく環境等を総合的に勘案して、少なくとも3分の1以上の独立社外取締役を選任することが必要と考える上場会社は、上記にかかわらず、十分な人数の独立社外取締役を選任すべきである。

　A社では、独立社外監査役（常勤）（E）は選任されているものの、コードで求めている独立社外取締役は選任されていない。このような場合の上場審査上の取扱いについて、「新規上場ガイドブック（マザーズ編）」では、次のように説明している。

上場審査に関するQ＆A（マザーズ事前チェックリスト関連）

Q 13:	社外取締役に適任な人物が見つかっておらず、候補者がいない状況です。このような場合、審査上どのように判断されるのでしょうか。
A 13:	社外取締役がいない状況をもって審査上不適合とはしません。ただし、取締役である独立役員を確保していない場合には、確保の方針及びその取組状況等を確認するとともに、確認した取組状況のコーポレート・ガバナンスに関する報告書への記載を要請します。

（※令和元年改正会社法では、上場会社に対し社外取締役の選任を義務付けている（改正会社法第327条の2）。このため、令和元年改正会社法施行後は、上記Q&Aも改訂されることが予想できる）

　A社においても、上場時まで独立社外取締役を確保できない場合は、上記のような対応が求められることになる。
　ちなみに、上場している監査役会設置会社においては、監査等委員会

設置会社に機関設計を変更することにより、監査役会が監査等委員会に置き換えられ、従来の社外監査役（最低2名必要。会社法第335条第3項参照）をそのまま社外取締役にスライドさせることで、社外取締役2名の確保が可能である。従来の社外監査役が独立役員の要件を満たしていれば、これにより独立社外取締役2名の確保ができる。このため、監査役会設置会社から監査等委員会設置会社に機関設計を変更する上場会社が相次いでいる。日本経済新聞の記事（2019年7月13日付）によれば、2019年6月末時点で、監査等委員会設置会社は、1,000社を超え、上場会社全体の3割弱に達した。独立社外取締役候補者が不足している現状では、今後もこの流れは続くものと思われる。

知識を整理

IPOするためには必ず取締役会を設置しなければならない（ただし、ジャスダックのうちグロースに上場する内国会社については、上場日から1カ年を経過した日以後、最初に終了する事業年度に係る定時株主総会の日までに取締役会を設置するものとして、猶予措置が定められている）。取締役会は、取締役全員で構成され、株式会社の業務執行の決定、取締役の職務執行の監督並びに代表取締役の選定及び解職を行う株式会社の機関である（会社法第362条）。

IPOするためには、毎月1回以上定例取締役会を開催する必要がある。開催時期は、月次決算を遅くとも翌月10日までに確定し、その月次決算報告及び予算実績分析も含め、概ね翌月15日ごろまでには開催することが審査上求められる（意思決定の迅速化のためには、より早い方が望ましい）。

取締役会では、次に掲げる事項の決定を行う（会社法第362条第4項）。

① 重要な財産の処分及び譲受け
② 多額の借財（リース、債務保証、手形割引を含む）
③ 支配人その他の重要な使用人の選任及び解任
④ 支店その他の重要な組織の設置、変更及び廃止

⑤ 募集社債に関する事項
⑥ 内部統制システムの構築に関する事項
⑦ 定款の定めに基づく役員等の損害賠償責任の免除
⑧ その他の重要な業務執行

上記⑧のその他の重要な業務執行としては，例えば次のような事項が挙げられる。

ア 事業計画の策定，変更
イ 予算の策定，変更
ウ 会社諸規程の制定，改廃
エ 重要な契約の締結
オ 新規事業への進出
カ 既存事業の廃止
キ 子会社の設立，運営

もちろん，上記は例示であるので，会社の実情に応じて，何が重要な業務執行に該当するのか，各取締役は逐一判断することが求められる。仮に重要な業務執行であるにもかかわらず，取締役会に付議せずに独断で業務を執行した結果，会社に損害をもたらした場合は，善管注意義務・忠実義務（会社法第330条，民法第644条，会社法第355条）違反として，その責任を問われることになる。

その点からも，会社の実情を反映した合理的な内容の取締役会付議基準を定めておくことが必要である。

◯×問題

Q1

取締役会招集権者は，必ず取締役会の日の1週間前までに各取締役及び各監査役に対し，招集通知を発しなければならない。

A1

× 定款で招集通知の期間を短縮できる（会社法第 368 条第 1 項）。実際に，定款で「会日の 3 日前まで」としている場合もある。

Q2

取締役会の招集通知は，定款や取締役会規程に特に定めがない場合，電子メール，電話，口頭でもよい。

A2

○ 正しい。

Q3

定款や取締役会規程に特に定めがない場合，取締役会の招集通知には議題を示す必要はない。

A3

○ 正しい。

4 【監査役】監査役の選任と監査役会の設置

事例の概要

A社はインターネット上での情報サイト運営を主たる事業としている。BはA社の創業者兼代表取締役社長である。A社は設立3期目を終え,黒字化を達成した。

B社長は監査法人によるショートレビューの結果(86ページ参照)を受けて,取締役会を設置し,常勤社外監査役も選任した(101ページ参照)。

さらにB社長は監査役会設置のために,非常勤監査役として,B社長の学生時代の友人で弁護士のFとB社長の妻の父親で会社経営者のGを選任した。B社長は,「これで,監査役会にも最高の人材を集めることができた。」と大いに満足していた。

後日,監査法人とIPOに向けたアドバイザリー契約を締結し,様々な指導を受けることとなった。監査法人の担当者であるHがA社を訪れた際に,B社長は自慢気に監査役会のメンバーについてH会計士に話した。するとH会計士はB社長に言った。「Bさん,そのメンバーのままではIPOできません。」

何が問題なのか

IPOする場合,監査等委員会設置会社及び指名委員会設置会社を除き,上場規則上で監査役会の設置が求められている。なお,ジャスダックへの上場の場合も,監査等委員会設置会社及び指名委員会設置会社を除き,基本的には監査役会の設置が求められるが,ジャスダックのうちグロースに上場する内国会社については,上場日から1カ年を経過した

> 日以後，最初に終了する事業年度に係る定時株主総会の日までに監査役会を設置するものとして，猶予措置が定められている。
>
> 　監査役会は監査役3名以上で構成され，そのうち半数以上は社外監査役でなければならない（会社法第335条第3項）。また，常勤監査役を最低1名選定しなければならない（会社法第390条第3項）。事例の場合，A社は社外監査役2名（E会計士及びF弁護士）と常勤監査役1名（E会計士）を確保しているため，会社法上の監査役会の要件は全て満たしている。
>
> 　しかし，IPOする場合は，監査役監査の実効性確保のため，一定範囲の親族は監査役とすることができない（101ページ参照）。
>
> 　したがって，A社の場合，B社長の義父であるGは監査役としては適任ではないことになる。

？ どのように解決するか ？

　G監査役には退任してもらい，新たに親族以外の別の人物を監査役として選任する。ただし，単なる人数合わせとならないように以下のような資質を持っている人物を監査役として選任する。

① 会社法，金融商品取引法，税法等企業法務に精通していること。
② 企業会計及び企業財務に精通していること。
③ コンプライアンス（法令遵守）意識が高いこと。
④ 経営全般の大局的視点から率直に進言できるコンサルタント的な資質を持っていること。

なかなか全ての資質を備えている人はいないと思われるが，特にIPO準備会社にとっては，監査役による指導的な機能が強く求められるため，④の資質を持ち合わせた人物に監査役として就任してもらうのがよい。

　また，そのような人材に心当たりがない場合には，人材紹介会社を活用するかもしくは，銀行，証券会社，監査法人等から適任者を紹介してもらう相談を

早い段階でするのも有効である。

なお、選任された監査役は地位に甘んじることなく上記の資質に近づく不断の努力をしてもらい、監査の実効性を高めてもらう必要がある。

発展ケース

Q1

その後 A 社では、G に代わり B 社長の親族ではない I（E 監査役の友人の弁護士）に監査役に就任してもらった。A 社では、監査役会メンバーが揃ったため、監査役会規程を作成しようと考えているが、その際に注意すべき点は何か。

A1

監査役会規程については、公益社団法人日本監査役協会がひな型を公表しているため、これを参考に作成するとよい。また、監査役会規程は監査役会の運営並びに監査の実施及び報告について定める規程であるため、監査対象となる取締役の影響が及ぶことは避けなければならない。したがって、監査役会規程の制定、改廃は監査役会自ら行うこととし、取締役会に委ねてはならない。

参考：公益社団法人日本監査役協会ホームページ
http://www.kansa.or.jp/

Q2

A 社では、役員の報酬について、株主総会において「取締役及監査役全体で月額 1,000 万円以内とする。」と定めた。この定め方に問題はないか。

A2

問題がある。この定め方は個人別の報酬額決定については、取締役会

に一任する趣旨であるが，各監査役の報酬決定権を事実上監査対象となる取締役（会）が握ってしまい，監査役監査の実効性を確保できないおそれがある。そのため，株主総会で個人別の役員報酬を決定せず，総額のみ決定する場合，「取締役全体で月額〇〇〇円，監査役全体で月額〇〇〇円」というように，それぞれ別枠で定め，各監査役個人への配分は監査役会で決定する必要がある。

Q3

A社では，業務上必要な諸経費の仮払いや精算方法に関して，諸経費精算規程を定めていた。諸経費精算規程では「本規程は役員及び従業員に適用する。」，「本規程の改廃は，取締役会で行う。」と規定しており，監査役に対しても当規程が適用されることとなっていた。当規程に問題はないか。

A3

問題がある。なぜなら，規程をそのまま読むと，規程の適用範囲が「役員」となっている以上，監査役監査業務の遂行に必要な諸経費の仮払いや精算方法について，監査対象となる取締役の影響力が結果的に及ぶからである。この場合，諸経費精算規程の適用範囲を「役員及び従業員」ではなく「取締役及び従業員」に変更すべきである。

知識を整理

すでに，95ページ「役員構成」でも述べたが，IPOを前提とした場合，取締役，執行役，会計参与等の配偶者並びに二親等内の血族及び姻族が監査役，監査委員，監査等委員に就任することはできない。このため，これらの者が監査役である場合は，退任してもらい，別の者を監査役として選任する。

○×問題

Q1

会社法上，取締役会同様に監査役会においても書面決議やメール決議が認められている。

A1

× 監査役会については，書面決議やメール決議は認められていない。

Q2

監査役会の決議は監査役の過半数をもって行う。

A2

○ 正しい（会社法第393条第1項）。

Q3

監査役の任期は原則として4年であるが，定款で定めることにより短縮できる。

A3

× 取締役の任期は定款又は株主総会の決議によって，その任期を短縮することができる（会社法第332条第1項）。他方，監査役の任期は短縮できない。監査役監査の実効性を確保するために，会社法上任期の短縮を認めていない。

5 【三様監査】内部監査・三様監査

事例の概要

　A社はインターネット上での情報サイト運営を主たる事業としている。BはA社の創業者兼代表取締役社長である。A社は設立3期目を終え、黒字化を達成した。

　A社では監査法人とアドバイザリー契約を締結（114ページ参照）し、IPOに向けた社内体制の整備を始めた。監査法人の担当者からは「内部監査部門を設置するように」と言われた。B社長は思った。「A社の状況については私が全て把握し、チェックしている。規模も小規模なこの段階で内部監査部門を別に設置する必要性はあるのだろうか。また、内部監査部門を設置するとしても、内部監査担当者として、どのような人材が適しているのかわからない。」

何が問題なのか

　内部監査は、会社財産の保全や適法かつ効率的な業務運営を担保するために経営者が経営管理目的で行うものである。非上場企業であれば、社長自身が会社全体の状況を把握し、各業務のチェックも行えるかもしれないが、上場企業ともなれば、会社規模が拡大し、経営判断することも数多く生じる中で、社長自らがその役割を担うのは非現実的である。このため、上場企業の内部監査は、原則として特定部門の影響を受けない独立した部門（内部監査室等）を社長直轄部門として設置し、これにより実施することが必要である。

　ただし、実務的には小規模会社等の場合は特定の部門を設置せずに複数部門から内部監査担当者を任命し、所属部門以外の部門に対する内部

監査を実施する方法もある。

❓ どのように解決するか❓

　IPO準備会社の場合，内部監査については，会社の規模，従業員数等によっては，独立した部門によることが必ずしも効率的でない場合も考えられる。その場合においては，代替的な内部監査機能を社内に構築する必要がある。この点につき，東京証券取引所が公表している「新規上場ガイドブック（マザーズ編）」（https://www.jpx.co.jp/equities/listing-on-tse/new/guide/01.html）では次のように説明している。

【上場審査に関するQ&A（マザーズ事前チェックリスト関連）】

Q15	当社は従業員数が少数であり，事業運営も1箇所で行っているため，独立した内部監査部門を有していません。事前チェックリスト2（5）③に「内部監査部門を設けていない場合は，代替的な手段をとっていますか。」とありますが，ここでいう代替的な手段とは，具体的にどのようなものなのでしょうか。
A15	一般的には，内部監査人として適切と考えられる方を任命し，内部監査を行わせます。ただし，その方の所属部門については，他の部門から内部監査人を任命し，内部監査を行わせることとなります。その他，内部監査業務をアウトソーシングすることも考えられます。その場合には，内部監査業務をアウトソーサー任せにせず，社長等が内部監査の重要性を認識したうえで主体的に関与しているかどうかを確認します。

　コーポレートガバナンスの観点からは，やはり各部門から独立した内部監査室を設置し，できる限り専任担当者を置くのが望ましい。兼務者である場合，各部門の利害にとらわれず，内部監査を実施することは通常困難であるためである。しかし，小規模ゆえに兼務者とすることが現実的な場合には，内部監査の責任者が所属する部署については他部門の経営幹部が内部監査を実施する等の工夫が必要となる。

　また，監査役監査の補助使用人も兼務する（128ページ参照）ことで，より効果的かつ効率的な監査を実施することも可能となる場合もある。

　内部監査人に任命する人物は，規程への準拠性に加えて業務改善等の期待に

応えるためにも社内の業務にある程度精通している人物がよいであろう。

発展ケース

Q
A社では新たに独立した内部監査室を設け，管理部門に所属していたKを内部監査室長に任命した。しかし，Kは内部監査の経験はなく，何から始めればよいのかわからない。内部監査の業務の流れはどのようなものか。

A
まず，一般社団法人日本内部監査協会が策定した「内部監査基準」及び「内部監査基準実践要綱」を熟読し内部監査の概要を把握する。業務の流れはPDCAサイクルに則り，①内部監査計画策定→②被監査部門への監査実施通知→③監査の実施→④監査結果の講評→⑤監査報告書の作成と取締役会・監査役会への提出→⑥被監査部門への結果通知→⑦被監査部門長からの改善回答書の入手→⑧フォローアップ監査の実施→⑨一連の作業内容について監査調書にまとめて保管となる。

なお，日本内部監査協会では，順次実務指針をまとめているので，具体的な内部監査の手順については，この実務指針に従って行うのが効率的かつ効果的である。

参考：一般社団法人日本内部監査協会ホームページ
http://www.iiajapan.com/

知識を整理

1．内部監査とは

日本内部監査協会が定めている「内部監査基準」によると，内部監査の本質を「組織体の経営目標の効果的な達成に役立つことを目的として，合法性と合

理性の観点から公正かつ独立の立場で，経営諸活動の遂行状況を検討・評価し，これに基づいて意見を述べ，助言・勧告を行う監査業務，および特定の経営諸活動の支援を行う診断業務」と述べている。つまり，監査というよりも，むしろ企業内部における経営コンサルティング業務に近いといえる。

内部監査部門は独立性の確保が最も重要である。このため最高経営者直轄の部門として位置付け，同時に取締役会及び監査役会との報告経路を確保する。

2．三様監査とは

内部監査，監査役監査及び会計監査人監査は「三様監査」と呼ばれる。それぞれ目的を異にするが，職務内容は重複する部分も多い。そこで各監査の実施にあたっては，連携を密にし，情報の共有化により監査の有効性と効率性を両立させることが重要である。

各監査は業務が重複する部分も多いため，その有効性と効率性の両立を図る必要がある。内部統制システム全般の監査の多くが内部監査により実施されるため，監査役は，内部監査が適正に行われているか内部監査人から報告等を受けることにより監査を実施すると同時に，内部監査の対象外となる取締役等経営者の監査をコーポレートガバナンスの観点から重点的に行う体制を構築することが望ましい。また，会計監査については会計監査の専門家である会計監査人による監査結果を活用し，監査役は会計監査人からの報告により，その相当性を吟味するという体制となる。

◯×問題

Q1
内部監査の主たる目的は経営者不正の発見である。

A1
×　内部監査部門は最高経営者直轄の部門と位置付けられ，経営者に従属している。このため経営者不正の発見は期待できない。

5 内部監査・三様監査

【各監査の比較】

	監査役監査	内部監査	会計監査人監査
目　的	取締役の職務執行の適法性の監査	内部統制の有効性の検証	財務報告の監査 内部統制の有効性の検証（財務報告の信頼性に関わる部分に限る）
監査人の位置付け	会社の機関 （会社の役員）	会社内部の従業員	会社の機関 （役員ではない）
法律による強制	あり	なし （間接的にはあり）	あり
監査権限	業務監査 会計監査	主に業務監査 会計監査もあり	会計監査 内部統制報告書監査

（『担当者別株式上場マニュアル』同友館，86ページを一部変更）

【三様監査の有効性と効率性確保の体制】

※　業務監査については内部監査人にその多くを依拠，会計監査については会計監査人にその多くを依拠することにより有効性と効率性を確保

（『担当者別株式上場マニュアル』同友館，87ページから引用）

Q2

監査役は会計監査については会計専門家である会計監査人の監査結果に全面的に依拠し，その内容について吟味する必要性はない。

A2

×　監査役は会計監査人の監査結果に全面的に依拠することはできず，

監査役自ら会計監査人が実施した会計監査の方法及び結果について，その相当性を吟味しなければならない。この相当性の吟味のために会計監査人に対する報告請求権が認められている（会社法第397条第2項）。

6 【内部統制】内部統制システムの構築

事例の概要

　A社はインターネット上での情報サイト運営を主たる事業としている。BはA社の創業者兼代表取締役社長である。A社は設立3期目を終え，黒字化を達成した。

　A社では，監査法人とアドバイザリー契約を結び（114ページ参照），IPOに向けた体制整備に取り組んでいた。ある日，監査法人とのミーティングの中で担当会計士が言った。「B社長，従業員も増加してきましたし，貴社もそろそろ内部統制システムの整備に関して，取締役会において決議をした方がよいでしょう。」

　B社長は，自身も会社法を学んでいたので，内部統制システムの整備に関する取締役会決議は会社法上の大会社，監査等委員会設置会社及び指名委員会等設置会社では必要であるが，それ以外の会社では義務付けられていないことを知っていた。そこで，B社長は言った。「当社は大会社ではないですし，監査等委員会設置会社や指名委員会設置会社でもないので，まだ決議をしなくてもよいと思います。上場時には大会社になりますので，その後でよいのではないでしょうか。」B社長のこの発言に対し，監査法人の担当会計士は言った。「B社長，それでは遅いんですよ。」

何が問題なのか

　IPOする場合，コーポレートガバナンスの観点から，内部統制システムの整備に関する取締役会決議（会社法第362条第4項第6号）を行なわなければならない。当該決議は，会社法上は大会社及び監査等委員会

設置会社並びに指名委員会設置会社のみに義務付けられている（会社法第348条第4項，第362条第5項，第399条の13第2項，第416条第2項）が，IPOのためには，会社法上の大会社や監査等委員会設置会社，指名委員会等設置会社に該当しなくても当該決議が求められるとともに，これを適切に構築し運用することが必要となる。この点につき，東京証券取引所が公表している「新規上場ガイドブック（マザーズ編）」(https://www.jpx.co.jp/equities/listing-on-tse/new/guide/01.html）では次のように説明している。

【上場審査に関するQ&A（マザーズ事前チェックリスト関連）】

Q18	事前チェックリスト2（6）⑥に「法令等を踏まえた内部統制システムの整備の準備は行われていますか。」とありますが，どのような準備を進めておけば良いのでしょうか。
A18	取締役，執行役又は理事の職務の執行が法令及び定款に適合することを確保するための体制，業務の適正を確保するために必要な体制の整備を決定することを，会社法上の大会社に限らず「企業行動規範」（有価証券上場規程第439条）において求めています。 　また，上場後に適用となる財務報告に係る内部統制報告制度についても対応準備を進めていただく必要があります。会社の規模・業種，上場申請のタイミング等に応じて，その会社に適した準備計画を策定し，上場後に内部統制報告書の提出ができる体制を構築していただく必要（※）があります。

　なお，ジャスダックへの上場の場合も基本的には内部統制システムの整備に関する取締役会決議が求められるが，ジャスダックのうちグロースに上場する内国会社については，上場日から1カ年を経過した日以後，最初に終了する事業年度に係る定時株主総会の日までに内部統制システムの整備について決定するものとする猶予措置が定められている（有価証券上場規程第439条第2項）。

（※）　金融商品取引法では，新規上場会社については，上場後3年間は内部統制報告書に係る監査の免除（資本金100億円以上又は負債総額1,000億円以上の企業を除く）を選択できる。しかし，内部統制報告書の作成提出自体は免除されないことに留意が必要である。

❓ どのように解決するか ❓

　内部統制システムの整備について，監査役設置会社の場合，取締役会において以下の事項について協議し，決議を行う（会社法施行規則第100条）。

　① 取締役の職務の執行に係る情報の保存及び管理に関する体制
　② 損失の危険の管理に関する規程その他の体制
　③ 取締役の職務の執行が効率的に行われることを確保するための体制
　④ 使用人の職務の執行が法令及び定款に適合することを確保するための体制
　⑤ 当該株式会社並びにその親会社及び子会社から成る企業集団における業務の適正を確保するための体制
　⑥ 監査役がその職務を補助すべき使用人を置くことを求めた場合における当該使用人に関する事項
　⑦ ⑥の使用人の取締役からの独立性に関する事項
　⑧ 監査役の⑥の使用人に対する指示の実効性の確保に関する事項
　⑨ 取締役や使用人等による監査役への報告に関する体制
　⑩ ⑨の報告をした者が当該報告を理由として不利な取扱いを受けないことを確保するための体制
　⑪ 監査役の職務の執行について生ずる費用又は債務の処理に係る方針に関する事項
　⑫ その他監査役の監査が実効的に行われることを確保するための体制

　取締役会決議では，「目標の設定，目標達成のために必要な内部組織及びその権限，内部組織間の連絡方法，是正すべき事実が生じた場合の是正方法等に関する重要な事項（要綱・大綱）」（『論点解説　新・会社法』商事法務，335ページ）を決定するが，細則まで決定する必要性はない。

　なお，内部統制システムの整備に関して，取締役会決議を行うのみならず，当然ながら，実際に内部統制システムを構築して適切に運用することが求められる。

> 東京証券取引所　有価証券上場規程
> 第439条　　上場内国会社は、当該上場内国会社の取締役、執行役又は理事の職務の執行が法令及び定款に適合することを確保するための体制その他内国会社の業務の適正を確保するために必要な体制の整備（会社法第362条第4項第6号、同法第399条の13第1項第1号ハ若しくは同法第416条第1項第1号ホに規定する体制の整備又はこれらに相当する体制の整備をいう。）を決定するとともに、<u>当該体制を適切に構築し運用するものとする。</u>（下線は筆者）

　IPO準備会社では、会社法上の大会社又は監査等委員会設置会社及び指名委員会設置会社に該当しない限り、内部統制システムの整備に関する取締役会決議を行っていなくても、会社法第362条に違反するわけではない。しかし、当該決議を行い、従業員や株主（決議は事業報告の記載事項となる）に知らしめることは、IPOに向けた関係者の意識を高め、IPO準備作業のスピードアップに資するため、IPO準備作業の早い段階で体制を整え、当該決議をすることが望ましい。

発展ケース

Q1

　A社では、コーポレートガバナンス強化の観点から、特に監査役から要望があったわけではなかったが、監査役監査を補助するための従業員（補助使用人）を置くことを検討している。この行為に問題はないか。

A1

　監査役が補助使用人を求めていない場合には、問題がある。監査役が補助使用人を求めない場合には、監査役の監査の独立性確保の観点か

ら，補助使用人を置くことは妥当ではないとされている（『論点解説 新・会社法』商事法務，339 ページ）。

Q2

その後，A 社では，監査役からの要請に基づき，監査役監査の補助者（補助使用人）を置くこととした。ただ，A 社のような IPO 準備会社では，専任の補助使用人を置くことは，企業規模，人材，コスト面から難しい。補助使用人の業務内容をどのように割り当てればよいか。

A2

内部監査担当者との兼務とすることが考えられる。もちろん，監査役監査の補助使用人は，あくまでも監査役監査の補助業務を行うものであり，内部監査とは，その監査目的を異にするものである（三様監査について，122 ページ参照）。しかし，両者は業務として重複する部分も多く，兼務することで，異なる目的を有する監査業務を効果的かつ効率的に実行できるというメリットもある。なお，監査役監査の補助使用人と内部監査担当の兼務時の留意点等については，公益社団法人日本監査役協会が公表している以下の文書を一読することがよい。

「監査役監査における内部監査部門との連携」（平成 21 年 8 月 24 日　日本監査役協会　本部監査役スタッフ研究会）
http://www.kansa.or.jp/support/el005_091002.pdf
「監査役等と内部監査部門との連携について」（平成 29 年 1 月 13 日　日本監査役協会　監査法規委員会）
http://www.kansa.or.jp/support/el001_170113.pdf

知識を整理

　IPOのためには内部統制システムの整備に関する取締役会決議（会社法第362条第4項第6号）を行い，これを適切に構築し運用することが求められている。

　当該決議を行った場合，その決議の内容の概要及び当該体制の運用状況の概要を事業報告に記載しなければならない（会社法施行規則第118条第2号）。また内部統制システムの整備状況については，上場時に有価証券届出書，新規上場申請のための有価証券報告書（Ⅰの部），コーポレートガバナンスに関する報告書においても開示される。

　決議事項は前述のとおりであるが，その中では監査役による業務監査システムの整備についても決議が求められている（会社法施行規則第100条第3項）。立法担当者によれば，監査役監査も「取締役の職務の執行が法令及び定款に適合することを確保するための体制」として重要であることから，設けられたものと説明されている。

　監査対象である取締役会が監査役監査の体制整備について決定することは，若干違和感を覚えるが，立法担当者によれば，あくまでも取締役との意思疎通の下，監査役側が主導権をもって，取締役又は取締役会が「監査役の職務の執行のための必要な体制の整備」に留意しなければならない（会社法施行規則第105条第2項後段）ことを明らかにしたものであると説明されている。

○×問題

Q1
内部統制システムの整備については，必ず毎年決議しなければならない。

A1
×　内部統制システムの整備については，1度取締役会で決定すれば，その決定内容を変更しない限り，毎期決議する必要はない。

Q2

　監査役は、その職務を適切に遂行するため、取締役、使用人等との意思疎通を図り、情報の収集及び監査環境の整備に努めなければならない。

A2

○　正しい（会社法施行規則第105条第2項前段）。

Q3

　内部統制システムの整備について、会社法上「内部統制システムを設けない」という決議を行っても決議義務との関係では問題ないとされる。このため、IPO準備会社においても、「内部統制システムを設けない」という決議で足りる。

A3

×　確かに、会社法上は「内部統制システムを設けない」という決議であっても決議義務との関係では問題ないとされている（『論点解説　新・会社法』商事法務、334ページ）。しかし、IPOをする際には、適切なコーポレートガバナンスの構築が一層重視されるため、内部統制システムの整備について決定するとともに、当該体制を適切に構築し運用することが求められている。

7 【組織的経営】
社内規程の整備

事例の概要

　不動産業のC社はIPOに向けて準備をすることになった。C社において社内規程と呼ばれるものは、定款、就業規則、給与規程、慶弔見舞金規程しか存在しておらず、各担当の判断で日常業務が行われている。

　上場準備室長のK氏は、社長からの命令で社内規程を作成することになったが、何から手を付けてよいかわからない。そこで苦肉の策として、製造業D社に勤める知人から社内規程一式をもらい受け、部署名のみ変更してC社の社内規程に流用しようとしている。

　この場合、何が問題で、どのようなことに気を付ければよいだろうか？

何が問題なのか

　設問では、製造業D社の社内規程を不動産業C社の規程にあてはめようとしているが、そもそも間違いである。なぜならば、社内規程というのは、その会社の固有の業務に基づいて作成されているものであり、C社とD社の業務が全く同じであることは考えにくく、D社の規程をそのまま流用することはできない。異業種の場合は当然であるが、同業種であっても、事業規模や取引形態及び複雑性、組織体制が異なるなど会社ごとに規程すべき内容が異なるため流用することはできない。会社の業務実態に合わせて整備する必要がある。

　また、C社では、属人的な業務運営がなされているようである。規程作成の目的の1つに、属人的な業務運営から組織的な業務運営へ移行することが挙げられる。組織的な業務運営とは、属人的に行われていた業

> 務手順や判断基準を社内規程により文書化することで，誰が業務を行い判断を行っても同じ結果が得られる標準的な仕組みを作り上げることを意味する。
> 　上場審査では，社内規程と実際の運用の乖離がないか多角的に審査される。例えば社内規程が関係する項目として，業務フロー（業務フローに販売・購買フローがあれば販売管理，購買管理，職務権限，職部分掌等の各種規程，その細則等），内部監査，内部統制にも影響が及ぶため，各規程間の整合を図る必要があるとともに作成した規程類が実態に合っているかどうかについて慎重に検討する必要がある。

⁇ どのように解決するか ⁇

① 社内規程の作成方法

　社内規程は社内のルールである。まず，何をルールとするのか（ルールにしなければならないのか）決める必要がある。そのためには，関係する各部署と調整を行うことになる。その際，社内規程が何もない状態であれば，一般的な規程のひな型を参考にして，当社にとって何をルール化するのか考えなければならない。

② 社内規程作成時に意識すべき点

　IPO準備を開始した時点では，業務運用が属人的に行われていることが多い。したがって，社内規程を作成する上で，属人的な業務手順や判断がなされている点を抽出し，ルール化を行った上で，規程に落とし込むことを意識する。この際，業務の効率性等の観点より業務手順そのものを変える必要がある場合には，業務手順そのものを変更することを検討することも一考である。

　また，これまで個人レベルで使用している管理帳票についても，会社として有用な帳票であるかどうか見極め，有用なものについては，会社の資料として活用することが望まれる。その場合には，正式名称を決め，関連帳票として該

当規程の末尾に添付することが望ましい。

③ 基本規程

　会社法では，取締役会において決議する事項がある。後に述べる業務に関する規程と重複しないように注意する必要がある。

　会社によっては，取締役会のほかに，常務会，経営会議を設けている場合がある。その場合には，それらの会議の目的，開催頻度，出席者などを定めた規程が必要である。

④ 経営組織に関する規程

　一番初めに決めるのは組織（組織図，組織規程）であろう。次に組織間の業務分掌と職務権限を定めることで，どの組織が何を行うか，組織内のどの職位にどこまで任せるのか決めることができる。

　職務権限を決める過程においては，経営者が行っていた業務を引き継ぐ形になることも考えられる。属人的な業務運営を組織的な業務運営に移行するという目的から，極力権限移譲を進める必要がある。

⑤ 業務に関する規程

　日常の業務運営に密接に関係する規程である。先にも述べたとおり，属人的な業務運営は極力排除するという趣旨から作成する。これらは規程間で相互に関連するものがあるので整合性に注意する。

⑥ 人事労務に関する規程

　就業規則は，常時10人以上の労働者を使用する使用者は，就業規則を作成し，行政官庁に届け出なければならないとされている（労働基準法第89条）。この場合10人以上というのは，パート，アルバイトを含む人数である。就業規則は作成するだけでなく，周知する義務がある（同第106条）。一人ひとりに手渡すのが理想だが，社内イントラに掲載するなど，就業規則を常時見るこ

とのできる状態を確保する必要がある。

　人事労務に関する規程は，労働基準法，育児・介護休業法などの法令と密接に関係する。当該法令の改正があった場合には，人事労務に関する規程も直ちに改定する必要がある。

　IPOに向けて，ストック・オプションの付与を考えている場合，就業規則に規定を設ける必要がある点に注意する必要がある。

⑦　**監査・コンプライアンス，総務・庶務に関する規程**
　内部監査規程は，各種社内規程が整備されてからその目的を果たすことになる。社内規程を作成して終わりではなく，内部監査を行う人材を選定し，各規程に定められた方法により業務が行われているかといった観点で内部監査を実施し，改善すべき点を改善するところまで行う必要がある。

発展ケース

Q1
　社内規程を作成する際に，マニュアル的な内容も規程内に記載する必要があるか？

A1
　規程にするまでもないルールやマニュアル的な内容は，規程とは別に「業務マニュアル」として作成することや，「規程細則」，「取扱要領」や「方針」という形で文書化することが考えられる。
　規程に細かな内容まで記載してしまうと，組織や業務内容が変更になったとき変更手続が煩雑になるおそれがある。規程の変更は，取締役会に諮ることが多いため，マニュアル的な内容の変更は稟議等により部署レベルで変更できるようにしておく。

知識を整理

　規程の一覧について一例を挙げると次のようになる。経営の基本的事項を定める規程や人事労務に関する規程は，会社法や，労働基準法に従って作成する必要がある。業務に関する規程は，業種や事業内容により，固有の規程を作成しなければならない可能性がある。

規程の分類	規程名	規程の分類	規程名
経営の基本的事項を定める規程	定款	コーポレートガバナンス・コンプライアンスに関する規程	監査役監査基準
	取締役会規程		内部監査規程
	監査役会規程		公益通報者保護規程
	役員報酬規程		リスク管理規程
	株式取扱規程		コンプライアンス規程
	規程管理規程		個人情報保護規程
	常務会規程		反社会的勢力対策規程
経営組織に関する規程	経営会議規程	総務・庶務に関する規程	文書管理規程
	組織規程（＆組織図）		印章管理規程
	業務分掌規程		従業員持株会規程
	職務権限規程		内部者取引防止規程
	稟議規程	人事・労務に関する規程	就業規則
	関係会社管理規程		アルバイト就業規則
業務に関する規程	経理規程		給与規程
	原価計算規程		退職金規程
	予算管理規程		役員退職慰労金規程
	在庫管理規程		人事考課規程
	固定資産管理規程		旅費交通費規程
	販売管理規程		慶弔見舞金規程
	与信管理規程		出向・転籍規程
	購買管理規程		育児介護休暇規程
	生産管理規程		社宅管理規程
	外注管理規程		社内貸付金規程

○×問題

Q1

固定資産管理規程と経理規程など,規程間で整合性を確保する必要がある。

A1

○ 規程間の整合のほか,規程と細則,規程と実施要領とも整合性を確保する必要がある。一般的に,規程を運用するための具体的事項等を定めるため,多くの細則や実施要領等が定められることになる。例えば,値引に関して規程では部長決裁と定められている一方で,細則・実施要領等では同じ内容であっても課長決裁と定められているなどといった不整合を避ける必要がある。この場合規程では,値引の決裁について細則・実施要領等に定めるものとする等,細則や実施要領等を参照させることにより不整合を回避するといった対応が考えられる。

Q2

規程に関係する法律が改正されたので,直ちに規程,細則を改正した。

A2

○ 業務に関連する法律の改正により,規程,細則の内容を変更する必要がある場合はしかるべき手続を経て,修正を行う必要がある。そのため,規程,細則の改廃権限者に留意して作成しておく必要がある。例えば,細部にわたる規程,細則の改廃権限を取締役会での決裁とすると機動性という観点から望ましくはない。基本的な事項を規程で定め,その改廃権限を取締役会とし,細部は細則で定め,その改廃権限を担当取締役や事業部長等にしておくことで柔軟性を確保することも考えられる。

Q3

主幹事証券より，取締役会規程の条文追加と取締役の員数を3名から5名に変更するよう指摘を受けたので，直ちに取締役会規程と定款を修正した。

A3

× 定款の修正（員数の変更）は株主総会の決議事項である。担当者がその場で修正することは，会社法上認められない。株主総会の特別決議を経る必要がある（会社法第309条第2項第11号，第466条）。取締役会規程の変更手続も，取締役会決議が必要となる。

8 【特別利害関係者】特別利害関係者との取引

事例の概要

　A社は携帯向けサイト構築及び携帯向けアプリ開発をメインに行っている会社である。BはA社の創業者兼代表取締役社長である。

　A社では設立当初よりIPOを目指していた。現在創業11期目であり，15期中のIPOを目指し，前期に監査法人のショートレビューを受け，その後アドバイザリー契約を締結した。

　A社は，前期に，同業のC社を吸収合併した。吸収合併後は，旧C社はA社のアプリ開発部門として，事実上A社内で独立した別会社のように運営されていた。C社の元代表取締役Dは，当該アプリ開発部門を統括する業務執行取締役（会社法第363条第1項）となり，旧C社から引き継いだ預金口座のキャッシュカードの管理も任されていた。

　ある月の定例取締役会において，D取締役から「個人的事情により会社より借入を行いたい」旨の話があり，他の取締役は承認した。取締役会での承認後，D取締役は自己が管理している預金口座から，現金を引き出した（帳簿上は「仮払金」処理）。

何が問題なのか

１．内部牽制の欠如

　IPOのためには，組織内に有効な内部牽制機能を持たせなくてはならない。内部牽制とは，1つの業務を遂行するためには複数名が関わらないと業務が完結しないような仕組みを構築して相互牽制を図ることをいう。

　事例ではアプリ開発部門を統括する業務執行取締役であるDが，単

独で特定の預金口座のキャッシュカードを管理している。これにより D取締役単独で容易に現金を引き出せる状況になっており、内部牽制が効いていない点に問題がある。

２．特別利害関係者間取引の存在

Dが引き出した現金は、会計処理上「仮払金」とされているが実質的には貸付金となる。IPOに際しては、会社と役員との資金貸借取引は、特別利害関係者（特別利害関係者については後述）間取引として解消が求められることになる。

⑦ どのように解決するか ⑦

１．内部牽制機能の構築

D取締役が管理している金融機関のキャッシュカードは、暗証番号さえわかれば、容易に現金引出が可能となり、内部牽制を効かせにくい。そこで、キャッシュカードは金融機関に返納し、通帳と金融機関届出印による管理に改める。その上で、通帳は管理部門で管理し、金融機関届出印は代表取締役であるB社長の管轄下で管理するなど、D取締役単独では現金の引出しができないよう内部牽制が効く仕組みを設ける。

なお、有効な内部牽制機能が構築されていることは上場審査において実質的に審査される重要な項目として挙げられていることから、IPOを行うにあたっては優先的に対処すべき項目の1つと考えられる。

２．特別利害関係者間取引の解消

A社としては、特別利害関係者間の取引解消のため、D取締役から返済してもらうことになるが、金額等からそれが困難な場合も考えられる。その場合には、貸付金を毎月取り崩して、これを月次の役員報酬として処理することや、株主総会決議を経て、一括して貸付金を取り崩し、役員賞与として処理することが考えられる。なお、一括して貸付金を取り崩して役員賞与とする場合

は，税務上は定期同額給与に該当しないため，損金不算入となってしまう課題が生じる（法人税法第34条。ただし，事前確定届出給与に該当する場合を除く）。

発展ケース

Q1

A社では，従来から役員に対する借上社宅制度を設け，A社が借り上げた住宅を役員に貸与していた。IPOを行うにあたり，この制度について問題となる点はないか。

A1

未上場企業では，節税及び福利厚生目的から借上社宅制度を設けている場合も多い。このうち，役員に対する借上社宅制度は，会社と役員間の不動産賃貸借取引となり，特別利害関係者間取引に該当する。したがって，IPOを行うためには，特段の事情がない限りは制度の廃止が求められる。

なお，借上社宅制度に係る課税関係については下記URLを参照のこと。

https://www.nta.go.jp/taxes/shiraberu/taxanswer/gensen/2600.htm

Q2

A社では，金融機関からの借入にあたり，代表取締役であるBが連帯保証している。IPOを行うにあたり，この金融機関とBとの連帯保証契約について，問題となる点はないか。

A2

創業間もなく事業規模も小さな未上場企業では，金融機関からの借入

> を行う場合，ほぼ間違いなく代表者の個人保証が求められる。これ自体必ずしも上場申請会社に不測の損害をもたらすものではないが，やはり特別利害関係者間取引に該当することになり，また，オーナー経営からの脱却という視点からも，原則として解消することが求められる。しかし，実際は金融機関が代表者の個人保証を上場前に外すことに応じないことが多く，その場合には上場承認を条件に個人保証を外す覚書を金融機関と交わすといった対応が求められる。

知識を整理

○ 特別利害関係者とは

特別利害関係者とは，上場申請会社と特別に密接な関係がある以下の者をいう（「企業内容等の開示に関する内閣府令」第1条第31号イ）。

① 役員（役員持株会を含み，取締役，会計参与（会計参与が法人であるときは，その職務を行うべき社員を含む），監査役又は執行役（理事及び監事その他これらに準ずる者を含む）をいう）
② ①の配偶者及び二親等内の血族
③ ①及び②に該当する者により，議決権の過半数を実質的に所有されている会社
④ 上場申請会社の関係会社（財務諸表等規則第8条第8項に定める親会社，子会社，関連会社及びその他の関係会社をいう）
⑤ ④の役員

特別利害関係者については，上場申請会社との緊密な関係性から，これらの者との取引を認めると，上場申請会社に不測の損害をもたらす可能性がある。このため，特別利害関係者間取引については，上場審査上，原則として解消が求められる。実務上，よく見受けられる取引としては，次のものが挙げられる。

① 資金貸借取引（保証・被保証を含む）
② 不動産賃貸借取引

③　営業上の取引（販売・仕入，外注，特許権使用料の支払等）

実際の IPO 実務上は，上記「**発展ケース**」Q2 で述べた金融機関からの借入やリース取引時等に伴う代表者の個人保証を除き，特別利害関係者間取引については，特段の事情がない限りは，上場前に全て解消することが求められると考えた方がよい。

○×問題

Q

役員の子の配偶者も特別利害関係者になる。

A

×　特別利害関係者に該当する者は，役員の配偶者及び二親等内の「血族」である。役員の子の配偶者は二親等内ではあるが，「血族」ではなく「姻族」となる。したがって，特別利害関係者には該当しない。ただし，役員の子の配偶者は二親等以内の「親族」であることから，関連当事者（財務諸表等規則第 8 条第 17 項）には該当することとなるため留意が必要である。

9 【その他】定款の変更

事例の概要

W社は，IPOの準備を行い証券取引所に上場申請を行う直前まで進んだ。上場申請までに見直すべき定款の内容は，どのような事項だろうか。

何が問題なのか

IPOにあたり東京証券取引所が設けている審査基準（形式基準及び実質基準）を満たす必要があるが，このうち，形式基準を満たすために定款を見直す必要がある。IPOまでに見直しが必要となる定款の項目の例は，株式の譲渡制限の廃止，単元株制度の導入，監査役会の設置など，下記のとおりである。

なお，定款を見直し，変更する場合には，原則として株主総会の特別決議による承認を得る必要がある。

【定款の見直しが必要となる項目の例】

項　目	内　容
商号の英文表記	商号の英文表記　例）○○○　CO., LTD.
事業の目的	不要な目的の削除，必要な目的の追加
機関設計に関する事項	取締役会，監査役，監査役会，会計監査人を置く旨
公告の方法	官報による方法から電子公告で行う（電子公告によることができない事故その他のやむを得ない事由が生じた時には，日本経済新聞など日刊紙に掲載して行う）方法への変更
発行可能株式総数	資本政策に合わせて増加

単元株式数	1単元を100株に設定又は変更
単元未満株式についての権利	定款記載例 (1) 会社法第189条第2項各号に掲げる権利（残余財産の分配を受ける権利等）を除く単元未満株式の権利の制限 (2) 単元未満株式に係る株券の不発行（株券発行会社） (3) 単元未満株式による買増請求制度の導入
株主名簿管理人（株式事務代行機関）の設置	株主名簿管理人を設置する旨
取締役，監査役の員数	3名以上に変更
株式の譲渡制限	株式の譲渡制限の廃止 ※ 株式の譲渡制限を廃止する定款変更を行った場合，取締役及び監査役の任期は廃止した時点で満了となる。したがって，株式の譲渡制限を廃止すると同時に，取締役及び監査役の選任が必要となる（なお，当該選任決議は株主総会の普通決議で足りる）。
株券の不発行	定款に株券を発行する旨の定めがある場合には，定款変更を行い，これを廃止する必要がある。

❓ どのように解決するか❓

　定款を見直し変更する場合には，株主総会を開催し，必要な決議による承認を得る。

　商号の英文表記や，事業の目的，機関設計に関する事項，取締役・監査役の員数，株主名簿管理人の設置等の項目は，上場準備の段階で定款変更が行われることが多い。

　上場申請にあたり気を付けなければならないのは，上場審査基準の形式基準をクリアする必要がある点である。例えば，株主数，流通株式数，株式事務代行機関の設置や株式の譲渡制限の撤廃，単元株式数の導入といった点である。

したがって上場申請の直前時の臨時株主総会（あるいは，予備申請後の定時・臨時株主総会）には，IPO時の増資に備えた発行可能株式総数の増加や，単元株式制度の導入や株式の分割，株式の譲渡制限の廃止などといった内容を定款に盛り込む必要がある。

　株式譲渡制限を外して公開会社になる場合，従来の取締役及び監査役の任期が切れてしまうので，再度選任手続が必要となる（会社法第332条第7項3号，第336条第4項4号）。また，譲渡制限を外すことで取締役会の承認を経ずに，自由に株式譲渡が行えるようになる。万が一ではあるが，上場審査で問題が発見されIPOできなくなる場合も考えられるため，譲渡制限の撤廃は，上場申請の直前で行うべきと言える。

　単元株式に関する手続は，次のとおりとなる。単元株式については，1単元100株となる見込みとなることが形式基準に定められている。

例1）単元株制度を導入する

事象	根拠条文	決議方法
単元株制度の導入（定款の変更）	会社法第188条，第309条第2項第11号，第466条	株主総会特別決議

例2）現在1単元＝1,000株であるのを1単元＝100株にする

事象	根拠条文	決議方法
単元株式数の変更	会社法第195条	取締役会決議

既存の株主には不利益が起こらないため，取締役会の決議で変更可能である。

例3）現在1単元＝1株であるが，株式分割（1：100）を行い，1単元＝100株にする

事象	根拠条文	決議方法
基準日公告	会社法第124条	取締役会決議
株式の分割	会社法第183条	取締役会決議
株式の分割に係る発行可能株式総数の増加	会社法第184条第2項	取締役会決議
単元株式数の定めの定款の変更	会社法第191条	取締役会決議

　例3)は，単元株式の導入は定款の変更が必要なため，株主総会の特別決議が原則として必要となるが，株式の分割と同時に行われ，単元株式の導入によって既存の株主が保有する単元数が下回らない場合には，株主総会の決議によらず取締役会の決議で定款の変更が可能となる（会社法第191条）。
　なお，これに加えて単元未満株式の権利制限に係る規定の新設を行う場合には，株主総会の特別決議が必要となる。

発展ケース

Q1
　W社は，IPOの準備を行い証券取引所に上場申請を行う直前まで進んだが，業績不振により上場申請を行わなかった。
　しかしW社では，上場申請を行う前提で，臨時株主総会を開催し，株式の譲渡制限を廃止している。このような場合において，再度，株式の譲渡制限に関する規定を定款に設けるためにはどのような手続が必要か。

A1
　株式の譲渡制限に関する規定を定款に設けるためには，定款の変更が必要となり，株主総会の特殊決議が必要となる（会社法第309条第3項

第1号)。

また,株券を発行する旨の定めを定款に置いている会社について,株式の全部について株券を発行していない場合を除き,会社に対して株券を提出しなければならない旨を定款変更の効力発生日の1カ月前までに公告し,かつ,株主及びその登録株式質権者に対してこれを通知しなければならないとされている(会社法第219条第1項第1号)。

さらに,譲渡制限を付することで株式買取請求権の行使の機会を与える必要があり,効力発生日の20日前までに,株主に対し当該行為をする旨を通知しなければならない(会社法第116条第1項第1号,第3項)。

なお,これらの公告,通知は株主総会の決議前に行うことが可能であり,あらかじめ公告,通知を行っておき,株主総会の決議日を効力発生日とすることができる。

Q2
取締役を新たに選任したが,いつまでに登記しなければならないか。

A2
登記すべき事項に変更が生じた時は,原則として2週間以内にその本店所在地において変更の登記をしなければならない(会社法第915条第1項)。

知識を整理

① IPOにあたり,証券取引所が設けている形式基準を満たすために,定款の変更が必要となる項目が存在する。
② 定款変更は,原則として株主総会の特別決議が必要である。
③ 定款を変更し,株式の譲渡制限を廃止した場合には,同時に取締役及び監査役の選任手続が必要となる(会社法第332条第7項第3号,第336条第4

④ 単元株制度を導入する場合には定款を変更し，株主総会の特別決議が必要となる。これに対して，単元株制度を変更する場合には取締役会決議のみで足りるケースと取締役会決議に加え，定款変更にかかる株主総会の特別決議が必要となるケース等がある。
⑤ 株式の譲渡制限に関する規定を定款に設ける場合は，株主総会の特殊決議が必要である。
⑥ 登記すべき事項に変更が生じた時は，原則として2週間以内にその本店所在地において変更の登記をしなければならない。

○×問題

Q1

定時株主総会において，別段の決議をせず会計監査人を重任した場合，再任登記が必要になる。

A1

○ 会計監査人の任期は，選任後1年以内に終了する事業年度のうち最終のものに関する定時株主総会の終結の時までとなっているが，その定時株主総会において別段の決議がされなかった時は，当該定時株主総会において再任されたものとみなされる（会社法第338条第1項，第2項）。したがって，再任登記が必要になる。

Q2

株主名簿管理人をA信託銀行からB信託銀行へ変更しようと考えている。株主名簿管理人を変更する場合は，必ず株主総会の普通決議が必要となる。

A2

× 株式名簿管理人の変更にあたっては，株主総会の普通決議は不要であり，取締役会で決議される。また，株式取扱管理規程等に株主名簿管理人が定められている場合には，当該規程も取締役会等で変更の承認をする。

Q3

株主名簿管理人を設置した場合，「株主名簿管理人設置会社」であることを登記する必要がある。

A3

× 株主名簿管理人を置いた時は，その氏名又は名称及び住所並びに営業所を登記する（会社法第911条第3項第11号）。

内部統制

1 【内部管理体制】
全社統制

事例の概要

　M社は、情報通信に関する電気工事業を行っている。従業員数は約120名、売上は約80億円規模の会社である。M社は、創業者のF社長及びI専務の絶妙なコンビにより、上場申請も近いと思われていた。

　しかし、「M社では不適切な会計処理が行われている」との情報が元社員により匿名で監査法人に通報された。監査法人が調査を実施したところ、不適切な会計処理の事実が発覚した。これを受けて、M社は過去の決算について大幅な訂正を行うことになった。

　M社は特別調査委員会を設置し、不適切な会計処理が行われた背景を探り出すため、全社員に対しヒアリングを行った。以下は、特別調査委員会が作成した調査報告書の一部である。

　M社の不適切な会計処理が行われた原因から判断して、どのような点が問題であり改善措置を取ることが考えられるだろうか。

【M社の取引の流れ】

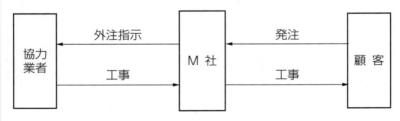

【M社が協力業者に発注する流れ】

M社 通信工事本部 A支店	作業所長	発注伝票の起票
	調達部長	現場確認の上承認
	工事部長	現場確認の上承認
	支店長	決裁
	事務管理部	工事代金支払事務

→ 発注書
← 検収書
→ 工事代金支払

協力業者

1．発覚した事象
- 売上の前倒し計上が行われていたこと。
- 原価計上の先送り（協力業者等に対する工事代金等について，協力業者等に対する注文・支払を次年度以降に遅らせることで原価計上すべき工事原価の処理を行わないまま決算を締め切ること）

2．不適切な会計処理が行われた原因
- 「売上の前倒し計上」については，全社員の半数近くが会計方針を誤解しており，不適切な会計処理が行われているとの認識はなかった。
- I氏は，専務取締役であるが，業績目標達成管理の総責任者でもあった。I氏はその立場上，周囲に業績達成に対するプレッシャーをかけることが多かった。また目標未達の社員には容赦なく配置転換を行うなど事実上の人事権も掌握しており，I氏に対しネガティブな情報を報告する環境ではなかった。
- 調達部長，工事部長，支店長は，本来であれば作業所長の業務を監視し，工事の進捗管理や採算管理を行う立場であるが，I専務の言動や後述の人事評価制度から，A支店内の牽制機能が働かず「原価の先送り」を黙認してしまった。
- 協力業者に発注を出す作業所長の人事が固定化してしまい，作業所

長と協力企業との間で緊密な関係を構築していたが，その様子は外部からは見えにくい状態であった。
- 協力企業は，M社との継続的な取引を望むあまり，「原価先送り」の要求を不満に思いながらも受け入れていた。
- 現在の業務管理システムでは，仕入情報と売上情報が連動しておらず，会計システムとの連携も不十分であった。
- 工事現場における工事不良などの失敗による原価の発生を表に出しにくい雰囲気があった。予算の超過や利益目標が達成できない場合は，人事評価の上で大きく減点されるなど，失敗が許されない人事評価が存在していた。
- 社内の内部通報制度を設けてはいたが，周知されておらず，形骸化していた。

何が問題なのか

上場企業においては，「財務報告に係る内部統制の評価及び監査に関する実施基準　Ⅲ．財務報告に係る内部統制の評価及び報告　3．財務報告に係る内部統制の評価の方法（参考1）財務報告に係る全社的な内部統制に関する評価項目の例」（以下，「全社統制42項目」）の観点から全社統制の整備運用状況の評価を行う。

本問では，不適切な会計処理の発覚を発端に，全社統制42項目の観点からM社内の内部統制（全社統制）上の問題点を洗い出すと次のようになる。

1. 目標達成に対する過度なプレッシャーの存在と失敗が許されない人事制度

M社では，I専務の行き過ぎた言動等により，目標業績の達成に対する過度なプレッシャーが様々な悪影響を与えている。

例えば，調達部長，工事部長，支店長といった管理職が，自己の業績評価に悪影響が及ぶことを避けるため，作業所長による不正行為を黙認してしまっている。目標達成に対する過度なプレッシャーの存在と失敗が許されない人事制度が相互に絡み合って，不正行為を誘発し，財務報告の虚偽記載が行われる素地ができあがっていたものと思われる。

2．固定化した人事配置

M社の作業所長の人事配置は固定化しており，協力企業との関係も外部からは見えにくいものであった。人事が固定化していると，不正行為や癒着の温床となり，業務上のリスクとなる。今回のケースも，作業所長が協力企業と緊密な関係を築き外部から見えにくい環境下だからこそ，協力企業に対し「原価の先送り」の要請を行うことができたと推測できる。

3．情報システムの不備

M社の業務管理システムは仕入情報と売上情報，会計情報が連動していないということから，財務報告に必要なデータを適時に取得することはできず，情報伝達システムに不備があったことになる。

4．教育研修制度の未構築

売上の前倒し計上については，全社員の半数近くが会計方針を誤解しており，会計方針の理解不足であったことが伺える。M社内で，会計方針に対する教育研修制度に不備があったことになる。

5．内部通報制度の未活用

M社内で内部通報制度は存在していたが，その存在が社内に周知されていなかったため活用されていなかった。社内だけでなく，「原価の先送りの要請があった」という法令違反を社外からも受け付ける窓口が

存在し，経営陣や監査役に伝えられていれば，不正行為を未然に防ぐことができた可能性がある。

❓ どのように解決するか ❓

① 行動規範の遵守，法令遵守を中心とした経営理念，行動憲章等を制定し，社内研修や全体会議の場などで折に触れ周知を図ることにより，「目標達成のためなら何でも行う」というような社風の形成を防止する。財務報告の信頼性を傷つけてまで業績目標を達成しないような人事評価制度を構築する。

<u>全社統制　42 項目から</u>
統制環境
- 適切な経営理念や倫理規程に基づき，社内の制度が設計・運用され，原則を逸脱した行動が発見された場合には，適切に是正が行われるようになっているか。

【統制項目の例】
　入社時に従業員全員に対して，社是・経営理念（綱領）・行動指針を記載したカードを配布し，周知している。また，会社ホームページにも同様の内容が記載されている。
　就業規則には懲戒について定められており，就業規則は社内 Web で従業員に周知されている。

【確認書類の例】
　社是・経営理念（綱領）・行動指針を記載したカード，会社ホームページ，就業規則など

- 従業員等の勤務評価は，公平で適切なものとなっているか。

【統制項目の例】
　半期に一度，目標設定の到達度合について確認するために社員と評価者

は面接を行い，評価結果をフィードバックすることが人事評価規程に記載されている。

　人事評価規程には，昇給昇格時の基準，評価ルール等が記載されている。評価項目の中には，業績貢献度合いだけでなく，職業倫理観に関するものも含まれている。

【確認書類の例】
　人事評価規程，面接評価シートなど

② 人事の固定化が原因で発生するリスクについて検討を行い，また，実際に人事が固定化していないか，取締役会において組織体系を定期的に見直すことを社内規程に明文化する。

全社統制　42項目から

統制環境
・　経営者は，問題があっても指摘しにくい等の組織構造や慣行があると認められる事実が存在する場合に，適切な改善を図っている。

【統制項目の例】
　コンプライアンス規程に基づき，取締役会の下部組織としてコンプライアンス委員会を設置し，コンプライアンスに係る体制の構築及びその推進に関する事項について検討，審議している。
　内部監査や外部監査人から内部統制上の指摘があった場合，速やかに是正している。

【確認書類の例】
　コンプライアンス規程，コンプライアンス委員会規則，コンプライアンス委員会議事録，内部監査調書，監査役調書など

リスクの評価と対応
・リスクを識別する作業において，企業の内外の諸要因及び当該要因が信

頼性のある財務報告の作成に及ぼす影響が適切に考慮されているか。
【統制項目の例】
　コンプライアンス委員会の下に「財務経理」「総務人事」「○○○」「○○」の部会を設け，信頼性のある財務報告の作成に関するリスクを各部会の視点から検討し，取締役会及び関連部署に報告している。
　コンプライアンス委員会の「総務人事」部会では，同一業務を長期間担当する者について発生し得る不正リスクを洗い出し，不正リスク対策が構築されている。
【確認書類の例】
　コンプライアンス委員会規則，コンプライアンス委員会議事録，リスク管理規程など

- 経営者は，不正に関するリスクを検討する際に，単に不正に関する表面的な事実だけでなく，不正を犯させるに至る動機，原因，背景等を踏まえ，適切にリスクを評価し，対応しているか。

【統制項目の例】
　当社の業界には，○○取引といった業界慣行があり，業界慣行を用いた不正が発生しやすい業務については，ジョブローテーションによって定期的に職務を変更する仕組みがある。
　不正リスクが顕在化した場合には，コンプライアンス規程に基づきコンプライアンス委員会を開催し，状況，原因，背景等を明らかにし，再発防止策を作成する。
【確認書類の例】
　コンプライアンス規程，コンプライアンス委員会議事録，業務分掌規程，職務権限規程など

③　業務管理システムの見直しにより，売上情報，仕入情報，会計情報を連動させ，不適切な会計処理を適時に発見可能な仕組みを構築する。

> 全社統制　42項目から
>
> 情報と伝達
> ・　会計及び財務に関する情報が，関連する業務プロセスから適切に情報システムに伝達され，適切に利用可能となるような体制が整備されているか。
>
> 【統制項目の例】
> 　業務プロセスを担う各部署が，財務報告に必要な情報を把握・処理し，必要な報告を行う体制を整備している。
> 　売上・仕入情報については，出荷，納品処理により会計システム内で自動連携されている。会計システムと業務システム間で，手動でデータ連携するものについては，両システム間で出力された証憑を突合し，承認者の承認を得ている。
>
> 【確認書類の例】
> 　経理規程，経理マニュアル，会計伝票など

④　従業員に対し教育研修・訓練等を行い，業務に応じた従業員等の能力を身につけるような仕組みを構築する。

> 全社統制　42項目から
>
> 統制環境
> ・　経営者は，信頼性のある財務報告の作成を支えるのに必要な能力を識別し，所要の能力を有する人材を確保・配置しているか。
> ・　信頼性のある財務報告の作成に必要とされる能力の内容は，定期的に見直され，常に適切なものになっているか。
>
> 【統制項目の例】
> 　経理部の人材採用時（中途も含む）には，○年以上の経理業務経験者，公認会計士，税理士の有資格者の採用活動を実施している。

経理部員は，会計基準や税法に関する外部研修を受講しており，能力向上及び維持に取り組んでいる。半期毎の人事評価時にスキル評価を実施している。
【確認書類の例】
　経理部員の履歴書，職務経歴書，外部研修報告書，面接評価シートなど

・　経営者は，従業員等に職務の遂行に必要となる手段や訓練等を提供し，従業員等の能力を引き出すことを支援しているか。
【統制項目の例】
　「役職別研修スケジュール」に基づき，社外専門家による社員研修の実施及び業務に関連したeラーニングを受講し，人事部は，受講報告書を受領している。
【確認書類の例】
　「役職別研修スケジュール」，受講報告書，eラーニングプログラムなど

⑤　内部通報制度の存在を社内に周知し，適時に利用できる環境を整える。また，社外関係者も通報制度を利用できる仕組みを構築し周知する。

全社統制　42項目から
情報と伝達
・　内部通報の仕組みなど，通常の報告経路から独立した伝達経路が利用できるように設定されているか。
【統制項目の例】
　内部通報管理規程において，従業員が直属の上司を経ないで，人事部へ通報する仕組みがあることについて記載されている。
【確認書類の例】
　内部通報管理規程など

1　全社統制

・　内部統制に関する企業外部からの情報を適切に利用し，経営者，取締役会に適切に伝達する仕組みとなっているか。

【統制項目の例】

当社の内部通報制度は，取引先関係者も利用できることになっており，会社外部からの通報窓口（顧問弁護士）が確保されている。

会社外部からの通報について，顧問弁護士は事実関係を把握した上で，重要性に鑑みて社長，取締役，監査役へ報告している。

【確認書類の例】

内部通報規程，内部通報制度を周知している通知など

Ⅲ　内部統制

発展ケース

Q

会社法で求めている「取締役の職務の執行が法令及び定款に適合することを確保するための体制その他株式会社の業務の適正を確保するために必要なものとして法務省令で定める体制の整備」と，金融商品取引法で求めている「財務報告に係る内部統制の評価」との違いは何か。

A

内部統制の会社法と金融商品取引法との主な相違点は，次のとおりである。

	会社法	金融商品取引法
根拠法	会社法第362条第4項第6号，同条第5項 会社法施行規則第100条	金融商品取引法第24条の4の4
報告目的	業務の適正性確保	財務報告の信頼性
対象企業	会社法上の大会社 （資本金5億円以上又は負債総額200億円以上の会社）	金融商品取引所上場企業

161

開示方法	事業報告	内部統制報告書
有効性の評価	経営者は行わない	経営者が行う
監査対象	公認会計士，監査法人の監査対象外	公認会計士，監査法人の監査対象（※） 内部統制監査報告書を作成

（※） 平成27年5月29日施行の改正金融商品取引法により，新規上場会社については，上場後3年間は内部統制報告書に係る監査の免除（資本金100億円以上又は負債総額1,000億円以上の企業を除く）を選択できることとなった。

知識を整理

① 本問において，不適切な会計処理が行われた背景には，全社統制42項目に照らして整備されていない事項があることがわかる。
② 会社法上の内部統制と金融商品取引法上の内部統制の違いを理解する。

○×問題

Q1
内部統制報告書の評価結果に問題がある場合，上場廃止になる。

A1
× 「内部統制における重要な欠陥が直ちに財務諸表の虚偽記載に結び付くものではないことを踏まえ，内部統制報告書及びこれに係る監査報告書の記載内容をもって，上場廃止することは行わない」としている（東証・上場制度総合整備プログラム2007，Ⅰ．企業行動に関する制度の整備（4）内部統制報告制度への対応）。

1 全社統制

Q2

例えば、20X1年3月期を申請期として、20X1年4月に上場する場合（いわゆる期越上場の場合）、20X1年3月期の内部統制報告書・内部統制監査報告書の作成は必要ない。

A2

○　新規上場会社は上場日の属する事業年度に係る有価証券報告書の提出と併せて初めて内部統制報告書を提出するため、本問における内部統制報告書・内部統制監査報告書の提出は20X2年3月期の有価証券報告書提出時となる。

Q3

内部統制報告書の提出義務は、新規上場企業に限り3年間免除されることになった。

A3

×　内部統制報告書については、全てのIPO企業に対して、事業年度ごとに提出が求められており、公認会計士による監査が義務付けられている。金融商品取引法の改正により、内部統制報告書の提出義務自体は維持することとし、新規上場後、3年間に限り内部統制報告書に係る公認会計士監査を免除することが選択可能になった。

Q4

新規IPO企業であっても、一定規模の企業については市場への影響等を勘案し、内部統制監査の免除の対象外とする。

A4

○　社会・経済的影響力の大きな新規IPO企業、具体的には、資本金

100億円以上，又は負債総額1,000億円以上の企業は内部統制監査免除の対象外とされている。

2 【内部管理体制】中期経営計画の策定

事例の概要

　A社は将来的に上場を検討中の会社であり，監査法人のショートレビューを受けた。以下は監査法人担当者がA社取締役管理部長に対して行った，中期経営計画に係るインタビューの内容の一部である。このやり取りから問題を抽出し解決策を提示しなさい。

監査法人（以下「監」）：「直近で策定された中期経営計画を拝見できますか？」

取締役管理部長（以下「取」）：「直近ですと3年前に策定したものがあります。ちょうど今期が中期計画の最終年度に当たるので，これから次の3カ年計画を策定しようと思っているところです」

監：「そうですか…。では3年前に策定した中期計画を拝見します。…今期の実績とかなり乖離していますが，中期経営計画の見直しはしないのですか？」

取：「年度予算と実績の分析は行っておりまして，年度予算の方は適時に見直しを行っています。中期計画は3年に1回見直す方針です」

監：「因みに，中期経営計画の策定はどのような手順で実施していますか？」

取：「年度予算をベースに私が策定しています。売上高は社長から指示された成長率を基に決めています。あとは過去の趨勢から原価，経費の数字を決めて利益を算出します」

監：「社長は何を基に成長率を決めているのでしょうか？」

取：「さあ，社長の頭の中に描いている青写真ですから私にはわかりませんが，達成が厳しいとは言えると思います。何しろここ10年来，

　　　　中期計画を達成したことは一度もありませんから」
監：「策定された中期計画は何のために用いられますか？」
取：「各事業部の部長に通知されますが，そこから先，各事業部でどのように用いられるかは不明です」

何が問題なのか

　一般的に，中期経営計画策定上の留意点として下記が挙げられる。
ア　実現可能性のある中期経営計画を立てること
イ　数値計画だけではなく，これを達成するための個別・行動計画に裏付けられていること
ウ　中期経営計画策定の手続と担当部門を定めていること
エ　連結ベースでセグメント別の中期経営計画を策定していること
オ　計画と実績との間に乖離が生じた場合，これを経営活動にフィードバックする体制を構築していること
　本事例では中期経営計画の実現可能性に乏しく，達成のための行動計画の裏付けもなく，管理部長がほぼ1人で数字を作っているのみであり，乖離が生じても特段のフィードバックもない点が問題である。

? どのように解決するか ?

　まずは中期経営計画策定の方法及び手続を定め，担当部門や委員会，プロジェクトを編成する場合のメンバーを明確にする。
　内外の現在の経営環境を認識し，将来の環境予測の下，戦略意思決定を行い各事業部門における個別計画（人事，設備，資金，販売，生産等に関するもの）に反映させる。経営環境の認識の際には，市場，製品，競合，資源，技術，マーケティング，法律といった環境要因に関する情報収集のため，官公庁資料や業界紙，業界資料等による市場分析データを活用することになる。

中期経営計画の進捗管理方法を明確にし，運用する。適切に集計された実績と比較し，計画どおりに行われていない部分があればその原因を分析し，必要であればその改善策を考えた上で次期以降の経営に反映させていく。

■ 発展ケース

Q 上場準備段階で，事業計画を作成することになった。上場審査との関係からどのような点に注意して作成したらよいだろうか？

A 事業計画を作成する上で考慮しなければならない事項は，取引所の審査項目から次のとおりであることがわかる。

① ビジネスモデル
  ・ 自社のビジネスモデルの特徴（強み・弱み），差別化要因，技術的優位性
② 事業環境，事業におけるリスク要因，経営活動を阻害する要因
  ・ 自社の属する市場規模
  ・ 製商品・サービスの需要動向
  ・ 原材料の市況動向
  ・ 競合他社の状況
  ・ 法的規制，許認可制度に対する対応
  ・ 事業が継続的に行われないリスク要因
  ・ 危機管理体制
③ 会社の事業計画が実行できる仕組み
  ・ 事業計画を実行する上で，いわゆる「ヒト」「モノ」「カネ」の整備状況
  ・ 整備されていない場合，いつ，どうやって調達するか
  ・ 短期・長期的な資金計画について

④ 利益計画の合理的な根拠
  ・ ①～③の項目を踏まえた上で，利益計画，販売計画，仕入・生産計画，設備投資計画，人員計画，資金計画などの各計画が整合的であるか

知識を整理

① 事業計画は上場申請書類に記載ののち審査が行われる。あるいは主幹事証券会社の評価ののち取引所の審査が行われる。
② 事業計画に記載する内容は，次のとおりである。
  ⅰ）ビジネスモデル
  ⅱ）事業環境，事業におけるリスク要因，経営活動を阻害する要因
  ⅲ）会社の事業計画が実行できる仕組み
  ⅳ）利益計画の合理的な根拠
③ 取引所が審査する項目は，事業計画の合理性であり，例えば，販売価格の推移の予測とその根拠，出店計画の予測，出店増に対応するリソースの有無などである。

○×問題

Q1
事業計画書では，上場準備にかかる費用について考慮する必要はない。

A1
× 上場費用についても考慮しておく必要がある。上場費用とは，例えば，上場準備指導料等（主幹事証券会社，コンサルティング会社），監査費用，株式事務代行費，上場審査料，申請書類印刷費用，人材採用費用などが考えられる。

Q2

事業計画（3カ年）で定めた経営指標に対し，月次の実績数値の進捗が思わしくないが，当初計画した事業計画を3年間は変更してはいけない。

A2

× 事業計画の策定方式には，計画策定にあたって対象とした計画期間の終了まで計画の見直しを行わない固定方式と，毎年度最新の環境変化を織り込んで計画を更新するローリング方式があるが，上場審査にあたっては，乖離が生じ事業計画が達成不可能であると判断した場合は事業計画の見直しを行うローリング方式を採用する。その際には，不可能であった原因について究明する必要がある。

Q3

事業計画書と単年度予算は連動している必要がある。

A3

○ 事業計画書記載の中期経営計画は毎年更新され，単年度予算は常に中期経営計画の第1年度という位置付けになるのが正常な姿である。

3 【内部管理体制】予算管理の実務

事例の概要

A社は将来的にIPOを考えている企業である。A社における月次の予算管理の手続は，以下のとおりである。

項　目	概　要
予算と実績の差異分析	・　毎月次決算が翌月末に締まるため，これを待って予算と比較。 ・　実績と予算を比較するもののその結果を報告するのみであり，特段指示がない限り原因の分析は行わない。 ・　月次予算は年間予算を12等分したものであるが，実績には季節的変動があるため月によっては大きな超過若しくは未達となる。
予算見直し	・　一度策定した予算は期末まで見直さない。

上記事例の問題点につき，予算管理から適時開示までの流れを踏まえ説明しなさい。

何が問題なのか

・　決算が締まるのが遅いため，タイムリーに予実差異分析を行うことができない。
・　予実比較の結果，異常な増減が検出されたとしても，原因の分析を行っていないため，それが正当な理由に基づくものなのかそうでないのかがわからない。
・　季節的変動のある会社が月次予算として年間予算を12等分したものを使っている場合，そもそも月次予算の合理性に乏しいため，予実

> 差異分析の実効性が薄れる。
> ・　期末まで予算を見直さないため，実績が予算から乖離した場合に環境の変化を反映した予算を組み直すことができず，予実差異分析の実効性が薄れる。

❓ どのように解決するか ❓

予算管理から適時開示の流れは次のとおりであり，これを念頭に置いた予算管理業務の改善が求められる。

① **月次決算の早期化**

月次決算を早期に集計することが予算管理を行う上で重要である。月次決算は，実績集計の第一歩であるため，毎月10営業日までに終えるようにしたい。月次決算が翌月末に締まっているようでは，予実分析結果のフィードバックはさらに翌月になるため，対応が後手に回ってしまうことになる。

会社の事業内容によっては，週次，日次で業績を集計し予算と比較することも考えられる。

② **予実分析の実施**

予算と実績の数値を比較し，差異を分析することで，その原因を把握する。予実分析の視点は，数量要因（販売量，消費量等が予算と異なったことによる差異），価格要因（販売単価，原材料単価等が予算と異なったことによる差異）に大別できる。また外的要因（急激な経済環境の変化，自然災害による影響）による分析が必要な場合がある。

予算分析時に，単純に予算と実績金額の差額を記載するのはあまり意味がない。その差額が生じた原因は，数量要因，価格要因，あるいは外的要因なのか分析することに意味がある。

③　適切な経営判断を行う

　月次予算と予実分析の結果は取締役会に報告されることになる。月次決算の集計及び予実分析により，予算未達の原因を把握し，その対応策を次月の経営行動に反映させるためである。①でも述べたが，月次決算を早期に集計しないと，対応が遅れ，通期予算の達成のための対策が取れなくなるおそれがある。

　また，予算の達成度合いによっては，予算の修正という判断を下す必要が生じる。

④　適時開示を行う

　業績が期初予想と比較して一定割合以上乖離した場合は，投資情報として極めて重要であるため，その事実を投資家に向けて開示する必要が生じ，タイムリー性が要求される。業績見通しと予算は表裏一体の関係を持っており，合理的な根拠を持って作成，修正されなければならない。

発展ケース

Q1

　予実分析において，材料の仕入価格上昇に伴い，ある月の材料原価が3,000千円程度予算と比べて超過してしまったことが判明した。しかし，教育研修費の予算は，同じく3,000千円余剰が生じている。この余剰分を流用して原材料価格の上昇に充てたいと考えているが，問題だろうか？

A1

　予算の流用の問題である。基本的には予算の流用は認めないのが原則である。予算の流用を認めてしまうと，予実差異金額を埋めることは可能になるが，「仕入価格の上昇」という本質的な事象が隠れてしまい，その対策について適切な経営判断を下すことができない。また，このケースの場合は原価項目と，販売管理費の流用であり，原価管理上も正し

くない行為である。

Q2

当社は事業の特性上，上半期は売上計上が少なく，下半期に年間の売上高の大半を計上するという特性がある。投資家にこのような事業特性を理解してもらいたいが，どのように対応したらよいだろうか？

A2

事業の特性上，業績に季節変動や四半期ごとに特徴がある場合，「事業等のリスク」に記載することになる。

例えば，不動産・住宅関係では，新学期，新年度に備えるため，物件の引渡時期が3月末に集中する傾向があるため，引渡時期により業績が変動することをリスク情報に記載する。

予算を設定する際にも自社の業務の特徴をとらえ，季節変動や四半期ごとの変動に対応した予算編成を行うことを意識する必要がある。

Q3

上場会社の決算短信をみると，翌事業年度における「売上高」，「営業利益」，「経常利益」，「当期純利益」，「1株当たり当期純利益」及び「1株当たり配当金」の予想値を「次期の業績予想」として開示する形式が多いが，この形式は決まっているのだろうか？

A3

東京証券取引所は「業績予想開示に関する実務上の取扱いについて」（平成24年3月）を公表し，その中で，将来予測情報の開示の具体的な方法は，決算短信等における「次期の業績予想」の形式に限定されるものではないとし，「次期の業績予想」を表形式で表示している様式か，自由記載形式の様式のいずれかを選択できるようになった。

また，「次期の業績予想」の開示に際して，個別の事情により，開示対象項目，開示形式又は開示対象期間の追加，変更が行われた事例について紹介されており，その内容は次のとおりである。
- 年次により業績管理を行っているとの事情から通期の業績予想のみを開示した事例
- 市況により業績が激しく変動するとの事情から通期の業績予想をレンジ形式により開示した事例
- 事業を取り巻く環境変化が厳しく半期又は通期の見通しが困難との事情から翌四半期の業績予想をレンジ形式で開示した事例
- 決算短信（サマリー情報）においては，通期の「当期純利益」のみ開示した事例（別途作成の決算補足説明資料では，業種特有の財務指標の予想値をあわせて開示）
- 事業環境が急激に不透明になったとの事情から「売上高」のみを開示した事例

知識を整理

① 投資家に対し業績の進捗状況を伝えるために業績予想を公表する。
② 月次決算─予実分析─経営判断─適時開示の流れを理解する。
③ 予算の流用は，予算差異の原因が把握できなくなるので原則認められない。
④ 自社の業績推移について特徴がみられる場合，「事業等のリスク」に記載する。
⑤ 決算短信の「次期の業績予想」の開示について，表形式，自由掲載形式が選択できるようになった。

◯×問題

Q
予算制度の導入にあたり，業務分掌規程，職務権限規程，稟議制度との連携が必要となる。

A
◯　予算策定部署，予算内の金額であれば現場で決裁が行われるといった仕組みを構築する上で，これらの規程・制度が必要となる。

4 【内部管理体制】
販売業務に係る内部管理体制

事例の概要

　D株式会社は，製造卸売業であり，IPOの準備を行っている。N氏はIPOの準備担当者である。

　N氏は主幹事証券会社より，業務フローの作成を求められた。D株式会社の主な業務の中で，とりあえず，受注から出荷までのフローを現場の担当者のヒアリングと社内規程を頼りに作成した（178・179ページのフロー参照）。ちなみに，D株式会社の経理規程によれば，売上計上基準は出荷基準となっている。

　D株式会社では，概ねフローに沿って業務が行われているものとN氏も安心していたところ，主幹事証券の審査担当者が現場に対しヒアリングを行いたいというので了承した。

　以下そのやり取りである。

主幹事：「上長の方が見当たらないのですが。上長の方は，注文書を見ていますか？」

現　場：「上長は席を外していることが多いので，特に何もしていないです。」

主幹事：「口頭による商談後，注文書が来たらすぐに受注入力するのですか？　注文書の内容は商談と同じかどうか確認しないのですか？」

現　場：「すぐに受注入力しています。受注内容が変わることは滅多にないですから。」

主幹事：「受注表を発行したら，どなたがその内容を確認していますか？」

現　場「忙しいので，自分の目視による確認です。」

主幹事:「業務フロー上では,納品書,受領書,請求書を先に出力してから出荷していますよね。月末の忙しい時は大変じゃないですか?」

現　場:「ええ。納品書,請求書は出荷予定日の日付で作成し,先に全部出力するのですが,少人数で対応しているため,ピッキングが追い付かず,出荷が予定の翌日になってしまう時がよくありますね。忙しい時は出荷業務に手一杯で,経理部へ伝票を回すこともできませんよ。」

主幹事:「そうですか…。Nさん,ちょっと来てください。これは業務フロー上問題がある箇所がいくつかありますよ。」

　Nさんは主幹事証券から呼び出され,業務フロー上に問題があることを告げられた。

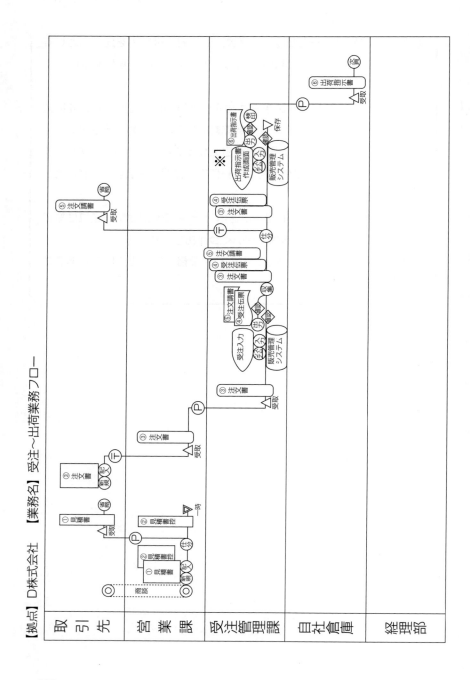

4 販売業務に係る内部管理体制

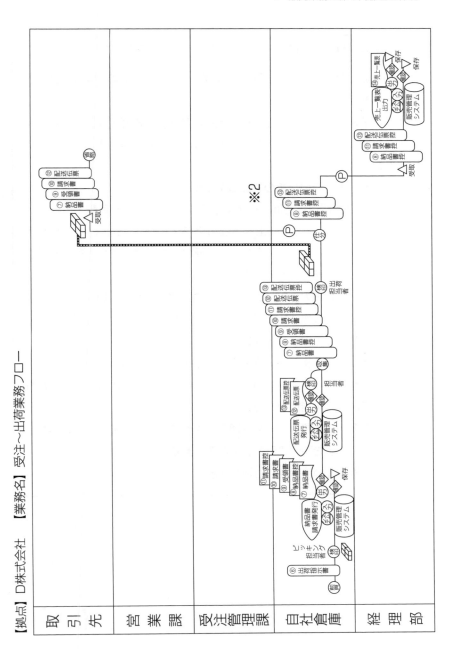

何が問題なのか

　前述のヒアリングのやり取り，及び業務フロー上での問題点は次のとおりである。

① 見積書，受注伝票作成時に上長による内容の確認・承認がない。
② 口頭による商談のみで受注してしまっており，見積書と注文書との照合がない。
③ 伝票入力確認のための第三者チェックがない。
④ D社の経理規程では，売上計上のタイミングは出荷基準である。業務フロー上では，売上を計上する際の根拠証憑として，納品書（控）を用いているが，これは出荷予定日に出荷がされることを前提とした日付で作成されている。

　しかし，現場のヒアリングでは，納品書・受領書・請求書は出荷予定の日付で先に作成しているものの，出荷が予定日よりも遅れることが度々あるとのコメントがある。

　したがって，納品書・受領書・請求書の作成日付と，実際の出荷日が異なっている可能性があり，結果的に出荷基準による売上計上が行われていない可能性がある。

　上場審査上，業務フローを問題図のように記載し，関連する帳票も合わせて業務内容を説明することになる。業務の内容とフローに限らず，関連する規程との整合性にも注意する。

4 販売業務に係る内部管理体制

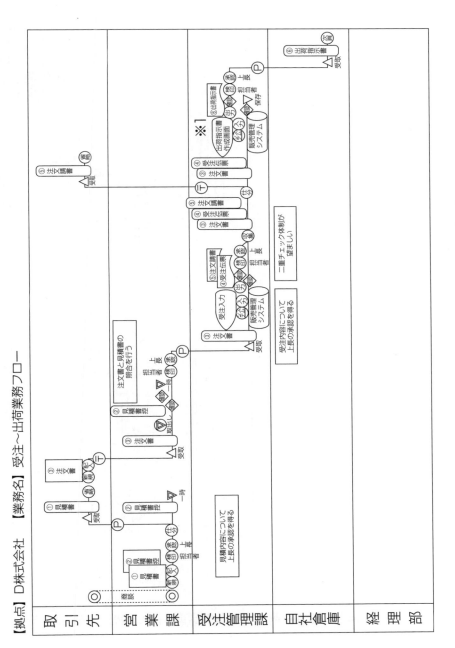

[拠点] D株式会社　【業務名】受注～出荷業務フロー

| 取引先 | 営業課 | 受注管理課 | 自社倉庫 | 経理部 |

？ どのように解決するか ？

① 見積書，受注伝票作成時に上長による内容の確認・承認がない。

　問題のフロー及びヒアリングでは，商談は営業部の担当者任せとなっているが，見積書，注文請書を作成，起票した後に担当者の検印ののち，上長の承認が必要になる。見積書作成時には利益率を内部で計算するが，この商談の利幅が小さい場合や，赤字受注の可能性も考えられる。そのような場合に備えて上長による確認を行うことで経営上の判断を行う必要が生じる。

　また，製造業において高額の注文を受けた場合など，次のステップとして購買の手配を行うこととなる。注文が高額であれば，購買の手配も高額になることが考えられ，そのような高額の注文を本当に受けるのかどうか，資金繰りや受注がキャンセルになった場合のリスクなど経営上の判断が必要になる可能性がある。

② 口頭による商談のみで受注してしまっており，見積書と注文書との照合がない。

　問題の業務フロー及びヒアリングでは，口頭による商談ののち，注文書が来たら内容確認せず直ちに受注入力を行っている。注文の内容が変わることが滅多にないとはいえ，見積書との照合を行っていない状況では，見積書の条件と違う単価，数量での受注を受けてしまうリスクがあるため，見積書と注文書を照合する行為が必要である。

③ 伝票入力確認のための第三者チェックがない。

　問題の業務フロー及びヒアリングでは，入力確認のセルフチェックのみで，第三者による確認作業が業務に組み込まれていない。伝票の起票内容の確認や，伝票とシステムに入力した内容の確認を行う意味で，確認のための二重チェック体制が望ましい。

④ 納品書・受領書・請求書を先に発行しており，出荷日，売上計上のタイミングと同じではない可能性がある。

　問題のフロー及びヒアリングでは，実際の出荷とは関係なく納品書・受領書を先に出荷日で発行しているが，出荷日に予定どおり出荷されているとは限らないので，出荷予定どおりに出荷が行われたか確認する必要がある。あるいは，出荷が遅れた場合，納品書・受領書・請求書の日付を，実際の出荷日に訂正した上で売上計上する必要がある。

■ 発展ケース

Q
　この販売フローにおいて，「※1」の時点で出荷指示書記載の出荷予定日の日付にて売上を計上することは正しいか。

A
　この時点では，出荷指示書を作成しただけで，まだ実際に出荷はされていない状態である。また，出荷指示書どおりの日程で出荷されるかどうかわからない。したがって，経理規程で定めている出荷基準のタイミング「※2」で売上を計上するのが正しい。

知識を整理

① 見積書，受注伝票作成時には上長の承認を得る。
② 見積書と注文書の照合を行い，内容に相違ないか確認する必要がある。
③ 各種伝票を起票したのちには，検印，承認を行う体制を構築する。
④ 売上計上のタイミングは経理規程等と整合をとる。本問の場合のように出荷基準の場合，出荷日と売上計上日を合わせる必要がある。

◯×問題

Q1

業務フローは，上場審査時において実際の業務の流れと整合をとる必要があるが，社内規程との整合をとる必要はない。

A1

× 実際の業務の流れ，規程の内容，使用する帳票類と整合をとる必要がある。販売フローに関しては，販売管理規程や職務権限規程，業務分掌規程などとの整合に注意する必要がある。

Q2

見積書と注文書は，受注条件が見積り時と異なる可能性があるので，双方確認することが望ましい。

A2

◯ 問題のとおりである。

5 【内部管理体制】
棚卸業務に係る内部管理体制

事例の概要

あなたは，金属加工組立業N社の管理担当役員である。N社は，工場を複数所有している。N社では，棚卸資産に関して，棚卸資産管理規程や棚卸実施マニュアルといった管理文書を整備していないため，在庫の受払記録も付けず，期末の実地棚卸は現場に任せている状態である。このようなN社の在庫管理状態について，上場審査上どのような問題が存在するだろうか。

何が問題なのか

棚卸が正確に行われないと貸借対照表上の棚卸資産の金額を信頼することができない。また，棚卸資産の計上が正しく行われない場合，売上原価の計算を通じて利益計算にも影響を与えることになる。

N社の場合，受払記録を作成していない点，棚卸を現場に任せており，正確な在庫数量，在庫金額を自社で把握できない点が問題である。

受払記録は，棚卸資産の動きに合わせて出入を記録することであり，在庫数，在庫金額の理論値を算出するのに必要である。現在のN社の状態では，棚卸資産の理論値が算出できない状態である。

次に，棚卸作業は，貸借対照表に計上されている棚卸資産（製品，商品，原材料，半製品，仕掛品）の実在性を証明するという機能も有する。棚卸によって，理論上の在庫数と実際の有高を比較して差異を把握し，その差異を分析することで正確な在庫数，棚卸金額を導き出すことができる。現在のN社の状態では，理論値が把握できず，実際の有高との差異及びその原因がわからない。差異が発生した原因も，受入時のカウ

ントミスなのか，払出数の間違いなのか，仕損が発生したのか，不正行為が行われたのかわからない。このような状態では，棚卸資産の管理が正しく行われているとはいえず，棚卸資産の実在性も信頼できないものとなる。

特に製造業の場合，原価計算を行う上で，製品，原材料，半製品，仕掛品の数量の受払記録と単価の計算は重要な要素となる。

❓ どのように解決するか ❓

① 棚卸資産管理規程や棚卸実施マニュアルの作成

棚卸資産管理規程や棚卸実施マニュアルを作成することで，全社統一の方法で在庫の受払記録及び棚卸を行うことができる。

棚卸資産管理規程には，棚卸資産の範囲，棚卸資産管理責任者，棚卸資産の取得価格，棚卸資産の評価基準及び評価方法等を記載する。

棚卸実施マニュアルには，棚卸実施者，棚卸の範囲（見取り図），棚卸の方法（2人1組で行う，2回目は1回目と違う人が数える等）棚卸原票の記載，回収方法等を記載する。

② 受払管理の実施

棚卸資産について，棚卸資産管理規程に従い受払管理を行う体制を構築する必要がある。

実務上，在庫の移動時（入出庫）には，伝票をはじめとする証憑類が作成される。これらの証憑類を用いて，在庫の移動が起きるごとに，在庫管理システムに入力を行うことで，実際の入出庫に基づいて受払を記録する。

次に，在庫管理システムに入力した結果と入力に使用した証憑類とを突き合わせることで入力漏れ，ミスがないか確認を行う。

③ 棚卸の実施

①で記載したマニュアルのとおり，棚卸を実施する。棚卸対象となる在庫の重要性と業務負担を勘案し，月次，四半期，期末といったタイミングで行うことが考えられる。その上で棚卸差異を分析し，決算処理にて棚卸減耗損，商品評価損を計上する。

発展ケース

Q1

N社では，無償支給の材料を下請先に渡している。このような場合，どのように棚卸を行えばよいか？

A1

下請先に対し，預かり証明書を提出してもらい，N社が下請先に渡している材料の内容，数量の証憑とする。

Q2

下記例において，月次総平均法で計算した場合，払出単価と当月在庫評価額はいくらになるか。

① 月初残高は100個（1個当たり100円）
② 月中において300個受入（1個当たり120円）
③ ②の後，350個払出
④ ③の後，100個受入（1個当たり110円）

A2

下記表参照。払出単価は114円，当月在庫評価額は17,100円となる。

	数　量（個）	金　額（円）	単　価（円）
月初	100	10,000	100
受入（上記②）	300	36,000	120

受入（上記④）	100	11,000	110
上記計	500	57,000	114
払出（上記③）	△ 350	△ 39,900	114
月末	150	17,100	114

Q3

N社における入出庫，在庫管理担当者は，W氏1人であり，入社以来10年近く，この業務を担当している。W氏が業務を行うにあたりどのようなリスクが考えられるか。

A3

同一人物が長期に渡り同じ業務を行うことは一見熟練度が増して効率的に見えるが，W氏の業務が不明瞭になりがちであり，不正行為が行われてもわかりにくい状態である。

知識を整理

① 棚卸が正確に行われないと貸借対照表上の棚卸資産の金額を信頼することができない。また，棚卸資産の計上が正しく行われない場合，売上原価の計算を通じて利益計算にも影響を与えることになる。
② 受払記録は，棚卸資産の動きに合わせて出入を記録することであり，在庫数，在庫金額の理論値を算出するのに必要である。
③ 棚卸によって，理論上の在庫数と実際の有高を比較して差異を把握し，その差異を分析することで正確な在庫数，棚卸金額を導き出すことができる。

○×問題

Q1

棚卸除外するものには，棚卸を除外する表示をする必要がある。

A1

○ 棚卸に含めるもの，含めないものを一目でわかる状態にする。

Q2

棚卸のカウントは2回行うが，同一人物が行うことが望ましい。

A2

× 同一人物が2回カウントする場合，思い込みによるミスを繰り返す可能性があるため，違う人物によるカウントを行うことが望ましい。

Q3

期末時点で架空在庫を計上した場合，売上原価が減少して，売上総利益が増加する。

A3

○ 売上総利益，売上原価は以下のように計算される。

売上高－売上原価＝売上総利益

売上原価＝期首棚卸高＋当期仕入高－期末棚卸高

期末棚卸高を実際より増加させれば，売上原価は減少し，売上総利益は増加する。

6 【内部管理体制】
IT 統制

事例の概要

　Z工業株式会社（従業員数300名，以下Z社とする）は，スマートフォン向け小型部品を製造しているIPO準備企業である。

　Z社は，ここ数年で急成長を遂げた企業である。銀行出身の現社長に交代して以降，スマートフォン向け部品がヒットして業績が伸長したものの，急激な仕事環境の変化に馴染めない従業員も多く，経理・総務部門においても退職者が毎月1～2人出ている状況である。

　Z社のシステム情報部門に所属するM氏は，このように毎月退職者が出ている状況なので，会計システムの退職者のユーザーIDの削除はまとめて四半期ごとに行う方が効率的であると考えた。ちなみに，Z社には，ユーザーIDの取扱いを記載した情報システム管理規程等は今のところ見当たらない。

何が問題なのか

　本問の場合，ユーザーIDの取扱いを定めた情報システム管理規程が存在しない点，退職者のユーザーIDの削除をまとめて四半期に行う点が問題である。

　退職者のユーザーIDが長く利用できる状態にあることは，退職者のユーザーIDを利用した第三者による不正な情報の入力・情報の改竄，情報の漏えい行為が可能となり内部統制上のリスクと考えられる。

　「財務報告に係る内部統制の評価及び監査の基準」（企業会計審議会，平成23年3月，以下「実施基準」という）では，アクセス管理に関連して次のような記述がある。

- 経営者は，識別したITに係る業務処理統制が，適切に業務プロセスに組み込まれ，運用されているかを評価する。具体的には，例えば，システムの利用に関する認証・操作範囲の限定など適切なアクセス管理がなされているか。
- 監査人は，企業がデータ，システム，ソフトウェア等の不正使用，改竄，破壊等を防止するために，財務報告に係る内部統制に関連するシステム，ソフトウェア等について，適切なアクセス管理等の方針を定めているか確認する。

したがって，システムの利用に関する認証・操作範囲の限定，適切なアクセス管理等の方針を文書化する必要がある。

⑦ どのように解決するか ⑦

まず，会社として適切なアクセス管理等の方針を示した情報システム管理規程を作成することが求められる。情報システム管理規程には，情報システムの運用に関する全般的なルールと標準的な運用手順のほか，ID，パスワードの管理の手順が定められている。

情報システム管理規程で決められた承認手続の下，ユーザーIDの新規作成・削除，権限の付与・変更が行われる。ユーザーIDの新規作成・削除，権限の付与・変更が行われるタイミングであるが，少なくとも人事異動（入社，異動，退職）の都度行われるべきである。また，各ユーザーが利用できる権限の内容を可視化しておき，人事異動のほか，職務権限規程，業務分掌規程の変更時には，権限の内容の見直しを行う必要がある。

発展ケース

Q1

システム管理者が使用する特権IDとは何か？

A1

特権IDとは，全てのマスタ情報や各種データの作成，変更，削除及びそれらの権限の設定といった特殊権限を付与されたIDをいい，一般的にはシステム管理者のみが使用する。

Q2

特権IDはどのように管理したらよいのだろうか？

A2

特権IDの使用者は原則としてシステム管理者に限定した上で，ユーザー部門で特権IDの使用を必要とする場合には，その都度に使用できる特権IDを定め，システム管理者が特権IDの貸出し及び返却を管理することが考えられる。

そのほか，特権IDの操作に関しては，操作内容を文書化し，ユーザー部門上席者及びシステム管理者の承認を受けること，システムのログの取得機能を活用し，事後的にモニタリングする等の発見的な統制を組み込むことも重要である。

知識を整理

① 情報システムの運用に関する全般的なルールと標準的な運用手順のほか，ID，パスワードの管理手順を定めた情報システム管理規程を作成する。
② ユーザーIDは人事情報に連動して，新規作成・削除，権限の付与・変更を行う。

③ 職務権限規程，業務分掌規程の変更時にはユーザーに付与した権限を見直す。
④ 特権 ID の管理はシステム管理者が行うが，ユーザー部門で特権 ID の使用を必要とする場合には，その都度に使用できる特権 ID を定め，特権 ID の貸出し及び返却を管理する方法も考えられる。

○×問題

Q1

ユーザーID はできる限り共有し，ユーザーアカウント数の圧縮に努めることが望ましい。

A1

× ユーザーID は個人ごとに付与し，できる限り共有しないことが望ましい。

Q2

例えば外部作業者に臨時にユーザーID を付与する場合，ユーザーID の貸出及び返却管理をする必要がある。

A2

○ 問題のとおりである。

7 【内部管理体制】人事労務管理

事例の概要

　A社は飲食業（居酒屋）を行っている。BはA社の創立者兼代表取締役社長である。A社は創業以来直営スタイルにこだわり，店舗数も100店舗を超えるまでに至り，業績も好調であった。

　B社長は創業当初から将来的にはIPOをしたいと考えており，監査法人のショートレビューを受けた。そこでは，パート・アルバイトの社会保険未加入の問題点が指摘された。その後，A社では，この問題点を改善すべく，パート・アルバイトの勤務シフトの見直しや，正社員化を行い，加入率もほぼ100％まで上げることができた。

　そんな折，A社本部宛てに1枚のファックスが送られてきた。ファックスには「団体交渉申入書」と記され，送信元は「労働組合Cユニオン」であった。

　ファックスには「交渉事項　組合員Dの時間外労働手当及び休日労働手当の未払について」と記されていた。Dは直営店舗の店長である。世間で「名ばかり管理職」が話題となっていた時に，本部に乗り込んできて「私も名ばかり管理職だ。残業代がないのはおかしい」と抗議した人物であった。

　「まずいことになったな」B社長はつぶやいた。早速，A社の顧問社労士に対応を尋ねたところ，「団体交渉には応じるしかない」との回答であった。

何が問題なのか

　多店舗展開する小売業や飲食業の店長は，管理監督者（労働基準法第

41条第2号）として，時間外労働手当や休日労働手当の支給を行っていないことが多い。

　労働基準法上，管理監督者については労働時間，休憩及び休日に関する規定の適用除外となっている。このため，管理監督者であれば，残業や休日出勤があっても時間外労働手当や休日労働手当を支給する必要はない。

　一方，従業員にとっては，管理監督者に該当するか否かは給与に直接影響するため，大きな関心事となる。このため，従業員の管理監督者性を巡っては，しばしば労働紛争が生じる。

　近年，「名ばかり管理職」が社会問題になり，上場審査項目としての重要性が増してきた。特に多店舗展開する小売業・飲食業において，主幹事証券会社や証券取引所は，この点を重点的に審査している。

? どのように解決するか ?

　まず，ユニオン（合同労組）からの団体交渉申入れについては，受け入れざるを得ない。理由もなく拒絶すると，不当労働行為（労働組合法第7条）となる。

　団体交渉には社長であるB社長自ら出席する必要はなく，交渉権限を委ねた人事部門の責任者が出席することも可能である（通常はそうしている）。A社では，顧問社労士もいるので，この者にも同席してもらうとよいであろう。ただし，顧問社労士自身は労働協約の締結権限も有するA社の代理人にはなれないものとされているので注意が必要である。

　D店長が管理監督者に該当するか否の詳細な判断は，以下の厚生労働省通達に則って判断する（208～210ページも要参照）。

「多店舗展開する小売業，飲食業等の店舗における管理監督者の範囲の適正化について」（平成20年9月9日　基発第0909001号）

　https://www.mhlw.go.jp/houdou/2008/09/h0909-2.html

「多店舗展開する小売業，飲食業等の店舗における管理監督者の範囲の適正化について」に関するQ&A（平成20年10月3日　基監発第1003001号）
https://www.mhlw.go.jp/topics/2008/10/tp1003-1.html

　団体交渉の場でも上記通達とD店長の勤務実態及び賃金水準を綿密に照らし合わせながら，主張すべきことは主張し，誤りは素直に認めるという是々非々の対応が求められる。最終的にはユニオンとの間で妥結点を見出し，労働協約を締結することになる。

　ただ，管理監督者性の判断については，形式的な基準があるわけではないため，両者の主張が平行線となり，団体交渉が行き詰まることも多い（むしろ，これが一般的である）。その場合には，労働委員会のあっせん制度を活用することも検討すべきである。労働委員会のあっせん制度は，都道府県労働委員会という第三者が労使間に入り，あっせん員（労働委員会の委員，事務局職員などが指名される）が，労使双方から事情をよく聴き，団体交渉のとりもち，双方の主張のとりなし，さらにはあっせん案の提示などによって，争いを解決に導くよう努める制度である。利用にあたり費用はかからず，あっせん申請手続も専門家の手を借りずとも行えるほど簡便である（参考　東京都労働委員会ホームページ　http://www.toroui.metro.tokyo.jp/）。

発展ケース

Q1
　A社では，D店長の加入をきっかけにユニオン（合同労組）へ加入する店長が急増した。このことは，IPO審査上どのような影響があるか。

A1
　IPO審査の実質基準には「経営活動や業績に重大な影響を与える係争又は紛争等を抱えていないこと」というものがある。ユニオン加入者が増加し，各種抗議行動（ビラまき，街宣活動，ユニオンホームページ上での抗議活動，不買運動，取引先等への取引停止要請活動等）が活発

化した場合は，経営に重大な支障を生じ，IPO審査上も不利に働く可能性がある。このため，ユニオン対応は，弁護士や社会保険労務士等の専門家，警察当局等と相談しながら慎重に対処すべきである。

知識を整理

○　労務管理のチェックポイント

IPO審査上，労務系の審査も重点的になされている。特に最近は，政府が推し進める「働き方改革」の影響もあり，審査が強化されている傾向にある。

以下に審査上重視され，かつ，企業の運用上法令や通達に抵触している可能性が高い項目についてまとめた。YESの場合は☑を付し，最終的にチェックマークが付かない項目については社内での再検討が必要である。

【上場準備における労務系重要項目チェックリスト】

対象となる会社	分　類	具体的チェック項目
すべての会社	1．労働時間管理	□管理監督者やみなし労働時間制適用者も含む全労働者の労働時間をPC等の使用時間の記録等の客観的な方法により把握しているか。 □各労働日ごとの始業時刻，終業時刻を把握しているか。 □15分単位，30分単位等ではなく1分単位で労働時間を把握しているか。 □労働時間の把握をやむを得ず自己申告で行う場合は，労働者，管理者に対して運用方法に関する十分な説明を行うなど，自己申告時間が実際の労働時間と乖離しないように適切な措置を講じているか。 □時間外労働の上限規制を遵守しているか。 □すべての労働者が過重労働に陥らないように適切な措置を講じているか。
	2．36協定	□協定を締結し，労基署に届け出ているか。 □協定有効期間満了前に，協定を更新し，その旨を労基署に届け出ているか。 □労働者代表の選出方法は適切か。 □労働者代表は適格性を有するか。 □特別条項を適用する場合の手続を遵守しているか。

7 人事労務管理

すべての会社	3. 年次有給休暇	□年次有給休暇を確実に5日以上消化させているか。 □年次有給休暇の取得率は70％を超えているか。 □年次有給休暇について，社内で付与基準日を設け，入社初年度に法定付与基準日日よりも繰り上げて付与している場合，次年度以降も同様に繰り上げて付与しているか。
	4. 管理監督者	□管理監督者の範囲は適切か。 □管理監督者に対して深夜割増賃金が支払われているか。 □管理監督者の定着率は適切か。
	5. 事業場外みなし労働時間制	□事業場外労働に通常必要とされる時間と事業場内労働時間を合わせると所定労働時間を超えるのが常態的である場合，事業場内労働については別途労働時間を把握しているか。 □事業場外みなし労働時間制適用者に携帯電話やパソコン等を持たせている場合，会社に対する逐一の業務報告を求めないようにしているか。 □労使協定は事業場外労働に通常必要となる時間について協定しているか。 □深夜割増賃金を支払っているか。
	6. 未払賃金	□未払賃金が発生しないように社内的に対策を講じているか。 □未払賃金の有無に関する全社的調査を行ったか。 □上記の調査後，労働債権不存在確認書を入手しているか。 □退職時誓約書に清算条項を入れているか。
	7. 社会保険 　労働保険	□社会保険の加入手続きは全て行われているか。 □雇用保険の加入手続きは全て行われているか。
	8. 就業規則	□就業規則を作成し，労基署に届け出ているか。 □就業規則を改定した場合，その都度労基署に届け出ているか。 □就業規則の内容について社会保険労務士等の専門家のアドバイスを受けているか。
	9. 安全衛生管理体制	□雇入時の安全衛生教育を実施しているか。 □作業内容変更時の安全衛生教育を実施しているか。 □雇入時健康診断を実施しているか。 □定期健康診断を実施しているか。 □健康診断の結果，異常の所見があると診断された労働者について，医師等から意見を聴取しているか。 □労働者の健康情報に関する取扱規程を作成しているか。 □法令で定めるとおり，安全委員会，衛生委員会を設置しているか。 □安全委員会，衛生委員会を設置している場合，毎月1回以上開催しているか。

Ⅲ 内部統制

すべての会社		□安全委員会，衛生委員会を設置している場合，議事録を作成しているか。
	10. その他	□労働者の定着率は適切か。 □有期雇用労働者の契約更新管理は適切か。 □パートタイム労働者，有期雇用労働者と無期雇用フルタイム労働者との間に待遇格差がある場合，その理由を合理的に説明可能か。 □インターネット上に，労働者のものと思われる会社に関する書き込みが無いか定期的にチェックしているか。 □労働紛争を抱えている場合，解決の見込みは立っているか。
該当する会社のみ	1. 年俸制	□年俸制適用者にも必要な残業代を支払っているか。 □当初から年俸に含まれている賞与相当額も残業代の単価計算に算入しているか。 □当初から年俸に含まれている賞与相当額については，賞与支給日に在籍していない者に対しても相応の額を支払っているか。 □年俸額の改定について，最終的に労働者の同意を得られない場合の諸手続や不服申立制度等が，就業規則等に明示されているか。
	2. 裁量労働制 （専門業務型）	□協定を締結し，労基署に届け出ているか。 □協定有効期間満了前に，協定を更新し，その旨を労基署に届け出ているか。 □労働者代表の選出方法は適切か。 □労働者代表は適格性を有するか。 □適用対象業務は適切か。 □深夜割増賃金を支払っているか。 □休日割増賃金を支払っているか。 □健康・福祉確保措置を講じているか。 □対象労働者からの苦情に対して適切に対応しているか。
	3. 固定残業代制	□固定残業代分を労働者に明示し，給与明細上も区分して明示しているか。 □実際の残業代が固定残業代を超えた場合は，その差額を支払っているか。 □残業が発生しない者には固定残業代を支払わないようにしているか。
	4. 是正勧告	□期日までに是正報告を行えるか。 □是正勧告に対する再発防止策を講じているか。 □社会保険労務士等の専門家のアドバイスを受けているか。

	5. ストック・オプション	□ストック・オプションについて就業規則上の定めがあるか。 □ストック・オプションの付与を理由とした賃金の減額は行わないようにしているか。 □有償発行ストック・オプションの要払込額を賃金から控除する場合、労使協定を締結しているか。

○×問題

Q1

労働基準法上の管理監督者であれば、労働基準法上の一切の割増賃金を支払う必要はない。

A1

×　管理監督者であっても深夜業に伴う割増賃金を支払う必要がある。

Q2

管理監督者であっても欠勤に伴う給与控除を行うことは許される。

A2

○　ノーワークノーペイの原則（労働提供債務が労働者の責任により履行されない場合は、これに対応する賃金支払債務は発生しないという原則）から許される。

IV

コンプライアンス

1 【人事労務】
未払残業代について

事例の概要

　A社（取締役会設置会社）は情報システム開発を行っている。BはA社の創立者兼代表取締役社長である。A社は創業20年を迎え，ここ2期ほど営業利益も急速に増加していた。このころメインバンクからの勧めもあり，B社長はIPOを検討し始めた。

　取締役会において，その意向を他の取締役に話したところ，取締役管理本部長であるC本部長から「IPOを目指されるのでしたら，当社の労務問題について，早めに対策をとった方がよいと思います」との発言があった。B社長がC本部長に確認したところ，利益確保のためC本部長が現場部門や営業部門へ指示し，2年ほど前から従業員の残業は月30時間が上限となっており，それ以上の残業時間については残業代を支払っておらず，この点が顧問社労士からコンプライアンス上の問題点として指摘されていたことが判明した。

　B社長は「当社は年俸制であるから残業代など支払う必要性はないはずでは」とC本部長に問いただした。C本部長は「年俸制だからといって残業代を支払う必要性がないというわけではありません」と答えた。B社長は釈然とせず考え込んでしまった。「当社の優秀な従業員はむしろ残業が少ない。残業が多い従業員の多くは，自己研鑽もせず，創意工夫もなく，人事評定も低い従業員だ。こうした従業員に対して，全て残業代を支払わなければならないとすると，優秀な従業員よりも能力が低い従業員の方が高い給与をもらうことになりかねないのではないだろうか…」

1 未払残業代について

何が問題なのか

　現状の労働基準法は、「時間の経過」＝「成果の達成」となるような、工場労働（ブルーカラー）を前提としている。このため、時の経過と成果が必ずしも比例するわけではない事務労働（ホワイトカラー）には馴染まない部分もあるのは否めない。B社長の心情は経営者であれば理解できるであろう。

　しかし、労働基準法も法律である以上、その遵守（コンプライアンス）が求められ、遵守できないのであれば、IPOを実現することはできない。いまだに多いのは「年俸制であれば残業代を支払う必要性がない」と考えている経営者である。年俸制か月給制かは、給与を年単位で決めるか月単位で決めるかの違いでしかない。また、年俸制にしても、労働基準法上で賃金毎月払いの原則（労働基準法第24条）が定められているため、結局年俸額の12分の1を毎月支払うことになり、月給制と大差ない。つまり、年俸制を採用している企業であっても、労働基準法上の管理監督者でない者に対しては、残業代を支払わなければならない。A社のケースでは30時間を超えた残業時間についても残業代を支払う義務がある。

　現状のIPO実務では、A社のように、未払残業代の存在が明らかになった場合は、過去2年間（2年間は賃金債権の消滅時効期間：労働基準法第115条。なお、労働基準法の一部改正により、2020年4月1日から消滅時効期間が5年（当分の間は3年）となる（2020年4月1日以降に支払われる賃金に適用））に遡り、残業の実態を社内調査の上、未払残業代を支払うことが要請される（最近は主幹事証券の審査体制にもよるが、未払残業代の有無にかかわらず無条件に過去2年間の残業実態調査が求められる傾向にある）。こうした労務コンプライアンスが重視されるようになった背景には、過重労働による健康障害が多くなったことがある。

Ⅳ｜コンプライアンス

本来，支払うべき未払残業代があるにもかかわらず，これをオフバランス化しているのは「簿外負債」を抱えているのと同じである。したがって，残業代を会社が意図的に支払わないことは，コンプライアンス上の問題であるとともに，一種の粉飾決算であるともいえる。このことは経営者として忘れてはならない視点である。

⑦ どのように解決するか ⑦

　まずは，労務コンプライアンスという観点から，就業規則や給与規程といった人事関連規程が労働基準法をはじめとした各種労働関連法令に違反していないか否か確認することが先決である。

　規程の法令遵守が確認できた後は，規程の運用面での遵守状況を確認する。ここでほぼ間違いなく問題になるのが，未払残業代の存在である。

　この問題については，まず在籍従業員については，タイムカードのような証拠又は従業員から残業時間・作業内容について自己申告をしてもらうこと等により社内的に実態調査を行い，未払残業代を把握し一括して従業員本人に支払う。その際に，会社に簿外負債が存在しないことを明らかにするために「労働債権不存在確認書」の入手を行うことが重要である。これは従業員が自由意思により，「未払いの残業代がこれ以上存在しない」ということを確認し，会社側に任意で提出する書面である。これにより，仮に後日さらなる未払残業代の存在が発覚しても，従業員の自由意思による確認書の提出により，既に賃金債権を放棄しているものと捉えられ，追加の残業代支払いを行わずに済むことになる（ただし，裁判実務上は，自由意思の存否に関しては，事業主側にとって，厳しい条件が付されており，特に在籍従業員に自由意思の存在が認められる場合は例外的である）。

　問題は退職従業員についても，こうした調査と確認書面の提出が必要となる点である。退職従業員については，所在が不明の場合も多く，調査が困難又は不可能となることも多い。

そうした事態を避けるためには、今後は退職時に「労働債権不存在確認書」の入手を行うとよい。これは退職時誓約書の中に「私は貴社に対して、時間外労働手当請求権等を始めとした一切の債権を有しないことを確認致します。」というような一文を挿入することでも代替できる（ただし、裁判実務の観点からは、誓約書の提出は従業員の自由意思に委ねるものとし、強制してはならない。もっとも、自由意思の存否という意味では、退職従業員の方が在籍従業員よりも自由意思の存在を認められる可能性が高い）。

発展ケース

Q1

仮にA社における全従業員に対する管理職比率が8割程度で、これらの者に残業代を支払っていない場合、問題はないであろうか。

A1

労働基準法上の管理監督者とは、「労働条件の決定その他労務管理について経営者と一体的な立場にある者」である。したがって、8割が管理監督者であるということは、通常あり得ないことである。これは、いわゆる「名ばかり管理職」であり、本来は残業代の支給対象者となる者であるとみなされる可能性が高い。一般的に管理監督者は、多くても全従業員の10％以下といわれている。審査上も管理監督者割合が高い場合は、「名ばかり管理職」でないかどうか確認するために、重点的な審査が行われる。

Q2

本問の場合、A社として、できる限り残業代を抑制したい場合、どのような方法が考えられるか。

> **A2**
>
> 　まず，A社は情報システム開発を行っている会社であることから，専門業務型裁量労働制（労働基準法第38条の3）の適用が考えられる。このほか，営業担当者に対しては，事業場外のみなし労働時間制（労働基準法第38条の2）の適用，経営企画部門や公開準備室等については，企画業務型裁量労働制（労働基準法第38条の4）の適用が考えられる。残業代抑制のためには，まず，こうした各種の「みなし労働時間制」の適用が可能か検討することが必要である。ただし，このような各種の「みなし労働時間制」を導入する場合は，実際の労働時間が長時間となる傾向があるため，常に従業員が過重労働に陥っていないか会社として留意する必要がある。
>
> 　次に残業事前申請制を導入することも検討に値する。従業員の中には，いわゆる「生活残業」（業務関係性が希薄な自らの生活費を稼ぐための残業）を行う者も少なからず存在する。事前申請制の導入により，管理者が事前に作業内容を把握し，その必要性を判断することで，こうした生活残業は相当程度，縮減できるであろう。
>
> 　また，1週間のうち，ノー残業デーを設けることも残業代を減らす有効な方法である。この場合，定時を超えて業務を行っている部下がいるときには，積極的に上司が声掛け等をすることで，その実効性が担保される。

知識を整理

　労働基準法第41条第2号の「管理監督者」について，以下の通達が公表されている（下線は筆者）。
（昭和22年9月13日　発基17号，昭和63年3月14日　基発150号）

> 　法第41条第2号に定める「監督若しくは管理の地位にある者」とは，

一般的には，<u>部長，工場長等労働条件の決定その他労務管理について経営者と一体的な立場にある者</u>の意であり，名称にとらわれず，実態に即して判断すべきものである。具体的な判断にあたっては，下記の考え方によられたい。

記

(1) 原　則

　法に規定する労働時間，休憩，休日等の労働条件は，最低基準を定めたものであるから，この規制の枠を超えて労働させる場合には，法所定の割増賃金を支払うべきことは，全ての労働者に共通する基本原則であり，企業が人事管理上あるいは営業政策上の必要等から任命する職制上の役付者であれば全てが管理監督者として例外的取扱いが認められるものではないこと。

(2) 適用除外の趣旨

　これらの職制上の役付者のうち，労働時間，休憩，休日等に関する規制の枠を超えて活動することが要請されざるを得ない，重要な職務と責任を有し，現実の勤務態様も，労働時間等の規制に馴染まないような立場にある者に限って管理監督者として法第41条による適用の除外が認められる趣旨であること。従って，その範囲はその限りに，限定しなければならないものであること。

(3) 実態に基づく判断

　一般に，企業においては，職務の内容と権限等に応じた地位（以下「職位」という。）と，経験，能力等に基づく格付（以下「資格」という。）によって人事管理が行われている場合があるが，管理監督者の範囲を決めるにあたっては，かかる資格及び職位の名称にとらわれることなく，職務内容，責任と権限，勤務態様に着目する必要があること。

(4) 待遇に対する留意

　管理監督者であるかの判定にあたっては，上記のほか，賃金等の待遇面についても無視し得ないものであること。この場合，定期給与である基本給，役付手当等において，その地位にふさわしい待遇がなされているか否

か，ボーナス等の一時金の支給率，その算定基礎賃金等についても役付者以外の一般労働者に比し優遇措置が講じられているか否か等について留意する必要があること。なお，一般労働者に比べ優遇措置が講じられているからといつて，実態のない役付者が管理監督者に含まれるものではないこと。

(5) スタッフ職の取扱い

　法制定当時には，あまり見られなかったいわゆるスタッフ職が，本社の企画，調査等の部門に多く配置されており，これらスタッフの企業内における処遇の程度によっては，管理監督者と同様に取扱い，法の規制外においても，これらの者の地位からして特に労働者の保護に欠けるおそれがないと考えられ，かつ，法が監督者のほかに，管理者も含めていることに着目して，一定の範囲の者については，同法第41条第2号該当者に含めて取扱うことが妥当であると考えられること。

なお，多店舗展開する小売業，飲食業等の店長の管理監督者性の判断については，以下を参照のこと。

多店舗展開する小売業，飲食業等の店舗における管理監督者の範囲の適正化について（平成20年9月9日　基発第0909001号）
　https://www.mhlw.go.jp/houdou/2008/09/h0909-2.html
「多店舗展開する小売業，飲食業等の店舗における管理監督者の範囲の適正化について」に関するQ&A（平成20年10月3日　基監発第1003001号）
　https://www.mhlw.go.jp/topics/2008/10/tp1003-1.html

○×問題

Q1
　労働基準法第41条第2号に定める管理監督者とは，課長職以上の職責を担う者を指している。

A1

× 確かに上場企業の多くは課長職以上を管理監督者扱いとしているが、単なる肩書ではなく勤務実態に応じて判断すべき（上記通達参照）で、課長職以上でも管理監督者に該当しない者も存在する（実際は、課長職程度では管理監督者には該当しないことが多いと思われる）。

Q2

プログラマーに対して専門業務型裁量労働制の適用ができる。

A2

× いわゆるシステムエンジニア、システムコンサルタントに対しては専門業務型裁量労働制の適用が可能であるが、プログラマーに対しては適用できない（平成6年1月4日 基発第1号、平成9年3月25日 基発第195号、平成11年3月31日 基発第168号、平成12年1月1日 基発第1号、平成14年2月13日 基発第0213002号）。

Q3

事業場外のみなし労働時間制（労働基準法第38条の2）を適用する場合において、労働者の過半数を代表する者との労使協定上で労働時間を定めた場合は、その時間をもって1日の労働時間とみなす。

A3

× 事業場外のみなし労働時間制の適用の場合に、労使協定上で定める時間は「事業場外労働に通常必要とされる時間」であって、「1日の労働時間（事業場内労働時間と事業場外労働に通常必要とされる時間を合わせた時間）」ではない。

2 【人事労務】社会保険未加入について

事例の概要

　A社（取締役会設置会社）は飲食業（居酒屋）を行っている。BはA社の創立者兼代表取締役社長である。A社は創業以来直営スタイルにこだわり，店舗数も100店舗を超えるまでに至り，業績も好調であった。

　B社長は創業当初から将来的にはIPOをしたいと考えていた。そこで，その旨を顧問会計士に相談したところ，「それならば，まずは監査法人のショートレビューを受けるべきです。」と言われた。そこで顧問会計士の知人がパートナーを務める大手監査法人にショートレビューを依頼した。

　ショートレビューは1週間ほどで終了し，報告会が開かれた。その場で担当会計士のCからは，次のように言われた。「正社員と同等の勤務時間であるパート・アルバイトの方々が社会保険（注：健康保険，介護保険，厚生年金保険の総称）に加入されていません。パート・アルバイトの方々が社会保険に加入された場合の社会保険料の会社負担額を概算しますと約3億円の追加負担となります。」この額はA社の当期純利益額とほぼ同額であった。C会計士はさらに続けた。「つまり，御社は本来社会保険に加入させるべきパート・アルバイトを社会保険に加入させないことによって，利益を生み出しているということになります。」

　そのはっきりとしたものの言い方に，B社長は「生意気な若造だな。」と少々怒りも覚えたが，以前から気になっていたこともあり，指摘されたことはもっともであると思った。C会計士はB社長に対し「今後IPOを実現するためには，正社員と同等の勤務時間であり，社会保険加入義務のあるパート・アルバイトについて，社会保険加入率を100％まで引き上げなければなりません。本当にできますか？」といった。B

社長はC会計士に対する反発心もあり、「当然です。今年度中には社会保険加入率を100％まで引き上げます！」と意気込んで答えた。しかし、B社長は内心では「社会保険に加入したくないパート・アルバイトさんも多いし…。これは大変なことになったな。」と感じていた。

何が問題なのか

実社会においては、パート・アルバイトが社会保険へ加入していることは必ずしも多くない。しかしながら、パート・アルバイトでも一定の基準の下、社会保険への加入が義務付けられる。

従来は、この点について基準が法定されておらず、不明確な部分があったが、2016年10月以降は、下記の両方の要件を満たす場合は、正社員同様の常用的な使用関係があるものと法定化され、基準の明確化がなされた。

【2016年10月以降の社会保険加入基準（いわゆる「4分の3基準」）】

① 1週の所定労働時間が常時雇用者の4分の3以上
② 1月の所定労働日数が常時雇用者の4分の3以上

また、上記の「4分の3基準」を満たさない場合でも、以下の全ての条件に合致する者は社会保険への加入が義務付けられる。

【2016年10月以降に加えられた新たな社会保険加入基準（いわゆる「5要件」）】

① 勤務時間が週20時間以上である
② 月額賃金8.8万円以上である
③ 勤務期間が1年以上となる見込みがある
④ 学生ではない
⑤ 従業員数が501人以上の企業に勤めている

> 上場審査上では、パート・アルバイトを大量に雇用する小売業や飲食業などは、その社会保険加入状況について、重点的に審査される傾向にある。
>
> なお、社会保険の未加入の問題は、労務コンプライアンスの観点から語られることが多いが、本質的には、会社が意図的に加入手続を怠り、未払社会保険料をオフバランス化している以上は、本来払うべき債務を払っていないということであり、「簿外負債」そのものである。このことは経営者として忘れてはならない視点である。

⁇ どのように解決するか ⁇

パート・アルバイト従業員の中には自己負担で支払う保険料が生じると手取りがその分減るため、社会保険への加入を嫌う者も多く、無理やり加入手続を進めた場合は、社会保険への加入要件を満たさぬように勤務シフトをうまく構築している同業他社への転職が相次ぎ、パート・アルバイト従業員の大量離職を招く可能性もある。そこで、そのような同業他社同様にパート・アルバイト従業員の勤務シフトを見直し、強制加入要件を満たさないように工夫することが考えられる。なお、会社側としては、本来社会保険に加入すべき従業員について、会社がその加入手続を怠っていた場合、法的には社会保険の被保険者資格取得手続を遡って行い、最大で過去2年間（社会保険料の消滅時効期間：健康保険法第193条、厚生年金保険法第92条）分の社会保険料をまとめて徴収されるリスクもあることに留意すべきである。

■ 発展ケース

Q
仮にA社のパート・アルバイト従業員について、会社が雇用保険への加入手続も怠っていた場合、どのような問題が生じる可能性があるか。

2 社会保険未加入について

A

　パート・アルバイト従業員の社会保険加入手続の懈怠は，直ちには大きな問題になりにくい。なぜなら，会社が社会保険の加入手続を怠っていたとしても，多くの場合，健康保険については別途配偶者や世帯主の被扶養者として加入しており，厚生年金については，将来の年金額に影響を及ぼすとしても，現状の生活自体には何ら支障はないためである（だからといって，手続を怠ってもよいという訳ではないのは当然である）。しかし，雇用保険については，その加入手続の懈怠が，即紛争の火種になりやすい。なぜなら，手続を怠っていた場合，失業時に本来離職者が受給できるはずであった失業給付が受給できなくなり，その者の生活に支障が生じる可能性が高いからである。

知識を整理

　「社会保険」とは，健康保険，介護保険，厚生年金保険の総称である。これらに雇用保険も含めて「社会保険」と呼ぶ場合もある。

　社会保険は「適用事業所に使用される者」が被保険者資格を取得する。ここでいう，「適用事業所に使用される者」とは，「適用事業所と常用的使用関係にある者」をいう。

　パート・アルバイトについては，既に述べたとおり，「4分の3基準」及び「5要件」により，この常用性の判断を行う。「4分の3基準」又は「5要件」のいずれかを満たす場合は，社会保険加入が必要である。

　「労働保険」とは，雇用保険と労災保険の総称である。労災保険については，雇用されている者は全て加入する（加入手続というものがない）。雇用保険については下記の両方の要件を満たす場合は，加入手続（被保険者資格取得手続）が必要となる（雇用保険法第6条）。

① 31日以上引き続き雇用されることが見込まれる者であること。
具体的には，次のいずれかに該当する場合をいう。
- 期間の定めなく雇用される場合
- 雇用期間が31日以上である場合
- 雇用契約に更新規定があり，31日未満での雇止めの明示がない場合
- 雇用契約に更新規定はないが，同様の雇用契約により雇用された労働者が31日以上雇用された実績がある場合（なお，当初の雇入時には31日以上雇用されることが見込まれない場合であっても，その後，31日以上雇用されることが見込まれることとなった場合には，その時点から雇用保険が適用される）

② 1週間の所定労働時間が20時間以上であること。

○×問題

Q1

株式会社の役員（取締役，会計参与，監査役，執行役）は会社に雇用されるものではないため，社会保険の被保険者となることはない。

A1

× 株式会社の役員も常勤の場合は適用事業所に使用される者として社会保険の被保険者となる。

Q2

使用人としての身分と取締役としての身分の両者を有する「使用人兼務取締役」は雇用保険の被保険者となる。

2 社会保険未加入について

○ 使用人としての身分に基づいて，雇用保険の被保険者資格を取得する。

3 【人事労務】固定割増賃金制について

事例の概要

　甲社はゲームソフト開発を行っている。Aは甲社の創立者兼代表取締役社長である。A社長は創業当初から将来のIPOを目指していた。甲社は創業5期目を迎え，業績も順調であることから，A社長としては，そろそろIPOに向けて動き出そうと考えていた。顧問会計士にその旨相談したところ，「それならば，早い段階から監査法人とアドバイザリー契約を結んで，IPOに向けた体制作りに取り組んだ方がよい。」と言われた。そこで，早速A社長は顧問会計士の知人が代表社員を務める監査法人にショートレビューを依頼した。ショートレビューは1週間程で終わり，報告会が開かれた。

　報告会では，甲社が採用している固定割増賃金制が問題事項として指摘された。甲社では，固定割増賃金相当の手当として「職務手当」を支給していたが，給与規程上，職務手当については「従業員が従事する職務の種類に応じて，一定額の職務手当を支給する。」と記されているのみであり，特に割増賃金として支給することは明記されていない。また，職務手当以外には割増賃金の支給は一切行われていなかった。

何が問題なのか

　実際の時間外労働時間，深夜労働時間，休日労働時間にかかわらず，一定額の割増賃金（労働基準法第37条）をあらかじめ支払う「固定割増賃金制」を採用する企業が増えている。こうした制度は古くから存在していたが，この制度が「爆発的に利用され，これをめぐる紛争や裁判例が続出し出したのは最近」のことである（『実務労働法講義〔第3版〕』

民事法研究会，383ページ）。その背景には，業務のホワイトカラー化が進展し，労働時間の長さが成果に直結しにくくなった今日における企業側の次のような事情がある。

① 能力が低く，非効率に仕事を行う従業員に，より多くの割増賃金が支給される結果となる逆転現象を回避したい。
② 割増賃金計算事務の軽減を図りたい。
③ ある程度の割増賃金をあらかじめ確保することにより，割増賃金狙いの残業（いわゆる生活残業）を減らしたい。
④ 月給を見かけ上，相対的に高額に見せることができ，人材採用上の訴求力を高めたい。

固定割増賃金制自体は，行政解釈においても，多数学説や裁判例においても適法と考えられているが，適法とされるためには，その運用方法に注意しなければならない。甲社では固定割増賃金制の適法条件（後述）を満たしておらず，問題がある。

？ どのように解決するか ？

まず，甲社の「職務手当」については，法的には固定割増賃金としての性質を認めることができない。したがって，甲社は，従業員に対して一切割増賃金を支払っていないことになる。甲社としては，過去2年間（賃金請求権の消滅時効：労働基準法第115条。なお，労働基準法の一部改正により，2020年4月1日から消滅時効期間が5年（当分の間は3年）となる（2020年4月1日以降に支払われる賃金に適用））について，「職務手当」も割増賃金の算定基礎に入れた上で，実際の割増賃金を計算して従業員に支払い，過去の未払いの割増賃金を清算しなければならない。

次に固定割増賃金制の適法要件を満たすように，給与規程を改定する。

【固定割増賃金制の給与規程における規定の一例】

> (固定時間外労働・休日労働・深夜業手当)
> 第○条　固定時間外労働・休日労働・深夜業手当は、職務内容ごとの時間外労働、休日労働及び深夜業の状況に応じて一定額を支給する。
> (時間外労働手当等への固定時間外労働・休日労働・深夜業手当の充当)
> 第○条　会社は、第○条の規定により算定した時間外労働手当、休日労働手当及び深夜業手当の給与計算期間中における合計額が、第○条に定める固定時間外労働・休日労働・深夜業手当を超過する場合には、当該超過額を支給し、当該合計額が第○条に定める固定時間外労働・休日労働・深夜業手当を超過しない場合には、固定時間外労働・休日労働・深夜業手当のみを支給する。

給与規程の改定時には、次のようにする。
① 「職務手当」という名称は廃止し、労働基準法上の割増賃金としての性質を有する手当であることが一見して明らかとなるような名称に改める。
② 固定割増賃金が、労働基準法第37条に定める割増賃金のうち、いずれの割増賃金に相当する性質を有するのか明らかとなるような名称とする。例えば、「固定時間外労働手当」(固定割増賃金を時間外労働手当のみに充当し、休日労働手当と深夜業手当は別途に算定の上、支給する場合)、「固定時間外労働・深夜業手当」(固定割増賃金を時間外労働手当と深夜業手当に充当し、休日労働手当は別途に算定の上、支給する場合)、「固定時間外労働・休日労働・深夜業手当」(固定割増賃金を時間外労働手当、休日労働手当、深夜業手当の全てに充当する場合)というように、その法的性質が名称からも一見して明らかとなるようにする。
③ 固定割増賃金を充当する対象となる実際の割増賃金の額が、固定割増賃金の額を超える場合には、当該超過額を支給する旨を定める。
この改定は、労働条件の不利益変更としての性質を有するため、原則として

3 固定割増賃金制について

従業員から個別に同意を得て（労働契約法第 9 条）行う。なお，合理性が認められる場合は，就業規則を一方的に改定することにより，労働条件を不利益に変更することも可能（労働契約法第 10 条）ではあるが，合理性の判断基準は必ずしも明確ではなく，後々トラブルとなる可能性もある。したがって，全従業員から同意を得た方がよい。

発展ケース

Q

甲社では，給与規程において時間外労働手当の算定方法を労働基準法の規定どおりに定め，割増率は 25％としている。

このとき，仮に甲社従業員 B の割増賃金算定の基礎となる 1 時間当たり単価（割増賃金算定基礎単価）を給与規程に則って算定したところ，2,169 円/時間であった。一方，従業員 B との個別労働契約書においては，割増賃金の端数を切り上げて「固定時間外労働手当として82,000 円（時間外労働 30 時間分）を支給する。」と記載されていた。この場合どのような問題が生じるか。

A

実務上，固定割増賃金制を採用している場合に，このような「固定割増賃金の端数切上げ」処理や，固定割増賃金に対応する「時間外労働時間数の明示」がよく行われている。この場合，以下の 2 点の問題点を指摘できる。したがって，このような個別労働契約上の定めは避けた方がよい。

(1) 意図せぬ割増賃金算定基準単価の切上げ効果

1 時間当たり単価が 2,169 円であれば，時間外労働 30 時間分の時間外労働手当の額は本来 2,169 円×1.25×30 時間＝81,338 円である。しかし，個別労働契約上では，端数を丸めて切り上げ，82,000 円と定めており，この場合の 1 時間当たり単価は 82,000 円÷30 時間÷1.25≒2,187 円/時

221

間である。この場合，次のような2つの解釈が可能である。

  ① 時間外労働30時間までは，個別労働契約上で給与規程よりも有利な割増賃金算定基礎単価を定めているため，こちらが優先し（労働契約法第7条，第12条），2,187円/時間で計算する。時間外労働が30時間を超える場合は，当該超過時間分については個別労働契約上では特に何も定めていないため，給与規程どおりに算定し，2,169円/時間で計算する。

  ② 個別労働契約上で，割増賃金算定基礎単価を給与規程よりも有利な2,187円/時間と定めたのであるから，時間外労働手当の算定上は，全てこの2,187円/時間を用いて計算する。

いずれの解釈になるかは，当事者間の合理的意思解釈の問題となるが，甲社としては，当然①の意図で定めたものであろう。しかし，従業員Bから②の解釈を主張され，月30時間を超える残業時間についても，甲社が意図していない割高な単価である2,187円/時間で割増賃金の算定を行うように求められる可能性もある。

(2) 割増賃金算定基礎単価の逆転現象の発生

割増賃金算定基礎単価の計算上用いる月平均所定労働時間（労働基準法施行規則第19条第1項第4号）は，年間所定労働日数の関係から毎年変わり，その結果，割増賃金算定基礎単価も毎年変動する。したがって，個別労働契約上で，固定割増賃金の時間当たり単価について，当初は給与規程で定めている単価以上で設定していたとしても，各年の所定労働日数如何によって，これを下回る事態も生じ得る。

  例：前提条件（年間所定労働日数242日，1日の所定労働時間8時間，給与額月額350,000円）

  年間所定労働日数242日×1日の所定労働時間8時間
  ＝年間所定労働時間1,936時間
  1,936時間÷12カ月＝161.333時間（月平均所定労働時間）
  月給350,000÷161.333時間≒2,169円（給与規程上の割増賃金算

定基礎単価）

2,169円＜2,187円（個別労働契約上の割増賃金算定基礎単価）

　この場合は，個別労働契約上の単価の方が高いので，こちらが優先し適用されることになる（労働契約法第7条，第12条）。

　　翌年の所定労働日数が3日減少（所定休日3日増加）すると，
　　年間所定労働日数239日×1日の所定労働時間8時間
　　＝年間所定労働時間1,912時間
　　1,912時間÷12カ月＝159.333時間（月平均所定労働時間）
　　月給350,000÷159.333時間≒2,197円（給与規程上の割増賃金算定基礎単価）

2,197円＞2,187円（個別労働契約上の割増賃金算定基礎単価）

　この場合は，給与規程上の単価の方が高いので，こちらが優先して適用され，個別労働契約はその部分については無効となる（労働契約法第12条）。

　以上のように，割増賃金算定基礎単価について，給与規程上の単価と個別労働契約上の単価のいずれが優先するか毎年従業員ごとに判定する作業が必要となり，給与計算事務が煩雑になるとともに事務処理ミスが生じる可能性も高くなる。

　以上のような問題が生じるため，固定割増賃金制を採用する場合は，個別労働契約上では，単純に固定割増賃金の金額のみを明示し，時間外労働時間数を明示しない方がよい。

知識を整理

　固定割増賃金制自体は，適法と考えられている。行政解釈においても，割増賃金の算定について，労働基準法第37条に定める計算方法に必ずしも従う必要性はなく，「労働者に対して実際に支払われた割増賃金が法所定の計算によ

る割増賃金を下廻らない場合には、法第37条の違反とはならない。」（昭24.1.28基収第3947号）としている。

固定割増賃金制が適法とされるためには、過去の裁判例から以下の要件を満たす必要がある。

① 固定割増賃金相当額として支給されている手当が、労働基準法第37条に定める割増賃金としての性格を有することが、就業規則や個別労働契約上で明確であること。

② 固定割増賃金の額が就業規則や個別労働契約上で明示されていること、又は金額を算定可能であること。

③ 労働基準法第37条の規定に従って算定した実際の割増賃金が、固定割増賃金の額を超過する場合は、当該超過分を支払うこと。

実務上注意すべき点は、時間外労働等が発生する余地もない者（例：育児介護休業法により所定外労働が制限される育児者等）に固定割増賃金を支払い続けている場合、その割増賃金性を否定される可能性が生じてくるということである。こうした者に対しては、固定割増賃金の支給をしないようにし、もし、それにより本人の生活に支障が出るようであれば、別途別の手当（例：育児補助手当等）の支給を検討するという運用を行うべきである。

○×問題

Q1
住宅に要する費用にかかわらず一律に定額で支給される住宅手当は、割増賃金の算定基礎に含めなければならない。

A1
○ 住宅手当は、割増賃金の算定基礎から除外できる（労働基準法施行規則第21条）。しかし、ここでいう住宅手当は、「住宅に要する費用に応じて算定される手当」をいい、住宅に要する費用にかかわらず一律定額で支給される手当は、ここでいう住宅手当には該当しない（平

11.3.31 基発第 170 号）。

Q2

資本金 5 千万円超かつ常時使用する労働者数 100 名超のソフトウェア開発を主たる事業とする会社における月 60 時間を超える時間外労働の法定割増賃金率は 50％以上とされている。

A2

○　2010 年 4 月 1 日施行の改正労働基準法では，中小事業主を除き，月 60 時間超の時間外労働の法定割増賃金率の引上げが行われた。この引上措置の適用猶予となる中小事業主の範囲は日本標準産業分類による業種別に，資本金及び労働者数により区分される。ソフトウェア開発業はサービス業に分類され，資本金の額もしくは出資の総額が 5 千万円以下又は常時使用する労働者数が 100 人以下である場合は，中小事業主に該当する。設問の場合は，中小事業主に該当しないため，猶予措置の適用は無い。なお，この中小事業主の猶予措置については，2023 年 4 月 1 日以降廃止される。

4 【人事労務】年俸制について

事例の概要

　甲社（取締役会非設置会社）は経営コンサルティング会社であり，Aは甲社の創立者兼代表取締役社長である。A社長は創業当初から将来的にIPOしたいと考えていた。

　甲社の主力は，M＆Aコンサルティングである。こうした業種の特色ではあるが，コンサルタントの能力差が大きく，能力の低いコンサルタントほど残業時間が多い傾向にあった。時には残業代によって，能力の高いコンサルタントよりも能力の低いコンサルタントの方が給与支給総額が高くなってしまう逆転現象も生じており，A社長の悩みの種であった。

　A社長はコンサルタントとしての能力の高低に応じた給与支払いを徹底するため，年俸制を導入することに決めた。住宅ローンのボーナス払いがある者もいることから，夏冬の賞与相当額も支給することとし，年俸額の16分の1を月額報酬，年俸額の16分の2を夏と冬の賞与にすることとした。コンサルタントを対象に制度説明会を開き，対象者全員からの個別同意も取り付けて正式に導入した。

　甲社の年俸制では，固定割増賃金制も含まれていた。コンサルタントには毎月一定額の固定割増賃金が支払われ，実際の割増賃金（時間外・休日・深夜）の合計額が固定割増賃金額を超過する場合は，その超過額を各月に支給していた。しかし，残業代抑制の趣旨から夏冬の賞与支給時にその超過支給分を控除して支払っていた。

　ある時，甲社宛てに1枚のファックスが送られてきた。ファックスには「団体交渉申入書」と記され，送信元は「労働組合乙ユニオン」であった。

ファックスには「交渉事項：組合員Bの賞与の未払いについて」と記されていた。Bは，コンサルタントとしての知識に欠け，仕事も異常に遅いにもかかわらず，時に独断専行で行動してトラブルを起こし，しばしば顧客からもクレームを受けていた人物であった。

A社長は驚き，対応策について顧問弁護士に相談した。顧問弁護士はA社長に言った。

「Aさん，年俸制で年間の賞与支給額が確定している以上は，賞与は約束どおり支払わなければなりません。ユニオンの要求どおり，支払うしかないでしょう。」

何が問題なのか

近年，年俸制の導入が増えている。年俸制とは一般的に「賃金の全部または相当部分を労働者の業績等に関する目標の達成度を評価して年単位に設定する制度」（『労働法〔第9版〕』弘文堂，234ページ）である。年俸制を導入する場合，就業規則の不利益変更問題を回避するため，事例のように全対象者から個別同意を得るのが無難である。

また，年俸の中に賞与部分を設けることも実務上多く見受けられる。通常の月給制の場合は，賞与額の決定については，特に一定額を保障している場合を除き，会社側に大きな裁量権があり，支払わないとすることも可能である。しかし，賞与を年俸制の中に組み込んだ場合は，既に年俸額として確定した金額の一部であるため，これを減額して支払うことは労働者の個別同意がない限りできない。

⑦ どのように解決するか ⑦

まず，ユニオンからの団体交渉要求については，基本的に受け入れざるを得ない（195ページ参照）。団体交渉後，要求事項について基本的に合意できれ

ば，協定書案を提案する。ユニオン側がこれに応じれば，あとは協定書を締結して，未払賞与額を本人に直接支払う（ユニオンによっては，ユニオンの預金口座に振り込むように要求することがあるが，賃金直接払いの原則から，ユニオンに支払うのではなく，必ず本人に支払わなければならない）。

　問題は，むしろその後であろう。従業員Bは在職中であるので，甲社社内でユニオン加入の勧誘活動を始めるであろう。もしも加入者が増加すると，事業活動に支障が生じ，IPOへの影響も生じることがある（197ページ参照）。そうなった場合は，ユニオンとの団体交渉を通じて，1つ1つ解決していくしかない。

　ユニオンの問題とは別に年俸制の必要性についても検討する。賃金毎月払いの原則（労働基準法第24条），割増賃金制度（労働基準法第37条）がある以上，年俸制を採用しても，毎月給与を支払い，残業があれば割増賃金を支払う必要がある。したがって，賃金の支払という点では，月給制とほとんど変わらない。また，年俸制の特徴として，通常は年俸額の決定を従業員との合意の上で行うことになるが，年俸額の減額の際には，本人と合意できず，紛争の種になることもある。能力の低い者に対して，相応に年俸額も減額できなければ，却って従業員間で不公平感が募るであろう。甲社においても，本当に年俸制が妥当か否か，今一度社内で検討することが必要である。

発展ケース

Q1

　甲社では，年俸額の16分の1を月額報酬として毎月支給し，賞与相当額（合計で年俸額の16分の4）を夏冬の年2回支給としている。このような支給条件の下で，年俸制対象者の割増賃金算定基礎単価について，年俸額の16分の1の月額報酬のみをベースに算定していた。このことに問題はないか。

A1

　年俸制の割増賃金算定基礎単価の算定方法については，行政通達がある。これによれば「割増賃金の基礎となる賃金に算入しない賃金の１つである「賞与」とは支給額が予め確定されていないものをいい，支給額が確定しているものは「賞与」とみなされない（昭22.9.13発基第17号）としているので，年俸制で毎月払い部分と賞与部分を合計して予め年俸額が確定している場合の賞与部分は上記「賞与」に該当しない。」としている（平12.3.8基収第78号）。したがって，事例の甲社の賞与も，割増賃金の算定基礎から除くことができる賞与には該当せず，本来は賞与部分も含めた年俸額全額を12等分した額を月平均所定労働時間で除して割増賃金算定基礎単価を算定しなければならない。

Q2

　甲社では，就業規則を変更することで，コンサルタントに対して，公正評価額で120万円のストック・オプションを付与し，その代わりに120万円分年俸を減額しようと考えている。このことに問題はないか。

A2

　ストック・オプションに関しては以下の行政通達がある（旧労働省通達　平9.6.1基発第412号　一部抜粋）。

　　改正商法によるストック・オプション制度では，権利付与を受けた労働者が権利行使を行うか否か，また，権利行使するとした場合において，その時期や株式売却時期をいつにするかを労働者が決定するものとしていることから，この制度から得られる利益は，それが発生する時期及び額ともに労働者の判断に委ねられているため，労働の対償ではなく，労働基準法第11条の賃金には当たらないものである。
　　したがって，改正商法によるストック・オプションの付与，行使等に当

> たり，それを就業規則等に予め定められた賃金の一部として取り扱うことは，労働基準法第 24 条に違反するものである。

　上記通達は現在の会社法におけるストック・オプション（新株予約権）についても当てはまる。したがって，事例のような方法は，対象者の個別同意を得ない限り許されない。

知識を整理

○　年俸制とは

　年俸制とは，簡単にいえば「給与額を年単位で決定する制度」である。IPO 準備会社では，年俸制採用を理由として割増賃金を支払っていないという事例がいまだに見受けられる。しかし，年俸制と月給制は賃金を年単位で決めるか，月単位で決めるかの違いしかなく，年俸制採用によって，当然に割増賃金を支払わなくてよいということにはならない。

　また，年俸額の決定は通常会社と従業員との合意により決定するが，減額時には合意に至らないこともある。その場合には従前の年俸額を支払い続けるしかない（会社側に決定権ありとする有力学説もある）。さらに，一度決定した年俸額は次の年俸改定時までは本人の同意なしには変更できないため，却って賃金決定については硬直的な制度になる。

　本来，賃金の決定権限は人事考課結果に基づき，会社側の裁量に委ねられているものである。しかし，年俸制を採用することは，この会社が持つ賃金決定権限を失わせる結果になりかねない。その結果，本来，「成果を適切に賃金に反映するため」に導入した年俸制が，逆効果を生む（賃金を下げるべき時に下げられない）結果になることもある。

　これは筆者の個人的な意見であるが，現状の労働法制下では，会社側が意図するような（従業員の成果を賃金に適時適切に反映する）年俸制の導入は無理があると思われる。にもかかわらず，IPO 準備会社において導入する企業が

増えているのは,「年俸制にすれば残業代を支払わなくて済む」という誤解がいまだに罷り通っているからではないだろうか。

◯×問題

Q1

結婚祝金,死亡弔慰金等の恩恵的給付であっても,労働協約,就業規則,労働契約等によってあらかじめ支給条件が明確なものは労働基準法第11条に定める賃金に該当する。

A1

◯ 正しい(昭 22.9.13 基発第 17 号)。

Q2

労働者に付与されるストック・オプションは労働条件の一部であり,労働者に対して当該制度を創設した場合,就業規則への記載が必要となる。

A2

◯ 正しい(平 9.6.1 基発第 412 号)。

5 【反社会的勢力】
反社会的勢力との取引排除

事例の概要

　A社（取締役会設置会社）は飲食業（居酒屋）を行っている。BはA社の創立者兼代表取締役社長である。A社は，直営スタイルにこだわった展開であり，設立当初の5年前は店舗数が少なく，取引業者は限定されていた。業績は順調に推移し，出店する店舗も全国展開となり，現在では，店舗運営に関連して数多くの取引業者と取引するようになった。

　B社長は，別業態での飲食業の全国展開のために必要な資金を調達するため，IPOを考え，監査法人のショートレビューを受けた。

　ショートレビュー時において，外注先の選定基準に関して，担当会計士のCより質問があった。A社は，新規出店の際，地場の会社を取引業者と選定していた。A社は選定する際，コスト面，サービスの品質面のほか，サービス提供の継続性の観点より取引業者の財務体質も選定基準に入れていた。B社長は，A社で利用されている外注業者選定のためのチェックリストを担当会計士Cに見せながら説明した。そのチェックリストを見た担当会計士Cから「それでは，反社会的勢力であるか否かのチェックはどのようにされていますか？」と聞かれた。

　B社長は，新規取引先と取引を開始するにあたり，「反社会的勢力との取引排除」という観点から，何をすればよいのだろうか。また，反社会的勢力による被害を防止するためにどのような対応をとるべきだろうか。

何が問題なのか

反社会的勢力とは，日本証券業協会が定めた「定款の施行に関する規則」の第15条によれば，「暴力団，暴力団員，暴力団準構成員，暴力団関係企業，総会屋等，社会運動等標ぼうゴロ，特殊知能暴力集団等，それらに準ずる者」と定義している。これらの者が，自らの身分を明らかにして企業に近づいてくることは考えにくく，何らかの利害関係が生じてから反社会的勢力であることを誇示してくることが多い。

したがって，取引を開始する前に，反社会的勢力とは取引しないことを明示すること，反社会的勢力であると判明した場合には取引を停止することが有効であるとされている。

また，反社会的勢力に関する情報を自社で収集し，知らない間に反社会的勢力との取引が開始されていないかモニタリングする体制の構築も必要となる。

どのように解決するか

2007年6月に，「企業が反社会的勢力による被害を防止するための指針」(犯罪対策閣僚会議幹事会申合せ，以下「指針」という)が公表された。その中の「平素からの対応」として次の6項目が挙げられている。

① 代表取締役等の経営トップは，反社会的勢力による被害を防止するための基本的な考え方（基本方針）を社内外に宣言し，その宣言を実現するための社内体制の整備，従業員の安全確保，外部専門機関との連携等の一連の取組みを行い，その結果を取締役会等に報告する。

② 反社会的勢力による不当要求が発生した場合の対応を統括する部署（以下「反社会的勢力対応部署」という）を整備する。反社会的勢力対応部署は，反社会的勢力に関する情報を一元的に管理・蓄積し，反社会的勢力との関係を遮断するための取組みを支援するとともに，社内体制の整備，研修活動の

実施，対応マニュアルの整備，外部専門機関との連携等を行う。
③　反社会的勢力とは，一切の関係を持たない。そのため，相手方が反社会的勢力であるかどうかについて，常に，通常必要と思われる注意を払うとともに，反社会的勢力とは知らずに何らかの関係を有してしまった場合には，相手方が反社会的勢力であると判明した時点や反社会的勢力であるとの疑いが生じた時点で，速やかに関係を解消する。
④　反社会的勢力が取引先や株主となって，不当要求を行う場合の被害を防止するため，契約書や取引約款に暴力団排除条項を導入するとともに，可能な範囲内で自社株の取引状況を確認する。
⑤　取引先の審査や株主の属性判断等を行うことにより，反社会的勢力による被害を防止するため，反社会的勢力の情報を集約したデータベースを構築する。同データベースは，暴力追放運動推進センターや他企業等の情報を活用して逐次更新する。
⑥　外部専門機関の連絡先や担当者を確認し，平素から担当者同士で意思疎通を行い，緊密な連携関係を構築する。暴力追放運動推進センター，企業防衛協議会，各種の暴力団排除協議会等が行う地域や職域の暴力団排除活動に参加する。

以上の6項目について，それぞれ実務上の対応を検討していく。

①について

　会社として反社会的勢力とは取引をしない旨の宣言をすることに関し，一般社団法人日本経済団体連合会が制定した「企業行動憲章」には「市民社会の秩序や安全に脅威を与える反社会的勢力および団体とは断固として対決し，関係遮断を徹底する。」という記載がある。

　IPO準備企業においても，企業行動指針，企業理念を設定している会社も多い。その中に，反社会的勢力とは付き合わないことを明確に打ち出すことは，役員をはじめ従業員の反社排除の意識を高める1つの方法として有効であり，後に述べる暴力団排除条項を契約書に設ける根拠の1つとなる。

②について

実際の応対方法は，全国暴力追放運動推進センターが作成している「暴力団員等に対する基本的対応要領」が参考になる。

③について

内部監査あるいは内部統制上のモニタリング事項として，反社会的勢力との取引を行っていないかチェックする仕組みが必要となる。

日常的な業務を行っている中で，反社会的勢力との取引の端緒を知るには，クレーム台帳などお客様との記録，取引先とトラブルが発生した際作成した経緯報告書や，通常の取引条件とは違う取引を洗い出すことが有効であると思われる。例えば，極端に単価が低い取引，粗利益率が通常と比較して低い取引，通常の取引と比べ大量である，通常とは異なる決済条件である，システム上で取引条件が頻繁に訂正されている取引といった具合である。このように通常取引とは違う取引を行う背景には，社内関係者と社外関係者の間に何か密約や，社員が恐喝されている可能性がないか疑ってみる必要がある。このような角度からの分析は，反社会的勢力との取引との取引の有無の調査だけでなく，不正行為の発見のきっかけになり得る。

他にもクレーム台帳から，トラブルの収束に関して金銭の授受の有無がないかどうか確認するのは重要である。クレームの謝罪の際に，金銭の授受といった「甘い」対応を行えば，それにつけ込んでくる場合もある。

④について

契約書や取引約款に暴力団排除条項を設けることについては「指針」のほか，全国で施行されている暴力団排除条例の中にも「契約時における措置」として，当該契約の履行が暴力団の活動を助長し，又は暴力団の運営に資することとなるものであることが判明したときは，当該契約を解除することができる旨を定めること，という内容が条例に盛り込まれており，暴力団排除条項を契約書に盛り込む理由の1つとなっている。

⑤について

　新規取引開始時に反社会的勢力との取引を行っていないかのチェックを行い，反社であるか否かの判断，取引の可否について判断を行うことになる。

　それでは何を見てどのような判断をしたらよいか。日経テレコン21をはじめとする新聞社のデータベースによる記事検索，商業登記簿謄本の入手，インターネットによる風評の検索が考えられる。ただし，「疑わしい人物・法人」が検索の結果判明したとしても，「反社会的勢力」と断定するには，現実には非常に難しい問題であるといえる。

　「指針」に関する解説には，(11) 個人情報保護法に則した反社会的勢力の情報の保有と共有として，

　「企業が，反社会的勢力の不当要求に対して毅然と対処し，その被害を防止するためには，各企業において，自ら業務上取得した，あるいは他の事業者や暴力追放運動推進センター等から提供を受けた反社会的勢力の情報をデータベース化し，反社会的勢力による被害防止のために利用することが，極めて重要かつ必要である。」

　と書かれており，各企業において，反社会的勢力の情報をデータベース化することの必要性を読み取ることができる。

⑥について

　外部専門機関（警察，暴力団追放センター，弁護士等）の連絡先を整備しておき，不当要求があった場合に備えた体制を準備する。

　実際の応対者は，各都道府県の公安委員会が開催する不当要求防止責任者講習を受けた者が応接することが考えられる。

発展ケース

Q
　上場審査にあたり，反社会的勢力の調査範囲についてどのような考え方を持って調査をすればよいのだろうか？

> **A**
>
> 　東京証券取引所の IPO センターが発刊している 2012 年 4 月 24 日付メールマガジン内で，反社会的勢力をテーマにした【上場審査 Q&A】の中では，既存の取引先が 10,000 社ほどある中で上場までにどこまでチェックを行うか？　という問いに対し次のように回答しており，考え方の参考になるので紹介する。
>
> 　「社内体制（反社会的勢力による経営活動への関与を防止するための体制）といっても画一的に定義できるものではなく，業種や業態によって必要な体制は異なるため，ポイントとなるのは<u>「どのようなポリシーで体制を整備しているか」</u><u>という会社としての考え方</u>です。
>
> 　例えば，取引先が限定されており，ほとんど入れ替わりがない場合は，全ての取引先を一度にチェックするという考え方もありますし，上場準備の段階で既に取引先が 10,000 社を超え，毎年入れ替わりも激しいような場合は，新規取引開始時のチェックに重点をおき，既存の取引先に対しては約款や契約書に暴排条項を盛り込んだ上で，反社会的勢力であることが判明した時点で速やかに取引を解消するための社内体制を整備する，という考え方もあると思います。
>
> 　いずれにしても，<u>継続的に実施可能な確認方法を採用することが重要</u>であり，10,000 社のチェックを一度に行わなければならない状況は，アプローチを誤っていると思います。（以下省略）」
>
> 　つまり，会社としてどのようなポリシーで体制を整備しているかということが問われ，継続的に実施可能な確認方法を採用することが重要であるとの考え方を示している。

知識を整理

　「指針」①〜⑥の項目について，自社でできることは何か検討し対応を行う。「どのようなポリシーで体制を整備しているか」という会社としての考え方を

持ち，反社会的勢力による経営活動への関与を防止するための体制を継続的に行える仕組みを構築する。

○×問題

Q1

マザーズ市場では予備申請時において，「反社会的勢力との関係がないことを示す確認書」を提出する。その記載内容について，新規上場申請日における新規上場申請者の「役員について」（役員の氏名，生年月日，最近5年間の経歴（職歴）等），「主な株主について」（主な株主50名の氏名，生年月日，住所）を記載するが，「主な取引先について」（仕入先，販売先について，直前事業年度の連結ベースで上位10社の名称，所在地）も記載する。

A1

○　ちなみに「役員について」だけでなく，「役員に準ずる者」（執行役員，相談役，顧問等の氏名，生年月日，最近5年間に経歴（職歴）等）「重要な子会社の役員」（重要な子会社の役員の氏名，生年月日，最近5年間に経歴（職歴）等）も記載する。

Q2

反社会的勢力かどうか自社では判断できないから，何も対策をとらなくともよい。

A2

×　IPO審査の際には，どのような考えを持って反社会的勢力排除の体制を整備しているかという会社の考え方を問われることになる。「何もわからないから何もしない」という回答は，反社会的勢力との取引を開始してしまっても，反社会的勢力とは認識できないのでその

まま継続するということを意味する。

　IPO 準備以外の観点においても，訴訟等の場などで，取締役の善管注意義務の判断に際し，反社会的勢力排除の体制をどの程度意識して整備していたかが問われる可能性が考えられる。

6 【反社会的勢力】
反社会的勢力と個人情報保護法

事例の概要

T社は，外国為替証拠金取引（FX）業者である。IPOを目指すにあたり，自社で反社会的勢力に関する個人情報のデータベースを構築している。同業他社のM社より，「反社会的勢力の個人情報データベースを共同利用させてほしい」と持ちかけられた。個人情報保護法の観点から，安易にそのような情報を提供してよいかどうか判断に迷っている。反社会的勢力に関する個人情報と個人情報保護法の関係はどのようになっているか。

何が問題なのか

「企業が反社会的勢力による被害を防止するための指針に関する解説（内閣府）」（以下，「解説」という）によれば，「反社会的勢力の不当要求に対して毅然と対処し，その被害を防止するためには，各企業において，自ら業務上取得した，あるいは他の事業者や暴力追放運動推進センター等から提供を受けた反社会的勢力の情報をデータベース化し，反社会的勢力による被害防止のために利用することが，極めて重要かつ必要である。」としており，反社会的勢力の個人情報を取得し，データベース化し，活用する必要性を説いている。

また，個人情報保護法では，個人情報の取得・利用・提供・保有にあたり，一定のルールを定めているが，個人情報取扱事業者の権利や正当な利益を害するおそれのある際には，適用除外項目を設け，ルール外の運用を認めている。

本問では，「解説」に従い，1.取得段階，2.利用段階，3.提供段階，

4. 保有段階の各段階ごとに個人情報保護法との関連を紹介する。個人情報保護法に抵触しない範囲を理解することで，反社会的勢力を事業上も極力排除していくことがIPOにおいても重要といえる。

⁇ どのように解決するか ⁇

1．取得段階

事業者が，反社会的勢力による被害防止目的で利用するために反社会的勢力の個人情報を直接取得すること，又は事業者がデータベース化した反社会的勢力の個人情報を，上記目的に利用するため，他の事業者，暴力追放運動推進センター等から取得すること。

・「解説」による考え方

利用目的を本人に通知することにより，従業員に危害が加えられる，事業者に不当要求等がなされる等のおそれがある場合，個人情報保護法第18条第4項第1号（本人又は第三者の生命，身体又は財産その他の権利利益を害するおそれがある場合）及び第2号（事業者の正当な権利又は利益を害するおそれがある場合）に該当し，本人に利用目的を通知又は公表する必要はない。

2．利用段階

事業者が，他の目的により取得した反社会的勢力の個人情報を，反社会的勢力による被害防止に利用すること

・「解説」による考え方

こうした利用をしない場合，反社会的勢力による不当要求等に対処し損ねたり，反社会的勢力との関係遮断に失敗することによる信用失墜に伴う金銭的被害も生じたりする。また，反社会的勢力からこうした利用に関する同意を得ることは困難である。

このため，このような場合，個人情報保護法第16条第3項第2号（人の生命，身体又は財産の保護のために必要がある場合であって，本人の同意を得ること

が困難であるとき）に該当し，本人の同意がなくとも目的外利用を行うことができる。

3．提供段階
　事業者が，データベース化した反社会的勢力の個人情報を，反社会的勢力による被害防止のため，他の事業者，暴力追放運動推進センター等の第三者に提供すること
・「解説」による考え方
　反社会的勢力に関する情報を交換しその手口を把握しておかなければ，反社会的勢力による不当要求等に対処し損ねたり，反社会的勢力との関係遮断に失敗することによる信用失墜に伴う金銭的被害も生じたりする。また，反社会的勢力からこうした提供に関する同意を得ることは困難である。
　そのため，このような場合，個人情報保護法第23条第1項第2号（人の生命，身体又は財産の保護のために必要がある場合であって，本人の同意を得ることが困難であるとき）に該当し，本人の同意がなくとも第三者提供を行うことができる。

4．保有段階
　事業者が，保有する反社会的勢力の個人情報について，一定の事項の公表等を行うことや，当該本人から開示（不存在である旨を知らせることを含む）を求められること
・「解説」による考え方
　反社会的勢力の個人情報については，事業者がこれを保有していることが明らかになることにより，不当要求等の違法又は不当な行為を助長し，又は誘発するおそれがある場合，個人情報保護法施行令第4条第2号（存否が明らかになることにより，違法又は不当な行為を助長し，又は誘発するおそれがあるもの）に該当し，個人情報保護法第2条第7項により保有個人データから除外される。

このため，当該個人情報については，個人情報保護法第24条に定める義務の対象とならず，当該個人情報取扱事業者の氏名又は名称，その利用目的，開示等の手続等について，公表等をする必要はない。

本人からの開示の求めの対象は，保有個人データであり，上記のとおり，事業者が保有する反社会的勢力の個人情報は保有個人データに該当しないことから，当該個人情報について，本人から開示を求められた場合，「当該保有個人データは存在しない」と回答することができる。

したがって，本問のように同業他社のM社に対し，自社で作成した反社会的勢力の個人情報データベースを提供することは，「3．提供段階」の解説のとおり，個人情報保護法第23条第1項第2号（人の生命，身体又は財産の保護のために必要がある場合であって，本人の同意を得ることが困難であるとき）に該当し，本人の同意がなくとも第三者提供を行うことができると思われる。

発展ケース

Q1
T社では，個人情報の利用目的を幅広く捉えるため「当社の提供するサービスの向上のため」と定めているが，個人情報保護法上問題であると指摘された。どこが問題であり，利用目的としてどのように記載するべきだろうか？

A1
個人情報保護法第15条では，「個人情報を取り扱うに当たっては，その利用目的をできる限り特定しなければならない」とされている。この「できる限り」という解釈については，「個人情報の保護に関する法律についてのガイドライン」及び「個人データの漏えい等の事案が発生した場合等の対応について」に関するQ＆A（個人情報保護委員会　平成29年2月16日）において，「利用目的の特定に当たっては，利用目的

を単に抽象的,一般的に特定するのではなく,個人情報取扱事業者において最終的にどのような目的で個人情報を利用するかをできる限り具体的に特定する必要がある」「単に「事業活動」,「お客様のサービスの向上」等のように抽象的,一般的な内容を利用目的とすることは,できる限り具体的に特定したことにはならない。」としている。

同ガイドラインでは,具体的に利用目的を特定している事例として,以下のように記載されている。
事例)
「○○事業における商品の発送,関連するアフターサービス,新商品・サービスに関する情報のお知らせのために利用いたします。」

Q2
個人情報を本人の同意を得ずに目的外に使用できる場合とはどのような場合なのか?

A2
個人情報を目的外で使用する場合,本来であれば本人による同意が必要であるが,次のような場合にはその適用を受けない(「個人情報の保護に関する法律についての経済産業分野を対象とするガイドライン」に記載の事例を抜粋)。
(i) 法令に基づく場合(法第16条第3項第1号関連)
事例1)
金融商品取引法第211条により裁判所許可状に基づいて証券取引等監視委員会の職員が行う犯則事件の調査への対応
事例2)
犯罪による収益の移転防止に関する法律第9条第1項に基づく特定事業者による疑わしい取引の届出
事例3)

児童虐待の防止等に関する法律第6条第1項に基づく児童虐待に係る通告

(ⅱ) 人の生命，身体又は財産の保護（法第16条第3項第2号関連）
事例1）
　急病その他の事態時に，本人について，その血液型や家族の連絡先等を医師や看護師に提供する場合
事例2）
　私企業間において，意図的に業務妨害を行う者の情報について情報交換される場合
事例3）
　製品事故が生じたため，又は，製品事故は生じていないが，人の生命若しくは身体に危害を及ぼす急迫した危険が存在するため，製造事業者等が消費生活用製品をリコールする場合で，販売事業者，修理事業者又は設置工事事業者等が当該製造事業者等に対して，当該製品の購入者等の情報を提供する場合

(ⅲ) 公衆衛生の向上等（法第16条第3項第3号関連）
事例1）
　健康保険組合等の保険者等が実施する健康診断やがん検診等の保健事業について，精密検査の結果や受診状況等の情報を，健康増進施策の立案や事業の効果の向上を目的として疫学研究又は統計調査のために，個人名を伏せて研究者等に提供する場合
事例2）
　不登校や不良行為等児童生徒の問題行動について，児童相談所，学校，医療行為等の関係機関が連携して対応するために，当該関係機関等の間で当該児童生徒の情報を交換する場合

(ⅳ) 国の機関等への協力（法第 16 条第 3 項第 4 号関連）

事例 1）
　事業者等が，税務署の職員等の任意調査に対し，個人情報を提出する場合

事例 2）
　事業者等が警察の任意の求めに応じて個人情報を提出する場合

事例 3）
　一般統計調査や地方公共団体が行う統計調査に回答する場合

知識を整理

　反社会的勢力の個人情報については，一般の個人情報の取扱いとは異なっており，個人情報保護法との関連は次のとおりである。

【反社会的勢力の個人情報の取扱いについて】

	ケース	対応する個人情報保護法	特例措置
取得段階	反社会的勢力の個人情報を，第三者からから取得する場合	本人又は第三者の生命，身体又は財産その他の権利利益を害するおそれがある場合（個人情報保護法第 18 条第 4 項第 1 号） 事業者の正当な権利又は利益を害するおそれがある場合（同条第 2 号）	本人に利用目的を通知又は公表する必要はない。
利用段階	他の目的により取得した反社会的勢力の個人情報を利用する場合	人の生命，身体又は財産の保護のために必要がある場合であって，本人の同意を得ることが困難であるとき（個人情報保護法第 16 条第 3 項第 2 号）	本人の同意がなくとも目的外利用を行うことができる。

6 反社会的勢力と個人情報保護法

提供段階	データベース化した反社会的勢力の個人情報を，第三者に提供する場合	人の生命，身体又は財産の保護のために必要がある場合であって，本人の同意を得ることが困難であるとき（個人情報保護法第23条第1項第2号）	本人の同意がなくとも第三者提供を行うことができる。
保有段階	反社会的勢力の個人情報について，本人から開示等を求められた場合	存否が明らかになることにより，違法又は不当な行為を助長し，又は誘発するおそれがあるもの（個人情報保護法施行令第4条第2号）	個人情報取扱事業者の氏名又は名称，その利用目的，開示等の手続等について，公表等をする必要はない。

○×問題

Q1

株主総会開催にあたり，議事を円滑に進めるために，管轄の警察署に会場警備を依頼することになった。警察署から，要注意株主のリスト（氏名，住所，持株数等）の提出を求められた場合，本人の同意なく提供することができる。

A1

○　提供することができる。個人情報保護法第16条第3項第1号，第2号又は第4号，法第23条第1項第1号，第2号又は第4号に該当すると考えられるからである。

Q2

就職のための履歴書情報を基に，自社の商品の販売促進のために自社取扱商品のカタログと商品購入申込書を送る程度であれば，個人情報の目的外使用に該当せず，個人情報の使用にあたり本人の同意は必要ない。

A2

× 求職者は,就職の目的で履歴書(個人情報)を送付したのであり,商品の購入を目的として履歴書(個人情報)を送付したのではない。よって個人情報の目的外使用にあたり,使用の際には本人の同意が必要となる(個人情報保護法第15条第1項)。

Q3

当社では,取り扱う個人情報が5,000件に満たないので,個人情報保護法が定める個人情報取扱事業者には該当しない。

A3

× 2015年9月に改正された個人情報保護法では,いわゆる5,000件要件が撤廃され,5,000人以下の個人情報を取り扱う事業者も個人情報保護法の対象となった。

7 【その他】二重価格表示について

事例の概要

R社は，紳士服販売量販店である。R社は，販促広告の企画を行っており，以下の内容に決定しようと考えている。

商品　紳士用スーツ
当店通常価格 60,000 円　⇒　割引価格 12,000 円　　　80％OFF！

このような広告を行う上で注意すべき点は何だろうか。「当店通常価格」は，過去の販売価格であった場合，どのような販売実績をもって過去の販売実績といえるのだろうか。

何が問題なのか

販売価格の安さを強調するために用いられた比較対照価格（設問の場合，「通常価格 60,000 円」）の内容について適正な表示が行われていない場合には，一般消費者に販売価格が安いとの誤認を与え，「不当景品類及び不当表示防止法」（以下，景品表示法）上の不当表示（有利誤認）に該当するおそれがある。

比較対照価格には，比較対照と同一ではない商品の価格や，過去の販売価格，希望小売価格，競合他社の販売価格，他の顧客向けの販売価格などが明確に表示されないまま用いられることが多い。

商品　紳士用スーツ
当店通常価格 60,000 円　⇒　割引価格 12,000 円　　　80％OFF！

「当店通常価格 60,000 円」とは何なのか？

- 本当に同じスーツなのか？
- 過去の販売価格？
- 競合他社の販売価格？
- 希望小売価格？
- 他の顧客向け販売価格？

一般消費者に誤認を与えぬよう何を基準にしているかを明確に表示する必要がある。

　比較対照価格として同一ではない商品の価格を用いて二重価格表示が行われる場合には，商品の品質等の違いがあるにもかかわらず，二重価格表示で示された価格差のみが目につき，一般消費者に販売価格が安いとの誤認を与えてしまう。また，場合によって他社の営業妨害となるケースもあり得る。

　また，過去の販売価格や競合他社の販売価格等でそれ自体は根拠のある価格を比較対照価格に用いる場合でも，その価格がどのような内容の価格であるかを正確に表示する必要があり，比較対照価格に用いる価格について明確な表示がない場合，一般消費者に販売価格が安いとの誤認を与え，不当表示に該当するおそれがある。

⑦ どのように解決するか ⑦

　設問の場合，消費者が単純にこの広告を見れば，R社では，紳士用スーツをセール期間前は「通常価格 60,000 円」で販売し，セール期間後に 12,000 円に値下げされたと判断するものと思われる。

7 二重価格表示について

ただし、表記があいまいな場合、「通常価格60,000円」でR社はどのくらいの期間販売していたかはわからない。つまり、上図のように60,000円で販売していたスーツが、セール期間を境に12,000円に値下げされたのか、売れ行きがよくないので既に値下げを行っており、実はセール前には15,000円で販売していた可能性もある。

そこで、公正取引委員会では、「不当な価格表示について景品表示法上の考え方」（平成18年1月4日改定）において、セール前の販売価格とセール期間の販売価格の関係について、セール前の販売価格には、「最近相当期間に渡って販売されていた価格」を比較対照価格に用いるものとすることを定めている。「最近相当期間に渡って販売されていた価格」の考え方は、次のとおりである。

① セール開始時点から8週間さかのぼり、比較対照価格（60,000円）で販売されていた期間が過半を占めているとき、60,000円を比較対照価格としてよい（色付き部分は、60,000円で販売した期間を表す）。

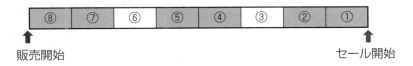

② セール開始時点から販売開始まで8週間未満の場合、比較対照価格（60,000円）で販売されていた期間が過半かつ通算して2週間以上あるとき、60,000円を比較対照価格としてよい。

【8週間未満だが，2週間以上で，過半を占めている場合】

販売開始　　　　　　　　　　　　　　　　セール開始

③　比較対照価格（60,000円）で販売されていた期間が通算して2週間未満の場合，60,000円を比較対照価格としてはいけない。

【販売期間が2週間未満の場合】

販売開始　セール開始

④　比較対照価格（60,000円）で販売された最後の日から2週間以上経過している場合においては，60,000円を比較対照価格としてはいけない。

【比較対照価格で販売された最後の日から2週間以上経過】

販売開始　　　　　　最後に60,000円で販売　　　セール開始

したがって，R社は，比較対照価格を過去の販売実績とする場合，上記①，②に該当するような販売実績のあることを確認した上で，比較対照価格を用いた広告を作成する必要がある。

発展ケース

Q1

「最近相当期間に渡って販売されていた価格」とある中の「販売されていた」とあるのは，実際に消費者に対する販売実績が必要なのか？

7 二重価格表示について

A1
　「販売されていた」とは，事業者が通常の販売活動において商品を販売していたことをいい，実際に消費者に購入された実績のあることまでは必要ではない。しかし，形式的に一定期間販売されていたとしても，通常の販売場所とは異なる場所に陳列してあるなど販売形態が通常と異なっている場合や，単に比較対照価格とするための実績作りとして一時的に当該価格で販売していたとみられるような場合には，「販売されていた」とはみられないので注意が必要である。

Q2
　同じく「相当期間」は連続している必要があるのか？

A2
　必ずしも連続した期間に限定されるものではなく，断続的にセールが実施される場合であれば，比較対照価格で販売されていた期間を全体としてみて評価することとなる。

Q3
　R社では通常販売価格の定義を広告の隅に小さな文字で記載しており，当社の過失はないというが，R社の言い分は通るだろうか？

A3
　景品表示法上問題となるか否かは，表示媒体における表示内容全体をみて，一般消費者が当該表示について著しく有利であると誤認するか否かにより判断されるものであり，その際，事業者の故意又は過失の有無は問題とされない（参考：平成23年7月26日「紳士服販売業者5社に対する景品表示法に基づく措置命令について」）。
　したがって，一般消費者に誤認させる意図が見受けられる表示は景品

表示法に抵触する可能性があるので十分留意すべきである。

知識を整理

① 景品表示法では，不当表示について次の２つを定義している。
- 優良誤認…実際の物よりも著しく優良であると表示。例えば，国産牛でないものを国産牛として表示するような場合（景品表示法第４条第１項第１号）。
- 有利誤認…実際の物よりも著しく有利であると表示。例えば，「今なら半額」と表示しているものが，実際には常に半額であるような場合（景品表示法第５条第１項第２号）。
  なお，二重価格表示の問題は，有利誤認に含まれる。

② 二重価格表示について

同一の商品について**「最近相当期間に渡って販売されていた価格」**を比較対照価格とする場合には，不当表示に該当するおそれはない。

「最近相当期間に渡って販売されていた価格」の判断基準とは？
次の①②の場合，「最近相当期間に渡って販売されていた価格」とみてよい。
① セール開始時点から８週間さかのぼり，比較対照価格で販売されていた期間が過半を占めているとき
② セール開始時点から販売開始まで８週間未満の場合，比較対照価格で販売されていた期間が過半かつ通算して２週間以上あるとき

③④の場合は「最近相当期間に渡って販売されていた価格」といえない。
③ 販売期間が２週間未満の場合
④ 比較対照価格で販売された最後の日から２週間以上経過している場合

7 二重価格表示について

◯×問題

Q1
　3カ月前より，一般のショーケースに陳列し，30,000円で販売していたメガネフレームについて，昨日初めて販売価格を10,000円とした。この場合，「30,000円」は最近相当期間に渡って販売されていた価格といえる。

A1
　◯　8週間以上継続的に30,000円で販売されていたので「最近相当期間に渡って販売されていた価格」といえる。

Q2
　野菜や鮮魚について，一定の営業時間に限り価格の引下げを行う行為や，売れ残りを回避するために，当初の販売価格を表示対照価格として二重価格表示を行うことは，景品表示法上第5条第1項第2号の有利誤認に該当する。

A2
　×　野菜や鮮魚等の生鮮食料品のタイムセールのように，商品の同一性が明らかである場合は，有利誤認に該当しない。
　（「不当な価格表示についての景品表示法上の考え方」（平成12年6月30日公正取引委員会　第4　二重価格表示について　2　過去の販売価格等を比較対照価格とする二重価格表示について　(1)基本的考え方　ウ　タイムサービスを行う場合の二重価格表示）

V
ディスクロージャー

1 【金融商品取引法】事業等のリスクの記載について

事例の概要

　IPOを目指す会社概要，財務情報は次のとおりである。次の会社の事業等のリスクに記載する事項は何が考えられるだろうか。考えられる項目，内容を列挙しなさい。

※　下記の記載事項は，本問のための架空の設定であり実在する会社ではない。

【注意】
- 下記で与えられた記載事項から判断できるリスクを記載すること。
- 問題を理解しやすくするために，一部の科目，財務数値を省略してある。
- 現在は20X8年5月とする。

会社名	株式会社ティーオービー
本社所在地	静岡県静岡市駿河区××町3-2-1
設　立	20X2年1月
決算期	3月
業　種	・単一業態の飲食業である。
特　徴	・店舗名は「ラーメンまざあず」である。 ・「ラーメンまざあず」では，主力メニュー「IPOラーメン」を中心に独自の料理とサービスを提供している。 ・IPOラーメンは，株式会社ティーオービー社が契約した特定の農家から調達した国内地鶏の鶏ガラを使用している。
店舗展開	・店舗数は，静岡県を中心に約70店舗展開しており，全て直営店舗の運営を行っている。 ・上記のうち，約半数は店舗の土地又は土地と建物を賃借する方式で出店している。 ・出店時には，土地等所有者に対し，敷金又は差入保証金として資金の差入を行っている。

	・新たに建物を建設する場合，賃貸人に対して建設協力金を拠出する場合がある。建設協力金は，賃借料と相殺して返済を受けている。
供給体制	・食品製造工場，セントラルキッチンは全て本社にあり，麺・スープ・タレ・餃子・サラダ等を製造している。
法的規制	・「食品衛生法」「食品再利用等の促進に関する法律」の規制を受けており，特に「食品衛生法」に違反した場合には，営業停止の処分が科せられる。 ・所轄保健所から営業許可書を取得し，工場，セントラルキッチンを含む全店舗に食品衛生管理責任者を配置している。
その他	・「ラーメンまあず」「IPOラーメン」の商標権の出願申請中であるが，権利取得できるかどうか不明である。

■財務データ

「IPOラーメン」の売上高が，全売上高に占める割合

年　度	20X6年3月期	20X7年3月期	20X8年3月期
全売上高に占める割合	53.7％	58.9％	55.8％

決算年月	20X4年3月期	20X5年3月期	20X6年3月期	20X7年3月期	20X8年3月期
総資産（A）（千円）	3,520,000	3,540,000	3,600,000	3,604,000	3,880,000
金融機関からの借入（B）（千円）	1,340,000	1,380,000	1,430,000	1,470,000	1,570,000
（B）／（A）	38.1％	39.0％	39.7％	40.8％	40.5％
売上高（C）（千円）	6,980,000	7,000,000	6,500,000	6,970,000	6,800,000
経常利益（千円）	300,000	150,000	△120,000	100,000	90,000
当期純利益（千円）	100,000	△30,000	△700,000	4,000	3,000
支払利息・社債利息（D）（千円）	25,602	26,000	29,000	32,000	30,000
（D）／（C）	0.37％	0.37％	0.45％	0.46％	0.44％

新規店舗数（退店数）(店)	0 (1)	1 (2)	0 (6)	3 (1)	1 (3)
期末店舗数（店）	78	77	71	73	71

■要約貸借対照表（20X8年3月期）

資産の部	（千円）	負債の部	（千円）
現金及び預金	315,000	買掛金	198,000
売掛金	21,000	短期借入金	490,000
…	…	1年内返済予定の長期借入金	296,000
…	…	…	…
流動資産合計	436,000	流動負債合計	1,390,000
建物	1,250,000	長期借入金	784,000
構築物	250,000	リース債務	20,000
機械及び装置	52,000	退職給付引当金	…
工具，器具及び備品	22,000	役員退職慰労引当金	…
土地	280,000	資産除去債務	100,000
リース資産	46,000	受入保証金	…
建設仮勘定	10,000		…
有形固定資産合計	1,910,000	固定負債合計	1,200,000
無形固定資産		負債合計	2,590,000
…	…		
無形固定資産合計	192,000	資本金	600,000
		資本剰余金	…
投資有価証券	6,000	…	…
差入保証金	1,000,000	…	…
長期前払費用	60,000	…	…
繰延税金資産	300,000	…	…
その他	700	…	…
貸倒引当金	−45,000		
投資その他の資産合計	1,342,000		
固定資産合計	3,444,000	純資産合計	1,290,000
資産合計	3,880,000	負債純資産合計	3,880,000

（注）「…」部分は，科目名，金額を省略していることを表す。

1 事業等のリスクの記載について

何が問題なのか

　投資家の投資判断に重要な影響を及ぼすおそれのある投資上のリスクを「事業等のリスク」としてⅠの部や有価証券届出書等に記載し，開示することになる。会社のリスクについては，経営者と株主となる投資家との間に情報の不均衡が存在するため，発生し得るリスクを投資家に対して開示し，投資に際しての自己責任を促すものである。「事業等のリスク」には，事業の状況，経理の状況等に関する事項のうち，例えば，財政状態，経営成績及びキャッシュ・フローの状況の異常な変動，特定の取引先・製品・技術等への依存，特有の法的規制・取引慣行・経営方針，重要な訴訟事件等の発生，役員・大株主・関係会社等に関する重要事項等，投資家の判断に重要な影響を及ぼす可能性が記載されることとなる。

　上場審査上は，事業等のリスクの記載が，企業の実態を正確に表したものとして明瞭に記載されているか，また，網羅的に記載されているかについて審査されることになる。上述のように，「事業等のリスク」に係る事項は多岐に渡るものであるため，その記載にあたっては弁護士等の専門家や主幹事証券会社と綿密に打ち合わせることが望まれる。

(?) どのように解決するか (?)

投資家に対する開示として，次のような例が考えられる。

1．商標権の取得について
・「ラーメンまざあず」「IPO ラーメン」の商標権の取得に関し，商標権の取得が認められない場合には，従前の「ラーメンまざあず」「IPO ラーメン」という名称を使用することができず，これまでとは違った店舗名，商品名で営業活動を行うことを余儀なくされる。この場合，新たな店舗名，商品名が

消費者に認知されるまで時間がかかる可能性があり，当社の業績に影響を及ぼす可能性がある。
- 当社の商標登録が認められない場合，商標権登録権者より，「ラーメンまざあず」「IPO ラーメン」の使用差し止め，さらには損害賠償請求を受けるおそれがあり，当社の業績に影響を及ぼす可能性がある。
- 同業他社により類似した商号を利用され，当社のブランドが毀損された場合等には当社の業績に影響を及ぼす可能性がある。

2．単一業態であることについて
- 単一業態であり，「IPO ラーメン」が売上高に占める割合が高いため，消費者の嗜好の変化により「IPO ラーメン」が受け入れられなくなる場合や，何らかの事情により「IPO ラーメン」が販売できなくなる場合，業績に大きな影響を及ぼす可能性がある。

3．差入保証金について
- 総資産に占める差入保証金の比率が 20X8 年 3 月期で約 26 ％と高いため，保証金の差入先である土地等の所有者が破たんするなど，差入保証金が回収されない事態が生じた場合，業績に大きな影響を及ぼす。同様に建設協力金の返済が受けられない事態が生じた場合，業績に大きな影響を及ぼす可能性がある。

4．災害の影響について
- 食品製造工場，セントラルキッチンの地域が集中しており，同地域において地震，火災，水害等があった場合，事業を継続することが困難になる可能性があり，業績に大きな影響を及ぼす可能性がある。

5．有利子負債の依存度について
- 有利子負債の依存度（＝有利子負債残高÷総資産）が 20X8 年 3 月期で約

40％と高いため，金利上昇による支払利息の増加による利益の圧迫の可能性が考えられる。

　金融情勢が悪化し，金融機関の融資に対する姿勢が厳しくなる場合には，融資を受けることが困難になり，新規出店予定地の取得が抑制され，資金繰りも悪化し，業績に大きな影響を及ぼす可能性がある。

6．法的規制について
・「食品衛生法」，「食品循環資源の再生利用等の促進に関する法律」の法令に抵触した場合は，営業停止等の行政処分を受けることとなる。食中毒の発生等により，当社の工場，セントラルキッチン，店舗に対し行政処分がなされた場合等には，生産・販売活動を行うことができなくなるため，当社の業績に影響を及ぼす可能性がある。

7．鳥インフルエンザについて
・全国規模の鳥インフルエンザの発生により，国産の鶏肉価格の高騰，又は風評被害による消費者の鶏肉離れが発生した場合には，当社の業績に影響を及ぼす可能性がある。

発展ケース

Q1
　外食産業全般に言えることであるが，「比較的参入障壁が低いため競合する企業が多く，価格競争が厳しい」といった業界全体の動向を記載する必要はあるか？

A1
　○　記載する必要がある。上記の設問においても，競合する対象（同業種なのか，ファミリーレストラン，コンビニエンスストア等）がどこであり，何が競合するのか（価格，利便性，立地）記載することが望

ましい。

Q2
「ラーメンまざあず」の賃貸物件における出店方針が，①「ショッピングモール内を中心に出店」②「主要国道沿いのロードサイドに出店」である場合，リスク情報としてどのような違いが生じるだろうか？

A2
出店先の確保をどのようなルートで行うのか違いが出てくる。①であれば，大手流通業者，大型ショッピングモールの開発業者，取引銀行からの物件に関する情報を入手することになるだろう。②であれば，大手不動産業者，同業の飲食業者，取引先の業者からの物件情報の入手となることが考えられる。

①②の場合とも，出店に関する情報を入手するように努めているが，入手した物件情報が当社の出店方針に合う物件ばかりとは限らず，予定どおり新規出店できない可能性があることは記載すべきである。

知識を整理

リスク情報として記載する事項は，次の書類を参考に記載するとよいと思われる。

「企業内容等の開示に関する留意事項について（企業内容等開示ガイドライン）」　C　個別ガイドライン　Ⅰ　「事業等のリスク」に関する取扱いガイドライン（金融庁総務企画局）

個別ガイドラインの内容は，次のとおりとなっている。

C 個別ガイドライン

I 「事業等のリスク」に関する取扱いガイドライン

1 開示府令第二号様式記載上の注意（31）a, 第四号の三様式記載上の注意（7）a 及び第五号様式記載上の注意（10）a に規定する「事業等のリスク」の記載例としては，おおむね以下に掲げるものがある。なお，記載例とは別種の事項についても，投資家に誤解を生ぜしめない範囲で会社の判断により記載することを妨げるものではない。

(1) 会社グループがとっている特異な経営方針に係るもの
　　a 当社グループ（当社及び連結子会社）は，過去3年間，一株当たり〇〇円，〇〇円，〇〇円の利益を計上しているが，当社グループは内部留保を充実するため配当を実施していない。当面はこの方針を継続することとしている。
　　b 当社グループ製品の〇〇％は，海外生産拠点によって生産されている。主要な海外生産拠点はA国（生産高の〇〇％），B国（同〇〇％），C国（同〇〇％）であり，当該各国企業への投融資残高は，A国（〇〇億円），B国（〇〇億円），C国（〇〇億円）である。
　　c 当社グループは，自社開発の技術については，技術流出を避けるため一切の特許申請を行っていない。

(2) 財政状態，経営成績及びキャッシュ・フローの状況の異常な変動に係るもの
　　a 当社グループの主要製品（売上高の〇〇％）及びそれに使用される原材料は国際商品市況に大きく影響され，それにより当社グループの過去の経営成績も下のグラフのように大きく変動している（製品市況，原材料市況，当該会社の経営成績についてグラフ表示）。
　　b 当社グループの主要事業である海外プラント工事は，一工事の請負金額が

大きく，完成までに長期間を要する。また，工事施行国の中には現在，他国と紛争中のものがあり，工事の進行が大幅に遅れる可能性がある。例えば〇〇期では，〇〇戦争により〇〇国における工事が大幅に遅れ，その結果，売上高，利益とも前期の約〇〇％と大幅に落ち込んだことがある。

 c 当社グループの輸出比率は，〇年〇月期〇〇％，〇年〇月期〇〇％，〇年〇月期中（〇年〇月〇日から〇年〇月〇日まで）〇〇％と高くなってきている。このため，為替予約等によるリスクヘッジを行っているが，当社グループの経営成績は為替変動の影響を強く受けてきている。

(3) 特定の取引先等で取引の継続性が不安定であるものへの高い依存度に係るもの

 a 当社グループの売上高の〇〇％はＡ社に対するものであるが，同社とは，納入数量，価格等に関する長期納入契約を締結していない。

 b 当社製品の販売についてはその大半を海外市場に依存しており，これらの中には，現在，政治的，経済的に不安定な状態にあるＡ国，Ｂ国等が含まれ，その依存度は〇〇％である。

(4) 特定の製品，技術等で将来性が不明確であるものへの高い依存度に係るもの

 a 当社の主要製品である〇〇の市場占有率は〇〇％と高いが，その成分及び製造方法について，特許権等を有していないので，新規参入も予想される。

 b 当社は，〇〇特許に基づく，〇〇製品の製造販売を行っているが，同製品の特許期限は，〇年〇月までであり，その後は新規参入が予想される。

 c 当社製品は，ライフサイクルが短く，従来，生産開始より生産停止までの期間が短期間であった（〇〇期の主力製品Ａは〇〇カ月，〇〇期の主力製品Ｂは〇〇カ月）。現在販売中の主力製品Ｃの生産開始は〇年〇月である。

 d 当社の主要製品は，米国Ａ社からの技術導入によって製造しているが，その製品は，技術導入契約により米国，欧州地区には輸出できないこととなっている。

　　　　同製品の主な輸出先は，中近東地区（○○％）及び東南アジア地区（○○％）である。
　　e　当社は主力商品である○○の開発等に関し，A社とライセンス契約を締結している。これにより，主力商品である○○の規格・仕様等については，同社の承認が必要となっている。

(5)　特有の取引慣行に基づく取引に関する損害に係るもの
　　a　当社グループ売上高の○○％は，委託販売によっている。委託販売は，当業界の一般的な取引慣行であり，委託先の信用に基づき商品を預託し，販売を委託するもので，その際，委託先より営業保証金及び物的担保は徴求していない。当社グループは委託先の倒産により，○○期において○○百万円の損失を計上している。
　　b　当社グループは仕入商品について業界の取引慣行により，一定期間，一定価格による全額買取保証契約を締結している。当社は○○期において○○百万円の商品の廃棄損を計上している。

(6)　新製品及び新技術に係る長い企業化及び商品化期間に係るもの
　　a　当社グループによる○○の開発について新聞紙上等で報道されているが，これは，現在試作の段階であり，実用化の目途がつき販売を開始することができるのは，早くて○年後の予定である。
　　b　当社グループは○○製品の企業化を図るため，新工場を建設中であるが，その成否は当社グループの将来に重大な影響を及ぼすと見込まれる。その完成の時期は，○年後の予定であり，採用した新技術の習熟に時間を要するため，その全面操業の時期は完成後○年の予定である。
(7)　特有の法的規制等に係るもの
　　a　現在，当社が開発中の○○製品について，新聞紙上等で報道されているが，この認可申請は早くて○年後の予定であり，認可申請をしても承認される保証はない（承認されない場合もある）。

b　当社の○○製品については，現在，生産調整カルテルが実施されている（○年○月から○年○月まで）。
　　c　これまで当社の○○製品の製品規格について法定されたものはなかったが，このほど全米○○業界は新たに自主的な製品規格を設定した。この結果，当社の輸出品はこれら規格に適合することが必要となったが，適合する製品の開発には，約○年を要するものと見込まれる。
　　d　当社は，商品の大部分を自社店舗において販売しており，また現在，事業展開の軸として店舗網の拡大を図っているところであるが，出店等については「○○法」の規制の対象であり，○○大臣の許可等の対象となっている。

(8) 重要な訴訟事件等の発生に係るもの
　　a　当社が○○期まで発売していた○○製品について，薬害があったとして○○より○億円の損害賠償請求が○○裁判所へ提訴されている。
　　b　当社は主要製品である○○を，主に米国に輸出しているが，類似の製品を同国で販売しているＡ社から，特許権を侵害しているとして，米国○○裁判所に提訴されている。

(9) 役員，従業員，大株主，関係会社等に関する重要事項に係るもの
　　a　当社取締役社長甲は，当社製品の○○％の販売先であるＡ社の株式を○○％所有している。なお，当社グループとＡ社グループとの間の取引価格及び取引条件は他の販売先と同一である。
　　b　当社の銀行からの借入金に対して，当社取締役社長甲が保証を行っている。
　　c　当社取締役社長甲の銀行からの借入金に対して，当社は保証を行っている。
　　d　当社の有力な営業担当者○○名は，○年○月退社し，新たに株式会社○○社を設立して，当社と同一の営業を開始した。この結果，当社と○○社は競合する関係となった。

(10) 会社と役員又は議決権の過半数を実質的に所有している株主との間の重要な

1 事業等のリスクの記載について

取引関係等に係るもの

a 当社は，本社社屋を当社取締役社長甲より賃借している。その賃借条件は次のとおりであるが（賃借面積，支払賃借料等を記載），賃借料率，保証金額は不動産鑑定士○○事務所の鑑定評価額を参考に決定している。

b 当社の製品○○の主要材料である○○は，B商会㈱から仕入れているが，同商会の代表取締役である甲は，当社の議決権の過半数を実質的に所有している株主である。

なお，同商会からの仕入価格その他の取引条件は，他の仕入先と同一である。

c 当社は，親会社であるA社の総販売代理店として，輸出を除き，同社全製品の国内向け販売を取り扱っている。

なお，A社からの仕入価格，その他の取引条件は，毎期首，両者間で市場動向その他を勘案して協議決定している。

(11) 将来に関する事項について

以上に記載している将来に関する事項は，有価証券届出書提出日（○年○月○日）現在において当社グループが判断したものである。

上記以外にも，投資家に対しリスク情報として周知させる内容があれば記載する。

○×問題

Q1

設問の条件で，事例の概要において，下記記載事項が追加された場合，個人情報保護に関するリスク情報も記載することが望まれる。

「株式会社ティーオービー社は，来店者に対しポイントカードの入会を勧めている。その際，お客様の住所，氏名，年齢，電話番号を記載して頂いている。」

A1

○ リスク情報の記載例として「当社は個人情報保護規程を遵守し,個人情報の取扱いに関し細心の注意を払うように留意をしております。しかしながら,個人情報の漏えい等の事故が発生した場合には,当社に対する信頼感の低下に伴う売上高の減少等により,当社の業績に影響を及ぼす可能性があります。」という内容が考えられる。

Q2

「企業内容等開示ガイドライン」の記載例以外の項目をリスク情報として記載することは,金融商品取引法上禁止されている。

A2

× 当該ガイドラインの記載例以外の項目についても,投資家に誤解を与えない範囲で会社の判断により記載することが可能である。

Q3

IPO後に提出する第1四半期報告書,第2四半期報告書,第3四半期報告書には,リスク情報の事項を記載する項目はない。

A3

× 第1四半期報告書,第2四半期報告書,第3四半期報告書においても,当該会計期間において,財政状態,経営成績及びキャッシュ・フローの状況に異常な変動等があれば,リスク情報を記載する。また,前回提出の有価証券報告書に記載した「事業等のリスク」について重要な変更があれば記載する。

2 【金融商品取引法】訂正目論見書

事例の概要

A社の新規上場承認日から上場日までのスケジュール例及び目論見書の内容の一部を記載している。次の□□□に入る言葉及び金額を考えなさい。

日　程	内　容
202X年2月29日（水）	東京証券取引所より新規上場承認が下りるとともに，公募増資を行うことを取締役会で決議した。 想定発行価格は1,040円，発行株式数は30万株と決まり，その内容を記載した□①□をEDINETで提出した。
202X年3月1日（木） ～ 202X年3月12日（月）	□①□を提出することで引受証券会社は投資家に対し勧誘が可能となる。そこで，ロードショーを実施し，機関投資家に対し事業内容の説明を行った。
202X年3月13日（火）	ロードショーの内容を踏まえ，仮条件決定の取締役会決議を行った。仮条件は1,000円～1,080円であった。
202X年3月14日（水）	仮条件を記載した訂正□①□をEDINETで提出した。
202X年3月15日（木） ～ 202X年3月22日（木）	引受証券会社が投資家にブックビルディングを行い，需要動向を調査した。
202X年3月23日（金）	ブックビルディングの内容を踏まえ，発行価格の取締役会決議を行った。発行価格は1,080円であった。
202X年3月26日（月）	発行価格等を記載した訂正□①□をEDINETで提出した。

202X年3月27日（火）	① の効力発生 申込期間開始
202X年3月30日（金）	申込期間終了
202X年4月3日（火）	払込期日
202X年4月4日（水）	上場日

【有価証券届出書及び訂正有価証券届出書の内容（抜粋）】

	202X年 2月29日	202X年 3月13日	202X年 3月23日
想定発行価格	1,040円	—	—
仮条件	未定	1,000円～ 1,080円	—
発行価格	未定	未定	1,080円
引受価格	未定	未定	⑥ 円
申込証拠金	未定	未定	⑦ 円
発行価額	未定	④ 円	④ 円
発行価額の総額	② 千円	⑤ 千円	⑤ 千円
資本組入額	未定	未定	⑧ 円
資本組入額の総額	156,000千円	156,000千円	⑨ 千円
発行価格の総額の見込額	③ 千円	③ 千円	—

注1．発行価額及び発行価額の総額は，想定発行価格，仮条件の下限，発行価格の85％で計算する。
注2．資本組入額の総額は，資本金に組み入れる額の総額であり，有価証券届出書提出時における想定発行価格，仮条件の平均発行価格，引受価格の2分の1相当額を資本金に組み入れることを前提として算出している。
注3．引受人のスプレッドは，発行価格の8％とする。

2 訂正目論見書

> **何が問題なのか**

　新規 IPO 承認時のスケジュールは設問のとおりであり，新規 IPO の承認を受けたら有価証券届出書の提出，ロードショーの開始，仮条件の決定，訂正有価証券届出書の作成，発行価格の決定という流れを辿ることになる。

　本問では，公募時における想定発行価格から発行価格決定までの推移について問われており発行価額の総額，資本組入額の総額，発行価格，引受価格，発行価額，資本組入額，申込証拠金についての理解をする必要がある。

１．ブックビルディング方式について

　新規 IPO 申請者が，IPO 前の公募等を行う場合には，ブックビルディング方式，競争入札による公募等のいずれかの手続を行うものとなっており，最近はブックビルディング方式が主流である（有価証券上場規程施行規則第 233 条）。

　ブックビルディング方式の特徴は，株式の取得の申込みの勧誘時において発行価格又は売出価格に係る仮条件を投資家に提示し，株式に係る投資家の需要状況を把握した上で発行価格等を決定する方法をいう。

２．仮条件について

　仮条件には，段階によって次の 2 つの価格をいう。
　① 想定発行価格
　　有価証券届出書提出時に「想定発行価格」が決定される。おおよその資金調達額を目論見書に記載し，投資家に開示する。目論見書には，今後訂正が行われる旨の記載がみられる。
　② 仮条件
　　発行価格の決定にあたり参考となる価格である。取締役会で決議さ

れ，上限と下限が設けられる。仮条件は，決定されると1回目の訂正目論見書に記載される。

　この仮条件は，当社の事業内容，経営成績及び財政状態，当社と事業内容等の類似性が高い上場会社との比較，価格算定能力が高いと推定される機関投資家等の意見及び需要見通し，現在の株式市場の状況，最近の新規上場株の株式市場における評価並びに上場日までの期間における価格変動リスク等を総合的に検討して決定されることが多い。

3．発行価格

　ブックビルディング方式で決定される価格で公募価格とも呼ばれる。ブックビルディングは，引受人（証券会社）が機関投資家に対し，どのくらいの需要株式数があるか，仮条件のどのあたりに需要の相当数があるかヒアリングした結果決定される。2回目の訂正目論見書に記載される。

4．引受価格

　発行価格から，引受人（証券会社）のスプレッド分を引いた金額になる。スプレッドの律は8％前後であることが多い。2回目の訂正目論見書に記載される。

5．申込証拠金

　投資家が証券会社に資金を支払う金額であり，発行価格と同一の金額となる。

6．発行価額

　会社法第199条第1項第2号に定められた払込金額の総額を計算する際に用いる価額であり，仮条件の下限の85％である。引受価格が発行価額を下回る場合は，株式の募集を中止する。この発行価額も取締役会

決議で決定され，1回目の訂正目論見書に記載される。

7．資本組入額

　増加する資本金の額であり，2回目の訂正目論見書に記載される。目論見書の注記に，資本組入額の計算方法を記載している。本問では，引受価格の2分の1である。

❓ どのように解決するか ❓

　① は，有価証券届出書である。

　② は，想定発行価格の85％で計算し，

　　1,040円×0.85×30万株＝265,200千円となる。

　③ は，想定発行価格の1,040円で計算し，

　　1,040円×30万株＝312,000千円となる。

　④ は，仮条件の下限の85％で計算し，

　　1,000円×0.85＝850円となる。

　⑤ は， ④ より，

　　850円×30万株＝255,000千円となる。

　⑥ は，スプレッド8％を考慮し，

　　1,080円×0.92＝993.6円となる。

　⑦ は，発行価格と同額であり，1,080円となる。

　⑧ は，引受価格の2分の1となり，

　　1,080×0.92×0.5＝496.8円となる。

　⑨ は， ⑧ より

　　496.8×30万株＝149,040千円となる。

有価証券届出書及び訂正有価証券届出書の内容（抜粋）は，次のとおりとなる。

	202X年 2月29日	202X年 3月13日	202X年 3月23日
想定発行価格	1,040 円	—	—
仮条件	未定	1,000～ 1,080 円	—
発行価格	未定	未定	1,080 円
引受価格	未定	未定	993.6 円
申込証拠金	未定	未定	1,080 円
発行価額	未定	850 円	850 円
発行価額の総額	265,200 千円	255,000 千円	255,000 千円
資本組入額	未定	未定	496.8 円
資本組入額の総額	156,000 千円	156,000 千円	149,040 千円
発行価格の総額の見込額	312,000 千円	312,000 千円	—

発展ケース

Q オーバーアロットメントとはどのような仕組みか。

A
発行会社が公募・売出を実施する際において，公募・売出の数量を超える需要があった場合，主幹事証券会社が対象企業の株主等から一時的に株券を借りて，公募・売出と同一条件で追加的に投資家に販売することをいう。

本来の公募・売出の追加として行われるもので，本来の公募・売出の数量に需要が満たない場合は行われることはない。また，オーバーアロットメントが可能な数量は，本来の公募・売出数量の 15 ％が上限となっている（有価証券の引受け等に関する規則第 29 条）。

なお，オーバーアロットメントで主幹事証券会社が投資家に販売した株券を借入先に返却するにあたっての株券の調達方法には，①「市場で購入（「シンジケートカバー取引」）」，②「グリーンシューオプション」の行使がある。

市場価格が公募・売出時よりも下落している場合，「シンジケートカバー取引」を行い株券を返却する。市場から株券を調達することで買い需要が発生し，市場価格の上昇に寄与する。

逆に，市場価格が公募・売出時よりも上昇している場合，市場から株券を調達することは引受人の損失につながるため，「グリーンシューオプション」の行使を行う方法が用いられる。「グリーンシューオプション」とは，主幹事証券会社がオーバーアロットメントによる公募・売出時の引受価額と同額で既存株主から株券を取得することができる権利をいう。具体的には，大株主等から株式を購入する方法と発行会社の「第三者割当増資」を引き受ける方法とがある。発行会社が引受人に対して増資を行い，その際の割当価格を，公募・売出時の引受価額と同条件にすることで，市場価格が公募・売出時より上昇した場合でも損失を被ることなく株券を返却することができる仕組みである。

主幹事証券会社が株主Aから株券を借りて，市場で売却（オーバーアロットメント）

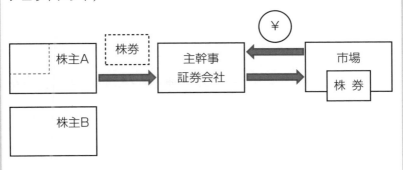

① 市場から株券を購入して調達、株主Aに返却（シンジケートカバー取引）

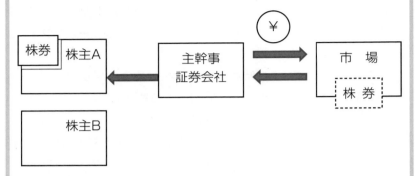

② グリーンシューオプションの行使（株主Bより株券を調達，株主Aに返却）

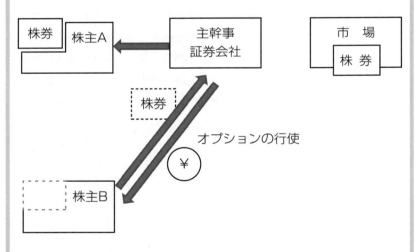

③ グリーンシューオプションの行使（第三者割当増資の払込みを行い，株券を取得，株主Aに返却）

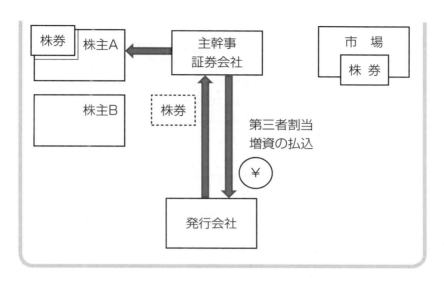

公募に係るスケジュールは、次のとおりである。

	事 項	主な内容
①	新規上場承認	取引所より新規上場承認の連絡を受ける
②	取締役会決議	新規上場承認を受けて新規株式発行、売出の決議を行う
③	有価証券届出書の提出	有価証券届出書をEDINETで提出することにより、投資家に対し株式の勧誘が可能 同時に目論見書も公開される
④	ロードショー	機関投資家に対し事業内容の説明を行う
⑤	取締役会決議	発行価額、仮条件、株式の引受数の決定 訂正有価証券届出書の提出（EDINET） 訂正目論見書（1回目）の公開
⑥	需要申告期間 （ブックビルディング）	投資家は、引受人に対し仮条件を参考に需要申告を行う

⑦	取締役会決議	発行価格，売出価格，引受価格，資本組入額，申込証拠金の決定，引受契約の締結 訂正有価証券届出書の提出（EDINET） 訂正目論見書（2回目）の公開
⑧	有価証券届出書の効力発生	有価証券届出書の効力が発生 投資家に対し株式を取得させることが可能
⑨	申込期間	投資家は，引受人に対し新規上場株式の購入を申し込む
⑩	払込期日	引受金は発行会社に対し引受価格相当額×新規発行株数（売出株数）の金額を払い込む
⑪	新規上場	証券保管振替機構を通じ株式の売買が可能

また，公募に係る発行会社と引受人（主幹事証券会社），投資家の関係はおおよそ次のとおりである。

○×問題

Q1

目論見書の訂正事項には，誤字脱字の修正を入れることはできない。

A1

× できる。誤字脱字のほか，目論見書の本文の説明の追加，数値の訂正等を行う事例もある。

Q2

訂正目論見書は EDINET で提出する。

A2
× 訂正有価証券届出書を EDINET で提出する。

Q3
仮条件の下限が発行価格となった事例はない。

A3
× 事例は多数存在する。

3 【適時開示】
適時開示

事例の概要

あなたは上場準備企業の開示担当者である。主幹事証券会社より，来るべきIPOに備え，上場企業並びに有価証券報告書作成企業と同様の基準で開示資料の作成を求められている。

さて，本日の取締役会で，次の議案が決議された。次の①～⑤のうち，適時開示書類を作成するもの，臨時報告書を作成するもの，両方作成するものがあるというが，それぞれどの書類を作成しなければならないか（①～⑤の事項は，適時開示規則の開示基準及び臨時報告書の提出要件を満たしており，軽微基準による例外は考えなくてよいものとする）。

(取締役会での決議事項)
① 通期売上高予想を15％下方修正する
② 提起された訴訟の和解及び損害賠償支払金額の決定
次の定時株主総会における下記の議案の付議
③ 定款に事業の目的を追加する
④ 取締役の員数の上限を5名から7名に変更する及び定款の字句の訂正を行う
⑤ 監査公認会計士の異動を行う

何が問題なのか

上場企業における開示の規則として，会社法や金融商品取引法による法定開示，証券取引所の規則による適時開示の制度がある。業務上発生

した事項について，金融商品取引法上の重要事実に該当する事項として臨時報告書で開示される場合と，証券取引所規則上の会社が決定した重要事実と会社に発生した重要事実に該当する事項として適時開示資料で開示される場合，いずれにも該当する事項として開示される場合がある。

　発生した事項の内容によって，各証券取引所の自主規制である適時開示だけでよいものと適時開示に加え金融商品取引法で提出義務が定められている臨時報告書も提出しなければならない事項があるので注意が必要である。

❓ どのように解決するか ❓

　①は，業績予想の修正に該当する。臨時報告書の提出要件には当該事項は存在しないため，適時開示資料の作成が必要となる。

　②は，訴訟の提起又は解決に該当する。これは，臨時報告書と適時開示基準の両方の提出要件を満たしており，臨時報告書，適時開示資料の両方を作成する必要がある。

　③④は，定款の変更に該当する。臨時報告書の提出要件には当該事項は存在しないため，適時開示資料の作成が必要となる。

　⑤は，監査公認会計士の異動（適時開示基準では，公認会計士等の異動）に該当する。これは，臨時報告書と適時開示基準の両方の提出要件を満たしており，臨時報告書，適時開示資料の両方を作成する必要がある。

■ 発展ケース

Q 株主総会が終了した。その後，開示書類を作成する必要はあるか？

> **A**
> 上場会社の株主総会において，決議事項が決議された場合の議決権行使結果の内容について臨時報告書を作成する必要がある（企業内容等の開示に関する内閣府令第19条第2項第九号の二）。

知識を整理

臨時報告書の提出要件は，次のとおりとなっている。

【単体ベース】

ア　海外における1億円以上の有価証券の募集又は売出し（第1号）
イ　私募による1億円以上の有価証券の発行（第2号）
ウ　届出を要しない1億円以上のストック・オプションの発行（第2号の2）
エ　親会社又は特定子会社※1の異動（第3号）
オ　主要株主※2の異動（第4号）
カ　重要な災害の発生（第5号）
キ　訴訟の提起又は解決（第6号）
ク　株式交換の決定（第6号の2）
ケ　株式移転の決定（第6号の3）
コ　吸収分割の決定（第7号）
サ　新設分割の決定（第7号の2）
シ　吸収合併の決定（第7号の3）
ス　新設合併の決定（第7号の4）
セ　重要な事業の譲渡又は譲受けの決定（第8号）
ソ　子会社取得の決定（第8号の2）
タ　代表取締役の異動（第9号）
チ　上場会社の株主総会における議決権行使結果（第9号の2）
ツ　定時株主総会前に有価証券報告書を提出した場合における当該定時株主総会決議事項の修正又は否決（第9号の3）

テ　監査公認会計士等の異動（第9号の4）
ト　再生・更生・破産手続開始の申立て等（第10号）
ナ　多額の取立不能債権又は取立遅延債権の発生（第11号）
ニ　財政状態，経営成績及びキャッシュ・フローの状況に著しい影響を与える事象の発生（第12号）

【連結ベース】
ア　連結子会社に係る重要な災害の発生（第13号）
イ　連結子会社に対する訴訟の提起又は解決（第14号）
ウ　連結子会社における株式交換の決定（第14号の2）
エ　連結子会社における株式移転の決定（第14号の3）
オ　連結子会社における吸収分割の決定（第15号）
カ　連結子会社における新設分割の決定（第15号の2）
キ　連結子会社における吸収合併の決定（第15号の3）
ク　連結子会社における新設合併の決定（第15号の4）
ケ　連結子会社の重要な事業の譲渡又は譲受けの決定（第16号）
コ　連結子会社における子会社取得の決定（第16号の2）
サ　連結子会社に係る再生・更生・破産手続開始の申立て等（第17号）
シ　連結子会社における多額の取立不能債権又は取立遅延債権の発生（第18号）
ス　連結子会社の財政状態，経営成績及びキャッシュ・フローの状況に著しい影響を与える事象の発生（第19号）

※1　特定子会社の定義
　「特定子会社」とは，子会社のうち以下に掲げる特定関係の何れかに該当するものをいう（開示府令第19条第10項）。
　　イ　提出会社の最近事業年度に対応する期間において，当該子会社の提出会社に対する売上高の総額又は仕入額の総額が，提出会社の仕入高の総額又は売上高の総額の100分の10以上である場合
　　ロ　当該提出会社の最近事業年度の末日において，子会社の純資産額が提出会社

の純資産額の100分の30以上に相当する場合
　　　ハ　子会社の資本金の額又は出資の額が提出会社の資本金の額の10％以上に相当する場合
※2　主要株主の定義
　　「主要株主」とは，自己又は他人（仮設人を含む）の名義をもって総株主等の議決権の100分の10以上の議決権を保有している株主をいう（金融商品取引法第163条第1項）。
（注1）　提出要件に付記された（　）の号数は，提出要件を規定している開示府令第19条第2項各号の号数を示す。
（注2）　上記の規定とは別に，第2号4様式（新規上場時に公募・売出しを行う場合の記載様式）により作成した有価証券届出書の提出日後，上場日の前日までに，当該届出書の「株式公開情報」に記載された内容に変更が生じた場合には，臨時報告書の提出が必要とされている（開示府令第19条の2）。
（日本IPO実務検定協会『IPO実務検定試験公式テキスト』第5版，中央経済社，2015年11月，422～423ページより抜粋，一部筆者加筆）

　一方で，適時開示が必要な事項は次のとおりである。

【上場会社の決定事実】
1．発行する株式，処分する自己株式，発行する新株予約権，処分する自己新株予約権を引き受ける者の募集又は株式，新株予約権の売出し
2．発行登録及び需要状況調査の開始
3．資本金の額の減少
4．資本準備金又は利益準備金の額の減少
5．自己株式の取得
6．株式無償割当て又は新株予約権無償割当て
7．新株予約権無償割当に係る発行登録及び需要状況・権利行使の見込み調査の開始
8．株式の分割又は併合
9．ストック・オプションの付与
10．剰余金の配当
11．合併等の組織再編行為
12．公開買付け又は自己株式の公開買付け

13. 公開買付けに係る意見表明等
14. 事業の全部又は一部の譲渡又は譲受け
15. 解散（合併による解散を除く）
16. 新製品又は新技術の企業化
17. 業務上の提携又は業務上の提携の解消
18. 子会社等の異動を伴う株式又は持分の譲渡又は取得その他の子会社等の異動を伴う事項
19. 固定資産の譲渡又は取得，リースによる固定資産の賃貸借
20. 事業の全部又は一部の休止又は廃止
21. 上場廃止申請
22. 破産手続開始，再生手続開始又は更生手続開始の申立て
23. 新たな事業の開始
24. 代表取締役又は代表執行役の異動
25. 人員削減等の合理化
26. 商号又は名称の変更
27. 単元株式数の変更又は単元株式数の定めの廃止もしくは新設
28. 決算期変更（事業年度の末日の変更）
29. 債務超過又は預金等の払戻の停止のおそれがある旨の内閣総理大臣への申出（預金保険法第74条第5項の規定による申出）
30. 特定調停法に基づく特定調停手続による調停の申立て
31. 上場債券等の繰上償還又は社債権者集会の招集その他上場債券等に関する権利に係る重要な事項
32. 公認会計士等の異動
33. 継続企業の前提に関する事項の注記
34. 有価証券報告書・四半期報告書の提出期限延長に関する承認申請書の提出
35. 株式事務代行機関への株式事務の委託の取止め
36. 開示すべき重要な不備，評価結果不表明の旨を記載する内部統制報告書の提出

37．定款の変更
38．全部取得条項付種類株式の全部の取得
39．特別支配株主による株式等売渡請求に係る承認又は不承認
40．その他上場会社の運営，業務若しくは財産又は当該上場株券等に関する重要な事項

【上場会社の発生事実】
1．災害に起因する損害又は業務遂行の過程で生じた損害
2．主要株主又は主要株主である筆頭株主の異動
3．上場廃止の原因となる事実
4．訴訟の提起又は判決等
5．仮処分命令の申立て又は決定等
6．免許の取消し，事業の停止その他これらに準ずる行政庁による法令等に基づく処分又は行政庁による法令違反に係る告発
7．親会社の異動，支配株主（親会社を除く）の異動又はその他の関係会社の異動
8．破産手続開始，再生手続開始，更生手続開始又は企業担保権の実行の申立て
9．手形等の不渡り又は手形交換所による取引停止処分
10．親会社等に係る破産手続開始，再生手続開始，更生手続開始又は企業担保権の実行の申立て
11．債権の取立不能又は取立遅延
12．取引先との取引停止
13．債務免除等の金融支援
14．資源の発見
15．特別支配株主による株式等売渡請求等
16．株式又は新株予約権の発行差止請求
17．株主総会の招集請求

18. 保有有価証券の含み損
19. 社債券に係る期限の利益の喪失
20. 上場債券等の社債権者集会の招集その他上場債券等に関する権利に係る重要な事実
21. 公認会計士等の異動
22. 有価証券報告書・四半期報告書の提出遅延
23. 有価証券報告書・四半期報告書の提出期限延長申請に係る承認等
24. 財務諸表等の監査報告書における不適正意見，意見不表明，継続企業の前提に関する事項を除外事項とした限定付適正意見
25. 内部統制監査報告書における不適正意見，意見不表明
26. 株式事務代行委託契約の解除通知の受領等
27. その他上場会社の運営，業務もしくは財産又は当該上場株券等に関する重要な事実

【上場会社の決算情報】
1．決算短信
2．四半期決算短信

【上場会社の業績予想，配当予想の修正等】
1．業績予想の修正，予想値と決算値の差異等
2．配当予想，配当予想の修正

【その他の情報】
1．投資単位の引下げに関する開示
2．財務会計基準機構への加入状況に関する開示
3．MSCB等の転換又は行使の状況に関する開示
4．支配株主等に関する事項の開示
5．非上場の親会社等の決算情報

6．上場廃止等に関する開示
7．公開買付け等事実の当取引所への通知

○子会社等の情報
【子会社等の決定事実】
1．子会社等の合併等の組織再編行為
2．子会社等による公開買付け又は自己株式の公開買付け
3．子会社等の事業の全部又は一部の譲渡又は譲受け
4．子会社等の解散（合併による解散を除く）
5．子会社等における新製品又は新技術の企業化
6．子会社等における業務上の提携又は業務上の提携の解消
7．子会社等における孫会社の異動を伴う株式又は持分の譲渡又は取得その他の孫会社の異動を伴う事項
8．子会社等における固定資産の譲渡又は取得, リースによる固定資産の賃貸借
9．子会社等の事業の全部又は一部の休止又は廃止
10．子会社等の破産手続開始, 再生手続開始又は更生手続開始の申立て
11．子会社等における新たな事業の開始
12．子会社等の商号又は名称の変更
13．子会社等における債務超過又は預金等の払戻の停止のおそれがある旨の内閣総理大臣への申出（預金保険法第74条第5項の規定による申出）
14．子会社等における特定調停法に基づく特定調停手続による調停の申立て
15．その他子会社等の運営, 業務又は財産に関する重要な事項

【子会社等の発生事実】
1．子会社等における災害に起因する損害又は業務遂行の過程で生じた損害
2．子会社等における訴訟の提起又は判決等
3．子会社等における仮処分命令の申立て又は決定等
4．子会社等における免許の取消し, 事業の停止その他これらに準ずる行政庁

による法令に基づく処分又は行政庁による法令違反に係る告発
5．子会社等における破産手続開始，再生手続開始，更生手続開始又は企業担保権の実行の申立て
6．子会社等における手形等の不渡り又は手形交換所による取引停止処分
7．子会社等における孫会社に係る破産手続開始，再生手続開始，更生手続開始又は企業担保権の実行の申立て
8．子会社等における債権の取立不能又は取立遅延
9．子会社等における取引先との取引停止
10．子会社等における債務免除等の金融支援
11．子会社等における資源の発見
12．その他子会社等の運営，業務又は財産に関する重要な事実

【子会社等の業績予想の修正等（子会社等の業績予想の修正，予想値と決算値の差異等）】

○×問題

Q1

202X年3月31日時点のJ社の株主名簿では，「従業員持株会」は第3位に位置している。しかし，先に打ち出された早期退職優遇制度による従業員の退職に伴い，202X年5月31日に，複数名が従業員持株会から株式の引出しを行った。これにより議決権比率が同日付で大幅に減少したことをJ社は把握していたが，株主名簿管理人から正式な株主名簿が届くのは後日であるため，202X年5月31日に「主要株主の異動」の開示を行う必要はないと判断した。

A1

× 「主要株主の異動」を認識した時点で直ちに開示する必要がある（企業内容等の開示に関する内閣府令第19条第2項第4号）。

Q2 臨時報告書は，TDNET で閲覧することができる。

A2 × EDINET で閲覧することができる。

4 【会計処理】退職給付引当金の計上について

事例の概要

　A社（取締役会設置会社）は自動車用部品の製造及び販売業を行っている。子会社及び関連会社はない。BはA社の創立者兼代表取締役社長である。創業30周年を迎え，売上は100億円超となり，経常利益は5億円程度計上し，従業員数は600名程度となっていた。B社長は60歳も超えたことから，そろそろ引退を考え，長男の専務取締役であるCに対して経営者教育を行っていた。B社長は長年の夢であったIPOが，年齢から考えて自分の代では実現できそうにないため，専務取締役Cにその夢を託し，専務取締役Cもまたその考えに賛同していた。

　程なくB社長は引退し，専務取締役Cが代表取締役社長に就任した。業績も順調に推移していたことから，早速，監査法人のショートレビューを受けることとした。

　ショートレビューは1週間ほどで終了し，報告会となった。その場で前期の修正事項の提示を受けたC社長は驚いた。40億円程度あった純資産額が大きく目減りし20億円程度になり，前期の最終利益も8千万円程度減少していた。

　C社長がこの点について尋ねると監査法人の担当者は言った。「貴社は従業員に対する退職一時金制度がありますが，過年度において引当金を計上していません。このため修正事項として退職給付引当金を新たに計上しています。」

何が問題なのか

　未上場企業の多くは，決算書の作成を税法基準により行っている。税

法上，引当金の計上については，一部を除き原則として認められていない。このため，未上場企業では，引当金の計上を行っていないことが多く見受けられる。

　しかし，IPO 時には企業会計基準に準拠した決算を行う必要があるため，企業会計基準で計上が求められる各種引当金の計上を行う必要がある。このうち退職給付引当金については，一般的にその影響額が大きいため，修正事項として退職給付引当金の計上を行った結果，債務超過になってしまうこともある。

　なお，2011 年 4 月 1 日以後開始する事業年度からは，企業会計基準第 24 号「会計上の変更及び誤謬の訂正に関する会計基準」が適用となり，会計方針（財務諸表の作成にあたって採用した会計処理の原則及び手続）の適用誤りは，「誤謬」として取り扱うこととなる。当該会計基準の適用により過年度分の要引当額については，過去の誤謬として修正再表示することが必要となる。

❓ どのように解決するか ❓

　退職給付引当金の計上については，企業会計基準第 26 号「退職給付に関する会計基準」において原則法と簡便法が認められている。簡便法を適用することができる企業は原則として従業員数 300 人未満の企業である（企業会計基準適用指針第 25 号「退職給付に関する会計基準の適用指針」第 47 項）。A 社の従業員数は 300 名以上であるため，原則法により退職給付引当金を計上する必要がある。原則法による退職給付債務の算定は自社内でも行うことは可能ではあるが，実務上は相当な事務負担となるため，一般的には生命保険会社や信託銀行等外部の第三者機関に算定を依頼する（算定報酬は 50 万円～200 万円程度）。このように内製化が難しい部分であるため，A 社においてもコストはかかるが，外部の専門家を利用することも検討する必要がある。

　また，原則法による退職給付債務の算定を行うことは，上記のとおり困難で

ある場合が多いが，IPO の意向があるならば，修正財務諸表作成時の影響額を抑えるためにも，簡便法による退職給付引当金の計上は検討しておくべきである（本来は，未上場企業であっても「中小企業の会計に関する指針」や「中小企業の会計に関する基本要領」に則って，金額的に重要な退職給付引当金の計上は行われていなければならない）。

なお，退職一時金制度を採用する企業において，簡便法により退職給付引当金を計上する場合，退職給付に係る期末自己都合要支給額を退職給付債務とする方法を採用するのが一般的である（「退職給付に関する会計基準の適用指針」第50項（1）③）。

発展ケース

Q

A社では，役員退職金の支給は原則として行っていなかったが，過去に著しく会社に貢献した役員については，特別に退職慰労金を支給していた。

今期において，全役員を対象に功績倍率方式による役員退職慰労金制度を導入する方針である。この場合，A社として行うべきことは何か。

A

役員退職慰労金については，企業会計原則注解（注18）の要件を踏まえ，以下の留意事項を満たす場合には，各事業年度の負担相当額を役員退職慰労引当金に繰り入れなければならないこととされている（日本公認会計士協会　監査・保証実務委員会実務指針第42号「租税特別措置法上の準備金及び特別法上の引当金又は準備金並びに役員退職慰労引当金等に関する監査上の取扱い」）。

(ア)　役員退職慰労金の支給に関する内規に基づき（在任期間・担当職務等を勘案して）支給見込額が合理的に算出されること

(イ)　当該内規に基づく支給実績があり，このような状況が将来に渡って

存続すること（設立間もない会社等のように支給実績がない場合においては，内規に基づいた支給額を支払うことが合理的に予測される場合を含む）

A社で功績倍率方式の役員退職慰労金制度を導入する場合は，退職慰労金の算定式を定めた役員退職慰労金規程を設ける。これにより上記の(ア)，(イ)の要件を満たすことになるため，役員退職慰労引当金を計上しなければならない。計上額は役員退職慰労金規程に基づいて算定した期末要支給額となる。

知識を整理

引当金とは，以下の企業会計原則注解（注18）に定める4つの要件を満たす場合に計上される負債又は資産の控除項目である。
① 将来の特定の費用又は損失であること
② ①の発生が当期以前の事象に起因すること
③ ①の発生可能性が高いこと
④ ①の金額を合理的に見積もることが可能であること

退職給付は，賃金の後払いとしての性質，在職時の功績報償的な性質，退職後の生活保障的な性質を併せ持ち，基本的に勤務期間を通じた労働の提供に伴って発生するものであることから，上記4つの要件を満たし，引当金の計上が必要となる。

税法上で退職給付引当金の損金算入が認められないこともあり，退職金制度を採用している未上場企業では退職給付引当金を計上していない場合が多い。

IPOするためには，退職給付引当金のほかにも，貸倒引当金及び賞与引当金については多くの企業で新たに計上又は計上金額の見直しが必要になり，ショートレビュー時の指摘事項としては頻出項目である。また，最近では顧客の囲い込みを狙ったポイント制度の普及に伴いショートレビュー時に「ポイント引当金」（299ページ参照）の計上を求められる事例が増加している。

4 退職給付引当金の計上について

○×問題

Q1

従業員への賞与支給額が確定している場合，賞与支給額が支給対象期間に対応して算定されているときは，当期に帰属する額を未払費用として計上し，賞与支給額が支給対象期間以外の臨時的な要因に基づいて算定されているときは，未払金として計上する。

A1

○　正しい（日本公認会計士協会　リサーチ・センター審理情報 No. 15）。

Q2

子会社の財政状態が悪化したことにより，子会社株式の実質価額が著しく低下した場合，貸倒引当金の計上を検討しなければならない。

A2

×　子会社株式は金銭債権ではないため貸倒引当金ではなく，「投資損失引当金」の計上を検討しなければならない。なお，「金融商品に係る会計基準」等により減損処理の対象となる子会社株式については，投資損失引当金による会計処理は認められないことに留意する（日本公認会計士協会　監査委員会報告第 71 号「子会社株式等に対する投資損失引当金に係る監査上の取扱い」）。

Q3

当事業年度の職務に係る役員賞与について，期末後に開催される定時株主総会で，その支給決議が見込める場合は，支給見込額を未払金として計上しなければならない。

A3

× 上記の場合は支給見込額を「役員賞与引当金」として計上しなければならない(企業会計基準第4号「役員賞与に関する会計基準」)。

5 【会計処理】ポイント引当金の計上について

事例の概要

　A社（取締役会設置会社）は地方を拠点に小売業（家電量販店）を行っている。BはA社の創立者兼代表取締役社長である。現在，売上は50億円超となり，経常利益は2億円程度計上している。B社長はA社の知名度向上と全国展開を目的として，IPOによる資金調達を考えていた。

　B社長が顧問会計士にその旨を相談したところ，「まずは監査法人のショートレビューを受けるのがよいでしょう」とのアドバイスを得たため，早速，顧問会計士が以前在籍していた監査法人を紹介してもらった。

　ショートレビューは2週間ほどで終了し，報告会となった。ショートレビュー報告書において，「ポイント引当金」という見慣れない項目があった。B社長がこの点を監査法人の担当者に尋ねると，担当者は言った。「貴社はポイントカードを発行しており，引当金の計上要件を満たすため，将来のポイント使用による値引き相当分を引当金として見積り計上する必要があります。」

何が問題なのか

　最近は顧客囲い込みを目的として，様々なポイントカードが発行されている。ポイントカードの利用情報の蓄積により，それを分析することで各種のマーケティング活動に利用することができるというメリットもあることから，ポイント制度を販売促進のためのツールとして利用している会社は多い。

　このようなポイント制度によるポイントの付与は，

① 将来発生する特定の費用（売上値引き又は景品との交換）である。
② その発生が当期以前の事象（当期以前における商品の販売）に起因する。

という引当金の計上が必要となる4要件のうち，2要件は満たす。さらに，ポイントの利用実績が蓄積され，過去の使用状況等から，

③ 将来の発生可能性が高い。
④ 将来の使用額の合理的見積りが可能である。

という残りの2要件を満たすことになれば，引当金の計上が必要となる。

ポイント引当金は，税務上全額が損金不算入（後述の法人税法上の金品引換費用の未払金計上要件に該当することも，あまり多くはない）となるため，税法基準による決算を行っている未上場企業では，計上している事例はほとんどないが，IPOのためには引当金の計上要件を満たす場合には計上が必須となる（未上場企業であっても「中小企業の会計に関する指針」や「中小企業の会計に関する基本要領」に則って，金額的に重要なポイント引当金の計上は行われていなければならない）。

なお，2011年4月1日以後開始する事業年度からは，企業会計基準第24号「会計上の変更及び誤謬の訂正に関する会計基準」が適用となり，会計方針（財務諸表の作成にあたって採用した会計処理の原則及び手続）の適用誤りは，「誤謬」として取り扱うこととなる。当該会計基準の適用により，過年度分の要引当額については，過去の誤謬として修正再表示することが必要となる。

※（注意）上場企業等では「収益認識に関する会計基準」（企業会計基準第29号）及び「収益認識に関する会計基準の適用指針」（企業会計基準適用指針第30号）が2021年4月1日以後開始する連結会計年度及び事業年度の期首から適用となる（早期適用も可能）。これらの会計基準及び適用指針の適用後は，ポイント引当金は廃止となり，売上高を直接調整する方法に変更となる。

？ どのように解決するか ？

過去の利用実績等から将来に使用されると見込まれる金額を合理的に見積もり、ポイント引当金を計上する。一般的には下記の計算式により計算する。

> ポイント引当金＝期末における未使用ポイント残高×ポイント使用率
> ×ポイント円換算率

実務上の問題は、上記計算式中の各比率（ポイント使用率、ポイント円換算率）の算出方法であるが、この点に関して画一的な方法は存在しない。したがって、監査法人と相談しながら、ポイントの利用実態に即した合理的な比率算出方法を社内で検討し、経理規程や決算マニュアルといった規程等に、正式に決定した比率算出方法を明記することが必要である。

なお、引当金の計算方法（見積方法）は一度採用した場合、むやみに変更することはできない。引当金の計算方法の変更は会計方針の変更とはならないが、会計上の見積りの変更として、当該変更が変更期間のみに影響する場合には、当該変更期間に会計処理を行い、当該変更が将来の期間にも影響する場合には、将来に渡り会計処理を行う（企業会計基準第24号「会計上の変更及び誤謬の訂正に関する会計基準」第17項）。

IPO実務上は、会計上の見積りの変更も、監査法人と相談しながら検討する必要がある。

発展ケース

Q1

A社のポイント制度は、ポイントの有効期限が設けられていなかった。この場合、A社がポイント引当金を見積計上する際に留意すべき事項は何か。

A1

　ポイントの有効期限が設けられていない場合は，原則としてポイントの失効がないと考えられるため，ポイント引当金計算式における「ポイント使用率」は長期的に見れば100％と考えることが保守的会計思考の観点から望ましいとする考え方がある。一方で，ポイントが失効しないとしても，付与したポイント全てが使用されると想定することは非現実的であるため，ポイント引当金計算式における「ポイント使用率」は，実際に使用されることが見込まれるポイントに限定して算出するべきとの考え方もある。

　A社としては，自社単独で計算式を策定するのではなく，監査法人と協議を行い，監査法人と合意を得た上で自社のポイントの利用実態に即した合理的な計算式を策定することが必要となる。

Q2

　A社では，監査法人のショートレビュー結果を踏まえて，今後ポイント引当金の計上額が増大することを懸念し，ポイントの有効期限を2年間とする制度変更を検討している。この場合，A社として留意すべき事項は何か。

A2

　当然ではあるが，ポイント引当金計算式の「期末における未使用ポイント残高」は，期末日時点で付与済みの全てのポイントではなく，ポイントの有効期限を考慮して，有効期限を経過して失効したポイントは除かなければならない。このため，各顧客別のポイント有効期限内残高を管理し，適切にポイント引当金を計上するために，ポイント管理システムの改修や新規導入等のコストが生じることになる。このようなポイント管理コストの増大に，まず留意しなければならない。

　次に，従来利用期間が無制限であったポイントに有効期限を設けるこ

とは，ポイント制度に加入している消費者にとっては，ポイント利用条件の一方的な不利益変更となり，これが消費者の期待する合理的な保護水準に著しく反するような場合は，消費者契約法第10条（消費者の利益を一方的に害する条項の無効）に抵触し，利用条件の変更自体が無効と判断されることもあり得る。したがって，A社としては，ポイントの有効期限の設定に関して，十分な事前告知期間を設定するとともに，ポイント制度に加入している全ての消費者が知り得るような告知方法（例えば，店頭でのポスターによる告知，ダイレクトメールや電子メールによる告知，インターネットウェブページでの告知等）により丁寧に告知を行う必要がある。

知識を整理

○ **ポイント制度の会計及び税務**

ポイント制度とは，一般に企業が顧客に対して取引高に応じてポイントを付与し，付与された顧客が，貯めたポイントを当該企業のサービスや商品等の値引き又は特典に利用できる仕組みをいう。最近は顧客の囲い込みを目的として，様々なポイントカードが発行されている。また，ポイントカードの利用情報を蓄積し，それを分析することで各種のマーケティング活動に利用することができるというメリットもある。

現状では，ポイント制度についての個別の会計基準は存在しない。このため，ポイント発行企業は，企業会計原則等に則って会計処理をしている。

具体的な会計処理は，ポイント発行企業等の事業内容や，個別のポイントの性質や内容などにより異なっているが，実務上，大別すると以下のような会計処理が行われている。

① ポイントを発行した時点で費用処理
② ポイントが使用された時点で費用処理するとともに，期末に未使用ポ

> イント残高に対して過去の実績等を勘案して引当金計上
> ③ ポイントが使用された時点で費用処理

　上場企業でポイント制度を導入しており，過去の実績データの蓄積等により，引当金の計上要件を満たすこととなる場合は，②の引当金計上が必要となる。その場合は，未使用ポイント残高に対して，過去の利用実績等を勘案して，将来使用が見込まれる部分を適切に見積もり，当該部分を貸借対照表上「ポイント引当金」として負債に計上するとともに，損益計算書上「ポイント引当金繰入額」として販売費及び一般管理費に計上する会計処理を行う。

　一方，ポイント制度に関する法人税法上の取扱いについては，法人税基本通達に定めがある。

> （金品引換券付販売に要する費用）
> 9-7-2　法人が商品等の金品引換券付販売により金品引換券と引換えに金銭又は物品を交付することとしている場合には，その金銭又は物品の代価に相当する額は，その引き換えた日の属する事業年度の損金の額に算入する。

　したがって，税務上はあくまでもポイント利用時に当該ポイント相当額が損金算入されることとなり，ポイントの付与時及びポイント引当金計上時は損金算入できない。ただし，次の特例がある。

> （金品引換費用の未払金の計上）
> 9-7-3　法人が商品等の金品引換券付販売をした場合において，その金品引換券が販売価額又は販売数量に応ずる点数等で表示されており，かつ，たとえ1枚の呈示があっても金銭又は物品と引き換えることとしているものであるときは，9-7-2にかかわらず，次の算式により計算した金額をその販売の日の属する事業年度において損金経理により未払金に計上するこ

（算式）

$$\text{1枚又は1点について交付する金銭の額} \times \text{その事業年度において発行した枚数又は点数}$$

(注)
1 算式中「1枚又は1点について交付する金銭の額」は，物品だけの引換えをすることとしている場合には，1枚又は1点について交付する物品の購入単価（2以上の物品のうちその1つを選択することができることとしている場合には，その最低購入単価）による。
2 算式中「その事業年度において発行した枚数又は点数」には，その事業年度において発行した枚数又は点数のうち，その事業年度終了の日までに引換えの済んだもの及び引換期間の終了したものは含まない。

上記法人税基本通達 9-7-3 の要件を満たす場合は，一種の確定債務として損金経理を条件に未払金として計上できる。

ただし，商品等の購入に際して一定金額の値引きをする「割引券」に関しては顧客が再び商品やサービス等を購入することが絶対条件となるため，確定債務とはいえない。このため，上記の金品引換券には該当せず，未払金計上はできない。

一般的にポイント制度は顧客の囲い込みを目的としていることから，上記法人税基本通達 9-7-3 のような1ポイントのみでも金品と交換可能と制度設計していることは珍しく，また，仮に1ポイントのみでの利用も可能とする場合は，顧客の囲い込みのため，通常は再度の商品やサービスの購入時の値引きに利用できるとしていることが多いと思われる。したがって，上記法人税基本通達 9-7-3 の未払金計上要件を満たすことは，あまり多くはないものと思われる。

○×問題

Q1

IPO企業においても,法人税法上の中小法人等に該当する場合は,法定繰入率によって貸倒引当金を計上することも認められる。

A1

× 法人税法上の中小法人等に該当しても,企業会計基準に準拠した決算を行う必要がある。したがって,金融商品に関する会計基準を適用し,債権を債務者の財政状態及び経営成績等に応じて,一般債権・貸倒懸念債権・破産更生債権等の3つに区分し,貸倒見積高を算定する必要がある。なお,一般債権については,過去の貸倒実績率等合理的な基準により貸倒見積高を算定する。

Q2

貸倒引当金の取崩額はこれを当期繰入額と相殺し,取崩額の方が大きい場合には,その取崩差額を原則として特別利益に計上しなければならない。

A2

× 取崩額の方が大きい場合には,原則として営業費用又は営業外費用から控除するか営業外収益として当該期間に認識する(金融商品会計に関する実務指針125項,会計上の変更及び誤謬の訂正に関する会計基準55項)。この結果,マイナスの貸倒引当金繰入額が計上される場合もあり得る。

Q3

工事契約について,工事原価総額等(工事原価総額のほか,販売直接

5 ポイント引当金の計上について

経費がある場合にはその見積額を含めた額）が工事収益総額を超過する可能性が高く，かつ，その金額を合理的に見積もることができる場合には，その超過すると見込まれる額（工事損失）のうち，当該工事契約に関して既に計上された損益の額を控除した残額を，工事損失が見込まれた期の損失として処理し，工事損失引当金を計上しなければならない。

A3

○　正しい（工事契約に関する会計基準第19項）。

※（注意）上場企業等では「収益認識に関する会計基準」（企業会計基準第29号）及び「収益認識に関する会計基準の適用指針」（企業会計基準適用指針第30号）が2021年4月1日以後開始する連結会計年度及び事業年度の期首から適用となる（早期適用も可能）。これらの会計基準及び適用指針の適用後は，「工事契約に関する会計基準」（企業会計基準第15号）及び「工事契約に関する会計基準の適用指針」（企業会計基準適用指針第18号）は廃止される。

6 【会計処理】収益認識に関する会計基準について

事例の概要

　A社は，SNS広告運用サービスを手掛ける会社である。A社の創業者兼代表取締役CEOのBは，上場大手ネット広告代理店での経験を経て，5年前にA社を創業した。

　A社の主たるサービスは，顧客のSNS広告の運用に係る一切の作業を受託する「丸投げプラン」である。このプランは，A社が，顧客名義によるSNS広告用アカウントの開設，課金方式やターゲット等の各種設定，日常管理，分析レポートの作成，SNSプラットフォーム事業者との各種交渉，SNSプラットフォーム事業者に対する広告費の支払等，必要な作業の一切を受託するサービスである。なお，A社では，サービス契約の締結に当たり，広告用アカウントの管理報酬とSNS広告報酬を定め，顧客に対して各SNSプラットフォーム事業者が掲げている広告出稿規約へ同意することを求めている。また，SNS広告報酬についても，各SNSプラットフォーム事業者が提示する価格をそのまま採用している。

　Bは，前職のネット広告代理店の創業社長を尊敬し憧れていた。また，前職でストック・オプションを付与されて，一千万円以上の利益を得た経験もあった。こうしたことから，自分も将来的にIPOをしたいと考えていた。顧問の会計士Cに相談したところ，「それならば，将来的なIPOに備えて，今期から会計処理を改めた方が良いでしょう。」とのアドバイスを受けた。Cによると，現状では消費税等の会計処理について税込方式を採用しており，また，顧客から支払いを受けたSNSプラットフォーム事業者に支払う広告費も含めて，全額を売上計上する会計処理を行っており，これらを改める必要があるとのことであった。

6 収益認識に関する会計基準について

「そういえば，以前，C先生から会計処理について早い段階で変更した方が良いとのアドバイスを受けたなぁ……。」

以前，Cからは，消費税率が10％になる前に消費税等について税抜方式を採用し，広告費についてもSNSプラットフォーム事業者に支払った広告費をいったん立替金に計上した上で，顧客から広告費の支払いを受けた際には，立替金の回収という会計処理にした方が良いとのアドバイスを既に受けていた。しかし，Bは，それでは売上高がかなり減少してしまうことになるため，従来の会計処理をそのまま継続していた。

「う〜ん，C先生の言うとおりに会計処理を変更するとなると，売上高の減少がかなり目立つなぁ……。しかも，消費税率も10％になってしまっているし……。C先生の言うとおり，消費税率が上がる前に変更した方がまだよかったなぁ。」

Bは，悩んでしまった。

何が問題なのか

上場企業等では，原則として，2021年4月1日以後開始する連結会計年度及び事業年度の期首から，「収益認識に関する会計基準」（以下「会計基準」という）及び「収益認識に関する会計基準の適用指針」（以下「適用指針」という）が適用となる（早期適用も可能）。これらは，従来，会計慣行によっていた収益認識に関する初めての包括的な会計基準である。

会計基準及び適用指針では，取引価格のうち，その履行義務に配分した額について収益を認識することとしている（会計基準第46項）。そして，この取引価格からは「第三者のために回収する額」を除くこととされている（会計基準第8項，第47項）。売上に係る消費税等は第三者である国等に納付するため「第三者のために回収する額」に該当する。このため，収益認識する額は，消費税等を除いた額となり，会計基準及

適用指針の適用後は，消費税等の会計処理について，いわゆる税込方式は適用できなくなる（ただし，税務上は従来通り税抜方式，税込方式のいずれも選択可能）。

また，会計基準及び適用指針では，顧客への財又はサービスの提供に他の当事者が関与している場合において，企業が「本人」か「代理人」かで会計処理が変わる（適用指針第39項～第47項）。

企業が「本人」に該当する場合とは，顧客との約束が，財又はサービスを企業自ら提供する履行義務があると判断される場合である。その場合，財又はサービスの提供と交換に企業が権利を得ると見込む対価の総額を収益として認識する（いわゆるグロス処理。適用指針第39項）。

一方，企業が「代理人」に該当する場合とは，顧客との約束が，財又はサービスを当該他の当事者によって提供されるように企業が手配する履行義務があると判断される場合である。その場合，財又はサービスが提供されるように手配することと交換に企業が権利を得ると見込む報酬又は手数料の金額，あるいは，他の当事者が提供する財又はサービスと交換に受け取る額から当該他の当事者に支払う額を控除した純額を収益として認識する（いわゆるネット処理。適用指針第40項）。

A社の提供する各サービスが，それぞれ「本人」取引なのか「代理人」取引なのかを区分した上で，売上高の計上として，グロス処理か，ネット処理か，判断する必要がある。

❓ どのように解決するか ❓

まず，消費税等の会計処理については，会計ソフトの設定の見直しが必要である。通常，会計ソフトでは，消費税等の会計処理方法として，税込方式と税抜方式を選択できるようになっている。会計ソフトの設定を税込方式から税抜方式に変更し，再計算を行うことで，通常は税込方式から税抜方式の仕訳に置き換わる（そのような設定変更を行えない会計ソフトであれば，会計ソフトそ

のものの入れ替えも検討する必要があるであろう）。

　次に，「本人」と「代理人」の区分についてであるが，これについては，適用指針上で次の手順で行うものとされている（適用指針第 42 項）。

(1)　顧客に提供する財又はサービスを識別すること（例えば，顧客に提供する財又はサービスは，他の当事者が提供する財又はサービスに対する権利である可能性がある）

(2)　財又はサービスのそれぞれが顧客に提供される前に，当該財又はサービスを企業が支配しているかどうかを判断すること

　上記(2)の企業が財又はサービスを顧客に提供する前に「支配」しているか否かに係る判断基準として，適用指針では次の 3 つの指標を例示している（適用指針第 47 項）。

①　企業が当該財又はサービスを提供するという約束の履行に対して主たる責任を有していること。これには，通常，財又はサービスの受入可能性に対する責任（例えば，財又はサービスが顧客の仕様を満たしていることについての主たる責任）が含まれる。

　企業が財又はサービスを提供するという約束の履行に対して主たる責任を有している場合には，当該財又はサービスの提供に関与する他の当事者が代理人として行動していることを示す可能性がある。

②　当該財又はサービスが顧客に提供される前，あるいは当該財又はサービスに対する支配が顧客に移転した後（例えば，顧客が返品権を有している場合）において，企業が在庫リスクを有していること

　顧客との契約を獲得する前に，企業が財又はサービスを獲得する場合あるいは獲得することを約束する場合には，当該財又はサービスが顧客に提供される前に，企業が当該財又はサービスの使用を指図し，当該財又はサービスからの残りの便益のほとんどすべてを享受する能力を有していることを示す可能性がある。

③　当該財又はサービスの価格の設定において企業が裁量権を有している

こと
　財又はサービスに対して顧客が支払う価格を企業が設定している場合には，企業が当該財又はサービスの使用を指図し，当該財又はサービスからの残りの便益のほとんどすべてを享受する能力を有していることを示す可能性がある。
　ただし，代理人が価格の設定における裁量権を有している場合もある。例えば，代理人は，財又はサービスが他の当事者によって提供されるように手配するサービスから追加的な収益を生み出すために，価格の設定について一定の裁量権を有している場合がある。

　上記に照らした場合，Ａ社が行っているSNS広告運用サービスのうち，広告アカウント管理サービスとSNS広告サービスについては，それぞれ報酬額も別に定められ，サービスの内容も明確に区分できることから，別個のサービスと識別できる。このうちSNS広告サービスについては，Ａ社名義ではなく顧客名義によるアカウント開設を行い，さらに各SNSプラットフォーム事業者の広告出稿規約への同意を求めた上でサービス提供を行っていることから，Ａ社独自に広告サービスを行っているというよりも，顧客とSNSプラットフォーム事業者との間の広告サービス契約の手続代行を行っているにすぎず，実際の広告サービスは，各SNSプラットフォーム事業者が，独自のアルゴリズムと価格で行っていると捉えることができる。このため，Ａ社は，SNS広告サービスへの「支配」を有しているとはいえず，当該サービスについては，Ａ社は「代理人」という位置付けになる。一方で，広告用アカウント管理サービスは，Ａ社自らの責任においてサービス提供しており，他社が関与していないため，「本人」に該当する。したがって，SNSプラットフォーム事業者に支払う広告費部分を除いた広告用アカウント管理報酬に係る手数料部分についてのみ収益認識する必要がある。

発展ケース

Q

A社において，消費税等の税抜方式及び売上高のネット処理を採用した場合，法人税及び消費税上はどのような影響が生じるか。

A

まず，税抜方式の採用により，法人税上は，主に次のような影響が生じる。

① 中小法人等における交際費の損金算入限度額の判断を，税抜金額ベースで行うことになるため，従来よりも損金算入限度額の枠が広がる効果がある。

　税込処理：
　　交際費合計で税込800万円までは損金算入可能
　税抜処理：
　　交際費合計で税込880万円（税抜800万円）までは損金算入可能

② 少額減価償却資産の判定も税抜金額ベースで行うことになるため，これらと判定される範囲が広がる（一括償却資産も同様）。

　税込処理：
　　取得価額で税込10万円未満は少額減価償却資産として全額損金算入可能
　税抜処理：
　　取得価額で税込11万円（税抜10万円）未満は少額減価償却資産として全額損金算入可能

なお，消費税上は，影響は生じない。

次に売上高のネット処理を採用した場合であるが，収益（益金）と費用（損金）を総額で計上するか，相殺して純額で計上するかの違いであるので，法人税上は原則として課税所得への影響は生じない。

一方，消費税については，消費税の課税対象として，広告費部分も含めた総額を課税取引としていたか，手数料相当額の純額部分のみを課税取引としていたか否かにより，納税額への影響が生じる場合がある（これにより結果的に法人税上の課税所得への影響も生じる）。

　現状では，SNSプラットフォーム事業者が国外事業者（例：Facebook, Twitter等）であることが多く，これら事業者による広告配信は「事業者向け電気通信利用役務の提供」に該当し，消費税の課税方式としてリバースチャージ方式が採用されている。従来のグロス処理において，これらの国外SNSプラットフォーム事業者に対して支払う広告費相当額も含めて課税売上に計上していた場合は，売上高のネット処理を採用することで消費税の納税額は減少する。

　なお，消費税法基本通達において，他社へ委託する配送料を別途収受していた場合の取扱いが定められている。

（消費税法基本通達10-1-16）
　事業者が，課税資産の譲渡等に係る相手先から，他の者に委託する配送等に係る料金を課税資産の譲渡の対価の額と明確に区分して収受し，当該料金を預り金又は仮受金等として処理している場合の，当該料金は，当該事業者における課税資産の譲渡等の対価の額に含めないものとして差し支えない。

　A社の取引も広告サービス自体は，SNSプラットフォーム事業者に委託する形で行われているものであり自らがサービス提供しているものではなく，広告サービス部分の価格もSNSプラットフォーム事業者の価格を分けて提示しているため，上記基本通達を適用して，広告費相当額を立替金や預り金といった形で明確に区分して経理処理を行えば，当該広告費相当額については，消費税の課税対象外とすることができる。

収益認識に関する会計基準とは：

　企業会計基準委員会は，平成30年（2018年）3月30日に「収益認識に関する会計基準」（企業会計基準第29号）及び「収益認識に関する会計基準の適用指針」（企業会計基準適用指針第30号）を公表した。収益の認識については，企業会計原則第二損益計算書原則三のBにおいて「売上高は，実現主義の原則に従い，商品等の販売又は給付によって実現したものに限る。」とされ，同注解（注6）において，委託販売等の特殊な販売契約について実現主義を適用する場合の考え方が述べられているのみで，収益認識に関する包括的な会計基準はこれまで開発されていなかった。企業会計原則の設定は昭和24年（1949年）7月9日であるため，実に69年近くに渡り，収益認識について具体的な会計基準が存在しないまま，企業会計実務が行われていたことになる。

　会計基準及び適用指針の本文は，企業会計基準委員会ホームページからダウンロードできる。ダウンロードするとわかるが，会計基準が全35ページ，適用指針に至っては設例部分も含めると全106ページとかなりの分量である。また，実際に読んでみると，用語が非常に特殊であり，今までの会計基準では見たこともない用語のオンパレードである（例：財又はサービスの束，履行義務，契約資産，契約負債等々）。このため，全文を読んで内容を理解するのはかなり苦労する。これは，平成26年（2014年）5月に国際会計基準審議会がIFRS第15号「顧客との契約から生じる収益」を公表したことを踏まえ，企業会計基準委員会がIFRS第15号を，ほぼそのまま受け入れて国内会計基準化したことによる。

　会計基準では，企業側に収益の認識のために次の5つのステップを踏むことを求めている。

① 顧客との契約を識別する。
② 契約における履行義務を識別する。
③ 取引価格を算定する。

④ 契約における履行義務に取引価格を配分する。
⑤ 履行義務を充足した時に又は充足するにつれて収益を認識する。

　実際の会計実務において，収益認識時（例：売上高計上時）にこれらの5つのステップを意識したことは少ないかもしれない。しかし，会計基準適用後は，収益認識時にこれら5つのステップについて再度検討することが必要となる。

　最後の⑤のステップで，実際に収益が認識されるわけであるが，ここでのキーワードは「履行義務の充足」である。何をもって「履行義務の充足」と捉えるかが非常に重要となる。

　「履行義務の充足」には，「一定期間にわたる履行義務の充足」（例：一定期間に渡る役務提供）と「一時点における履行義務の充足」（例：商品の販売）がある。「一定期間にわたる履行義務の充足」とは，資産（財又はサービス）に対する支配を顧客に一定の期間にわたり移転することによる履行義務の充足であり，次の(1)から(3)のいずれかの要件を満たす場合をいう（会計基準第38項）。

---

(1) 企業が顧客との契約における義務を履行するにつれて，顧客が便益を享受すること
(2) 企業が顧客との契約における義務を履行することにより，資産が生じる又は資産の価値が増加し，当該資産が生じる又は当該資産の価値が増加するにつれて，顧客が当該資産を支配すること
(3) 次の要件のいずれも満たすこと
　① 企業が顧客との契約における義務を履行することにより，別の用途に転用することができない資産が生じること
　② 企業が顧客との契約における義務の履行を完了した部分について，対価を収受する強制力のある権利を有していること

　また，「一時点における履行義務の充足」とは，資産（財又はサービス）に

対する支配を顧客に対して一時点で移転することによる履行義務の充足である。ここでの資産に対する支配の移転時点を決定する際の指標として，会計基準では次の5つを例示している（会計基準第39項）。

---

(1) 企業が顧客に提供した資産に関する対価を収受する現在の権利を有していること
(2) 顧客が資産に対する法的所有権を有していること
(3) 企業が資産の物理的占有を移転したこと
(4) 顧客が資産の所有に伴う重大なリスクを負い，経済価値を享受していること
(5) 顧客が資産を検収したこと

以上より，上記会計基準の文言からも明らかであるが，資産（財又はサービス）に対する支配を移転することをもって，履行義務が充足されるという関係にある。

ここでの資産（財又はサービス）に対する支配とは，会計基準の言葉では「当該資産の使用を指図し，当該資産からの残りの便益のほとんどすべてを享受する能力（他の企業が資産の使用を指図して資産から便益を享受することを妨げる能力を含む。）をいう。」としている。

ところで，IFRS第15号を適用する場合，商品又は製品の売上高計上基準として国内で一般的な出荷基準は，原則として認められないと考えられている。これは，出荷時点では，商品又は製品が顧客に届いていない以上，一般的には顧客が商品又は製品に対する支配を獲得しておらず，履行義務を充足したとは言えないからである。今回の会計基準及び適用指針においても，ほぼIFRS第15号の考え方を踏襲しており，また，上記の支配の移転時期の指標と照らしてみても，出荷時では商品又は製品に対する支配が移転しているとは言えず履行義務を充足していないのが原則である。しかし，国内では商品又は製品の売上高計上基準として出荷基準による収益認識が広く浸透しており，こ

れを認めないと企業実務に大きな影響を与える可能性もある。一方，現代の物流手段の発達を考えれば，出荷時点から商品又は製品に対する支配の顧客への移転時期（例：検収時点）との時間的差異は極めて短いと考えられる。したがって，仮に出荷基準による収益認識を認めても，支配移転時点での収益認識を行った場合との差異として，財務諸表の期間比較性を損なうほどの金額的重要性は生じないと考えられることから，例外的に出荷時から支配移転時期までの期間が「通常の期間」である場合には，出荷時から支配移転時期までの間の一時点（例えば，出荷時や着荷時）に収益認識できることとされた（適用指針第98項）。この場合の「通常の期間」とは，「当該期間が国内における出荷及び配送に要する日数に照らして取引慣行ごとに合理的と考えられる日数」をいう。この期間は1〜3日程度とも言われているが，実務上は監査法人と協議する必要がある。

◯×問題

Q

A社（売主）とB社（買主）はC商品の売買契約を締結した。A社は契約通りC商品を出荷してB社に納品しようとしたが，B社側から倉庫での保管場所が確保できないとの理由により，しばらく出荷を待ってほしいとの要請があった。A社は要請に応じたが，資金繰りの関係もあるため，代金については当初の約定通りにB社に請求し支払いを受けた。なお，A社の倉庫内では，B社出荷予定商品について，区別して保管することは特に行っておらず，B社から出荷要請があれば，改めてB社向けに出荷用のC商品をピックアップして出荷する予定である。以上のような場合は，A社はC商品の販売収益を認識して良い。

A

× 本契約は，いわゆる請求済未出荷契約である。請求済未出荷契約においては，次の(1)から(4)の要件の全てを満たさない限り，顧客が商品

又は製品の支配を獲得したと言えず，収益認識することはできない（適用指針第 79 項）。

(1) 請求済未出荷契約を締結した合理的な理由があること（例えば，顧客からの要望による当該契約の締結）
(2) 当該商品又は製品が，顧客に属するものとして区分して識別されていること
(3) 当該商品又は製品について，顧客に対して物理的に移転する準備が整っていること
(4) 当該商品又は製品を使用する能力あるいは他の顧客に振り向ける能力を企業が有していないこと

本問の場合，上記(2)の要件を満たしていない。

7 【会計処理】
固定資産の計上基準について

事例の概要

　A社（取締役会非設置会社）はゲームソフト開発会社であり，BはA社の創立者兼代表取締役社長である。A社の業績は順調に推移し，第5期は売上高10億円を超え，経常利益も1億円を超えるまでになっていた。現在第6期を迎えたところである。

　B社長は従来から将来的にはIPOしたいと漠然と考えていたが，特にIPOに向けた動きはしていなかった。しかし，経常利益も1億円を超えたので，IPOについて顧問会計士のCに相談してみることとした。

　「C先生，実は将来的にはIPOしたいと考えているのですが，現時点で，会社として行っておくべきことは何かありますか。」

　顧問会計士Cは次のように答えた。

　「それならば，節税を意識した会計処理を改めていく必要がありますね。御社の場合，有形固定資産のほとんどはパソコンですが，節税のために中小企業者等の少額減価償却資産の取得価額の損金算入の特例制度を用いて，そのほとんどを消耗品費として一括費用処理しています。今期からこれを改めましょう。それと，減価償却方法についても，定率法から定額法に変更することを検討しましょう。」

何が問題なのか

　法人税法上の中小企業者（後述）の場合，節税のため，「少額減価償却資産の取得価額の損金算入の特例」（租税特別措置法第67条の5）を用いて，取得価額30万円未満の減価償却資産を一括して消耗品費等として費用計上していることが多い。これは，節税になる上，一般的に事

務処理能力に限界のある中小企業者にとっては、償却資産の管理や申告手続などの事務負担の軽減というメリットもある。

IPO準備会社は、上場までは、法人税法上の中小企業者に該当している場合も多い。そのため、上記の特例制度を利用していることも多いのが実状である。しかし、A社のようなIT系企業は、パソコン等の少額の減価償却資産を保有しているケースが多く、上記特例制度を利用すると、使用している有形固定資産のほとんどが消耗品費として費用計上されてしまうことになり、貸借対照表が企業の実態を表さなくなってしまう。

また、IPOを考えた場合、定率法には次のようなデメリットがあるとともに、定率法から定額法への変更は企業会計上、会計処理の変更に該当することとなり、容易ではない。

① 定率法は税法改正の影響を受けやすく、それにより決算業務が煩雑化する。
② 設備投資計画による減価償却費の将来予測が難しい。

そのため、IPO準備会社では、早い段階で企業の経済的実態をより良く反映する会計処理として定率法がよいのか定額法がよいのかを検討しておくことが望ましい。

⁇ どのように解決するか ⁇

1．固定資産の資産計上基準の変更

固定資産管理規程や経理規程等の関連規程を変更して、減価償却資産の資産計上基準（固定資産管理ソフトへの登録基準）を変更する。資産計上基準としては、税法基準を考慮して次のものが考えられる。

① 取得価額10万円以上を固定資産計上
② 取得価額20万円以上を固定資産計上

企業の実態を適切に貸借対照表に反映するためには、最近のパソコンの低価

格化を考えれば，20万円基準では多くのパソコンがオフバランス化となってしまう可能性がある。したがって，企業規模が小さい場合が多いIPO準備段階では，10万円基準を採用するのがよいと思われる。

さらに，10万円基準を採用した場合，10万円以上20万円未満の減価償却資産について，税法上の一括償却資産として3年均等償却を採用すべきか否かも問題となる。一括償却資産の3年均等償却については，現状でも監査上は認められた処理とされているが，一括償却資産の3年均等償却制度は税務固有の制度であり，また，以下の観点からも企業会計上の採用は望ましくないと思われる（『問答式法人税事例選集―平成24年10月改訂』清文社，316ページ）。

① 一括償却資産に係る損金算入額は一括償却資産を構成する個々の資産の耐用年数とは無関係に3年間均等償却とすること。
② 一括償却資産を構成する個々の資産について，滅失や除却等が生じても，これに係る処理をしないこと（法人税基本通達7-1-13）。

2．減価償却方法を定率法から定額法に変更

上記1．と同様に固定資産管理規程や経理規程等の関連規程の減価償却方法を定率法から定額法に変更するとともに，固定資産管理ソフトの設定を変更する。

また，税務上も減価償却資産の償却方法を変更することで，償却に係る申告調整が不要となり，決算業務を効率的に行うことができる。

税務上，減価償却資産の償却方法を変更しようとする時は，原則として，新たな償却方法を採用しようとする事業年度開始の日の前日までに償却方法を変更しようとする理由などを記載した「減価償却資産の償却方法の変更承認申請書」を所轄税務署長に提出して，所轄税務署長の承認を受けなければならない。

したがって，A社でも当該申請書を所轄税務署に提出する必要があるが，税務上の変更はあくまでも翌期（第7期）からとなる。

なお，定率法から定額法に変更した場合，実務上は，税法に則った処理を行うが，税法ではその変更を行った事業年度開始の日における帳簿価額を取得価

額とみなし，これに耐用年数に応じた定額法の償却率を乗じて減価償却計算を行うこととなる。このとき用いる耐用年数について，税法上は以下の2つの年数が認められている。

① 当該減価償却資産について定められている法定耐用年数
② 当該減価償却資産について定められている法定耐用年数から，採用していた償却方法に応じた経過年数を控除した年数（残存耐用年数）

このうち①の法定耐用年数をそのまま用いる方法は，結果として減価償却資産の償却年数が法定耐用年数を超えることになり，監査上認められない会計処理となる（「減価償却に関する当面の監査上の取扱い」（日本公認会計士協会監査・保証実務委員会実務指針第81号））。したがって，企業会計上は②の残存耐用年数を用いなければならない。

発展ケース

Q
　A社で，その後，企業規模が拡大し，10万円基準による資産計上では，固定資産管理に伴う事務負担が大きくなってきた場合は，どうしたらよいか。

A
　20万円基準への変更を検討する。なお，固定資産の資産計上基準の変更は「会計方針の変更」として，正当な理由が求められる。資産計上基準を10万円基準から20万円基準へ変更する正当な理由としては，「企業規模の拡大に伴う事務処理の効率化」及び「財務体質の健全化」などが考えられる。このように，企業規模が小さいIPO準備段階では，まずは10万円基準による資産計上を行い，企業規模拡大に伴い，20万円基準への変更を検討するという流れの方がよいといえる。

知識を整理

法人税法上の中小企業者とは、以下のいずれかに該当する法人をいう。

① 資本金の額又は出資金の額が1億円以下の法人

ただし、同一の大規模法人（資本金の額もしくは出資金の額が1億円を超える法人又は資本もしくは出資を有しない法人のうち常時使用する従業員の数が1,000人を超える法人をいい、中小企業投資育成株式会社を除く）に発行済株式又は出資の総数又は総額の2分の1以上を所有されている法人及び2以上の大規模法人に発行済株式又は出資の総数又は総額の3分の2以上を所有されている法人を除く。

② 資本又は出資を有しない法人のうち、常時使用する従業員の数が1,000人以下の法人

中小企業者で青色申告法人は、「少額減価償却資産の取得価額の損金算入の特例」を利用することができる。この特例の対象となる資産は、「取得価額が30万円未満の減価償却資産」（少額減価償却資産）であり、一定の要件の下、その取得価額に相当する金額を損金算入することができる。ただし、適用を受ける事業年度における少額減価償却資産の取得価額の合計額が300万円を超える時は、その取得価額の合計額のうち300万円に達するまでの少額減価償却資産の取得価額の合計額が限度となる（詳しくは下記国税庁ホームページ参照 https://www.nta.go.jp/taxes/shiraberu/taxanswer/hojin/5408.htm）。

なお、中小企業者向けの税制に関しては、以下の中小企業庁ホームページに詳しく紹介されている。

https://www.chusho.meti.go.jp/zaimu/zeisei/index.html

○×問題

Q1

中小企業者等の少額減価償却資産の取得価額の損金算入の特例は、中古取得資産については適用できない。

7 固定資産の計上基準について

A1

× 中古取得資産にも適用することができる。これに対し租税特別措置法上の「中小企業投資促進税制」や「商業・サービス業・農林水産業活性化税制」等においては、中古取得資産は適用対象外となる。

Q2

消費税等の経理処理として税抜処理を採用している場合、少額減価償却資産に該当するか否かの判断は税抜金額で行う。

A2

○ 正しい。仮に税込処理の場合は、税込金額で判断する。なお、上場する場合は、税込処理は原則として認められず、税抜処理にしなければならない。また、「収益認識に関する会計基準」(企業会計基準第29号)及び「収益認識に関する会計基準の適用指針」(企業会計基準適用指針第30号)が適用となる2021年4月1日以後開始連結会計年度及び事業年度からは、税込処理は認められないこととなる。

8 【会計処理】税効果会計の適用について

事例の概要

　A社は，大学と提携し，がん治療薬の開発を行うバイオベンチャーである。研究開発資金をVC（ベンチャーキャピタル）や製薬会社等から調達したが，売上はほとんど計上されていない。現在，創業3期目を迎えたところである。

　A社は，大株主であるVCや製薬会社等の意向もあることから，将来的にはIPOを目指しており，この度，大手監査法人Bとアドバイザリー契約を締結した。

　B法人の担当会計士Cが，A社の決算書のレビューを行ったところ，A社の決算書には多額の繰延税金資産が計上されていた。そこで，A社の経理担当者に経緯を尋ねたところ，「決算業務は顧問税理士であるD税理士に全て委託しているので詳細はわからない」とのことであった。決算書の内容について，他にも確認したい点があったため，担当会計士CはA社に依頼し，A社の決算を担当している顧問税理士Dとの面会の機会を設けてもらい，ヒアリングを行った。

　C：「D先生，A社の決算書には多額の繰延税金資産が計上されていますが，これはなぜでしょうか」

　D：「A社から，将来的にはIPOを目指しているとお聞きしていましたので，それならばIPO前でも税効果会計の適用をしておこうと思いまして。A社には多額の繰越欠損金がありますので，これに係る繰延税金資産が計上されています」

　C：「A社はバイオベンチャーであり，創業3期目であることから，一般的には今後もしばらくは赤字が続くと想定されます。それなのに，なぜ，繰越欠損金に係る繰延税金資産を計上する必要性が

あるのですか」
D：「繰越欠損金は，別表 5（1）に計上されるような一時差異ではないですが，将来の課税所得を減額する効果があるため，一時差異と同様に扱い繰延税金資産を計上しました」

何が問題なのか

　以前は，未上場企業の多くは，税効果会計の適用を行っていなかった。しかし，最近では「中小企業の会計に関する指針」に基づいた決算書の作成を行うことも多くなったことから，未上場企業でも税効果会計を適用している事例も多くなっている。

　税効果会計を適用する場合，基本的には貸借対照表に計上されている資産及び負債の金額と課税所得計算上の資産及び負債の金額との差額（法人税確定申告書別表 5 (1)に記載されている項目であり，一時差異という。このうち，当該一時差異が解消するときにその期の課税所得を減額する効果を持つものを将来減算一時差異という）に法定実効税率を乗じて，繰延税金資産又は繰延税金負債を算定する。しかし，別表 5 (1)に記載されていない項目でも，将来の課税所得と相殺可能な繰越欠損金や繰越外国税額控除，繰越可能な租税特別措置法上の法人税の特別控除等についても将来の課税所得を減額する効果があるため，一時差異と同様に取り扱う必要がある。

　ところで，繰延税金資産について資産性が認められる理由は，「将来の税金負担額の軽減効果が認められるから」である。また，繰延税金資産については，のれんや繰延資産のような分配可能額規制（会社計算規則第 158 条第 1 号）がない。したがって，繰延税金資産の計上に際しては，架空資産の計上とならないように，将来の税金負担額を軽減する効果が認められるか否かを慎重に判断しなければならない。これを会計学的な用語では「繰延税金資産の回収可能性の検討」という。

> 　税務上の繰越欠損金については，これが計上されている会社は，通常の場合，会社の収益性が悪化していることが多い。したがって，これに係る繰延税金資産の計上については，より慎重な対応が望まれる。Ａ社の顧問税理士Ｄは，「繰延税金資産の回収可能性の検討」を行わず，機械的な計算のみで繰延税金資産を計上していることから，問題がある。
>
> 　また，Ａ社では決算業務を全面的に顧問税理士Ｄに委託し，その内容について自社内で分析し把握する体制が整備されていない。未上場企業の場合，こうした事例は多いが，IPOのためには，基本的には決算業務全般について内製化が必要であり，決算数値及び内容について自社内で分析し，内容を理解する体制を整備することが求められる。

⑦ どのように解決するか ⑦

1．企業会計基準適用指針第26号「繰延税金資産の回収可能性に関する適用指針」の理解

　前述のとおり，繰延税金資産の計上に際しては，その回収可能性について慎重に検討しなければならない。しかし，回収可能性の判断は，結局将来の課税所得に依存し，何らかの指針がない場合は，会社の恣意的な判断が介入し，客観的な判断がされない可能性がある。そこで，企業会計基準委員会では，企業会計基準適用指針第26号「繰延税金資産の回収可能性に関する適用指針」を公表し，会計実務上の指針とすることを求めている。

　IPO準備会社においても，この適用指針の内容（後述）を理解し，これに基づいた繰延税金資産の計上を行う必要がある。

2．決算業務の内製化

　IPOのためには，基本的には税金計算も含めて決算業務を内製化する必要がある。しかし，IPO準備会社では，一般的に決算業務の内製化に対応できる人材の獲得に苦労しており，公認会計士や税理士といった有資格者を経理業

務責任者として雇用したり，会計系や税務申告系のパッケージソフトを活用して，内製化を図っている。なお，日本公認会計士協会では，有資格者を紹介する求人サイト「JICPA Career Navi」を立ち上げているので，利用するとよい（https://career.jicpa.or.jp/）。

また，内製化の際には，「決算業務の可視化」を図ることが重要である。つまり，決算業務に用いた資料や判断根拠を文書化又はデータ化することで，ノウハウの共有，業務の均質化及び決算業務の効率化等を図ることができる。

さらに，内製化のみでは不安な部分については，外部の専門家を利用することも検討する。例えば，税金計算について，顧問税理士にチェックを行ってもらうことなどが考えられる。

発展ケース

Q

税効果会計適用に伴い必要な注記事項として，「法定実効税率と税効果会計適用後の法人税等の負担率との差異の原因となった主な項目別の内訳」がある。これにはどのような項目があるか。

A

本来，税効果会計適用後の法人税等の負担率と法定実効税率は一致するはずである。しかし，これに差異が生じた場合は，その原因を分析する必要がある。これを「タックスプルーフ」という。この分析により，税効果会計の処理が正しく行われているか否か確かめることができる。IPO準備会社における主な発生原因（個別財務諸表の場合）は，以下のとおりである。

① 交際費，寄附金，役員賞与，各種加算税・延滞税等の損金不算入額（別表4における「社外流出」項目）
② 受取配当金の益金不算入額
③ 完全支配関係のある法人間の受贈益の益金不算入額

④ 役員賞与引当金
⑤ 過年度法人税等
⑥ 住民税均等割額
⑦ 税率変更による期末繰延税金資産の減額（増額）修正額
⑧ 評価性引当額の増減額
⑨ 当期に発生した租税特別措置法上の特別税額控除額
⑩ 当期に発生した租税特別措置法上の特別税額控除額の繰越額
⑪ 前期から繰り越してきた租税特別措置法上の特別税額控除額の繰越期限切れによる切捨額
⑫ 中小法人等の軽減税率適用による差異
⑬ 抱合せ株式消滅差損益
⑭ 税制適格ストック・オプションに係る費用（ただし，IPO準備段階で計上されることは，稀である）
⑮ 未払法人税等の計上余裕額（いわゆるタックスクッションと呼ばれるもの）

　実際にこのタックスプルーフを行うためにはかなり専門的な知識も必要となる。このため，IPO準備会社でこの作業を完全に内製化することは困難な場合が多く，この分析作業については，顧問税理士・顧問会計士に依頼することも多いであろう。特に連結財務諸表を作成する会社の場合は，さらに複雑となり，専門家の手を借りなければ，もはやお手上げの状態になることもあり得る。

　また，実務上，未払法人税等の計上について，後日の税務調査時の否認事項等に備えて，やや余裕をみて多めに計上することがある。この余裕分を「タックスクッション」という。合理的な見積りによらないタックスクッションについては，税金費用の過大計上になってしまい公正な会計慣行に則った会計処理とはいえなくなることに留意しなければならない。

知識を整理

1．繰延税金資産の回収可能性の判断とは

企業会計基準適用指針では，回収可能性の判断を次のように行うことを求めている（企業会計基準適用指針第26号第11項）。

① 期末における将来減算一時差異の解消見込年度のスケジューリングを行う。

② 期末における将来加算一時差異の解消見込年度のスケジューリングを行う。

③ 将来減算一時差異の解消見込額と将来加算一時差異の解消見込額とを，解消見込年度ごとに相殺する。

④ ③で相殺し切れなかった将来減算一時差異の解消見込額については，解消見込年度を基準として繰戻・繰越期間の将来加算一時差異（③で相殺後）の解消見込額と相殺する。

⑤ ①から④により相殺し切れなかった将来減算一時差異の解消見込額については，将来の一時差異等加減算前課税所得の見積額（タックス・プランニング（後述）に基づく一時差異等加減算前課税所得の見積額を含む）と解消見込年度ごとに相殺する。

⑥ ⑤で相殺し切れなかった将来減算一時差異の解消見込額については，解消見込年度を基準として繰戻・繰越期間の一時差異等加減算前課税所得の見積額（⑤で相殺後）と相殺する。

⑦ ①から⑥により相殺し切れなかった将来減算一時差異に係る繰延税金資産の回収可能性はないものとし，繰延税金資産から控除する。

⑧ 期末に税務上の繰越欠損金を有する場合，その繰越期間にわたって，将来の課税所得の見積額（税務上の繰越欠損金控除前）に基づき，税務上の繰越欠損金の控除見込年度及び控除見込額のスケジューリングを行い，回収が見込まれる金額を繰延税金資産として計上する。

重要なことは，一時差異等の解消見込みのスケジューリング（一時差異等の

解消時期及び金額の予測）を行うことと，将来の一時差異等加減算前課税所得の見積り（概ね将来5年以内）を行うことである。そして，これらのスケジューリングと一時差異等加減算前課税所得の見積りは，事業計画の一環として策定され，取締役会の承認を得たものでなければならない。

なお，わが国の税制から，将来減算一時差異の金額が将来加算一時差異の金額を上回ることが多い。このため，上記⑤及び⑥における一時差異等加減算前課税所得の見積額の妥当性が回収可能性の判断の上で重要となる。しかし，あくまでも見積りであるため，そこには企業側の恣意性が介入する可能性も高い。そこで，企業会計基準適用指針では，次のように過去の業績等に応じて企業を5つに分類し，各分類別に回収可能性の判断を行うものとしている（企業会計基準適用指針第26号第15項～第31項）。なお，次表のうち，長期解消一時差異とは，退職給付引当金や減価償却超過額に係る将来減算一時差異のように，スケジューリングの結果，その将来解消年度が長期に渡るものをいう。

【企業の分類に応じた繰延税金資産の回収可能性に関する取扱い】

企業分類		スケジューリング可能な一時差異に係る繰延税金資産		スケジューリング不能な一時差異に係る繰延税金資産
		通常の一時差異に係るもの	長期解消一時差異に係るもの	
分類1	次の要件をいずれも満たす企業 (1) 過去（3年）及び当期の全ての事業年度において，期末における将来減算一時差異を十分に上回る課税所得が生じている。 (2) 当期末において，近い将来に経営環境に著しい変化が見込まれない。	回収可能性あり		

分類2	次の要件をいずれも満たす企業 (1) 過去（3年）及び当期の全ての事業年度において，臨時的な原因により生じたものを除いた課税所得が，期末における将来減算一時差異を下回るものの，安定的に生じている。 (2) 当期末において，近い将来に経営環境に著しい変化が見込まれない。 (3) 過去（3年）及び当期のいずれの事業年度においても重要な税務上の欠損金が生じていない。	回収可能性あり	回収可能性なし （ただし，将来のいずれかの時点で損金算入される可能性が高いものについて，その事実を企業が合理的な根拠をもって説明できる場合，当該スケジューリング不能な将来減算一時差異に係る繰延税金資産は回収可能性あり）
	(分類4)の要件を満たす企業で，重要な税務上の欠損金が生じた原因，中長期計画，過去における中長期計画の達成状況，過去（3年）及び当期の課税所得又は税務上の欠損金の推移等を勘案して，将来の一時差異等加減算前課税所得を見積る場合，将来において5年超にわたり一時差異等加減算前課税所得が安定的に生じ		

	ることを企業が合理的な根拠をもって説明できるとき				
分類3	次の要件をいずれも満たす企業 (1) 過去（3年）及び当期において，臨時的な原因により生じたものを除いた課税所得が大きく増減している。 (2) 過去（3年）及び当期のいずれの事業年度においても重要な税務上の欠損金が生じていない。	将来の合理的な見積可能期間（概ね5年）以内の一時差異等加減算前課税所得の見積額に基づいて，当該見積可能期間の一時差異等のスケジューリングの結果，繰延税金資産を見積る場合，当該繰延税金資産は回収可能性あり	臨時的な原因により生じたものを除いた課税所得が大きく増減している原因，中長期計画，過去における中長期計画の達成状況，過去（3年）及び当期の課税所得の推移等を勘案して，5年を超える見積可能期間においてスケジューリングされた一時差異等に係る繰延税金資産が回収可能であることを合理的根拠をもって説明できる場合は，当該繰延税金資産についても回収可能性あり	合理的な見積可能期間（概ね5年）を超えた期間であっても，当期末における当該将来減算一時差異の最終解消見込年度までに解消されると見込まれる将来減算一時差異に係る繰延税金資産は回収可能性あり	回収可能性なし
	(分類4)の要件を満たす企業で，重要な税務上の欠損金が生じた原因，中長期計画，過去における中長期計画の達成状況，過去（3年）及び当期の課税所得又は税務上の欠損金の推移等を勘案して，将来の一時差異等加減算前課税所得を見積る場合，将来において概ね3年から5年程度は一時差異等加減算前課税所得が生じることを企業が合理的な根拠をもって説明できるとき				

分類4	次のいずれかの要件を満たし，かつ翌期において一時差異等加減算前課税所得が生じることが見込まれる企業 (1) 過去（3年）又は当期において，重要な税務上の欠損金が生じている。 (2) 過去（3年）において，重要な税務上の欠損金の繰越期限切れとなった事実がある。 (3) 当期末において，重要な税務上の欠損金の繰越期限切れが見込まれる。	翌期の一時差異等加減算前課税所得の見積額に基づいて，翌期の一時差異等のスケジューリングの結果，繰延税金資産を見積る場合，当該繰延税金資産は回収可能性あり
		回収可能性なし
分類5	次の要件をいずれも満たす企業 (1) 過去（3年）及び当期の全ての事業年度において，重要な税務上の欠損金が生じている。 (2) 翌期においても重要な税務上の欠損金が生じることが見込まれる。	回収可能性なし

　上記の表から，分類1の企業の場合はスケジューリングに関わらず，繰延税金資産の全額について回収可能と判断でき，反対に分類5の企業の場合は，スケジューリングに関わらず繰延税金資産の全額について回収不能と判断できる。

　また，上記の表からも明らかなとおり，一時差異が「スケジューリング可能な一時差異」か「スケジューリング不能な一時差異」かの分類は，繰延税金資

産の回収可能性の判断に大きく影響する。この点について企業会計基準適用指針では「期末において税務上の損金の算入時期が明確ではない将来減算一時差異のうち，例えば，貸倒引当金等のように，将来発生が見込まれる損失を見積もったものであるが，その損失の発生時期を個別に特定し，スケジューリングすることが実務上困難なものは，過去の税務上の損金の算入実績に将来の合理的な予測を加味した方法等によりスケジューリングが行われている限り，スケジューリング不能な一時差異とは取り扱わない。」としている（企業会計基準適用指針第26号第13項）。

したがって，IPO準備作業においても，繰延税金資産の回収可能性の判断にあたっては，一時差異について，過去の損金算入（又は益金算入）実績のデータを蓄積して，スケジューリングが可能な状態にしておくことが重要である。

2．タックス・プランニングの実現可能性に関する取扱い

タックス・プランニングに基づく一時差異等加減算前課税所得の見積額により繰延税金資産の回収可能性を判断する場合，資産（有価証券，不動産等）の含み益等の実現可能性を考慮することが必要である。企業会計基準適用指針では，タックス・プランニングの実現可能性についても，次表のとおり，上記の企業分類に応じた一定の判断指針を提供している（企業会計基準適用指針第26号第33項及び第34項）。

企業分類	タックス・プランニングの実現可能性に関する取扱い
分類1の企業	タックス・プランニングに基づく一時差異等加減算前課税所得の見積額を，将来の一時差異等加減算前課税所得の見積額に織り込んで繰延税金資産の回収可能性を考慮する必要はない。
分類2の企業	次の①及び②をいずれも満たす場合，タックス・プランニングに基づく一時差異等加減算前課税所得の見積額を，将来の一時差異等加減算前課税所得の見積額に織り込むことができる。 ① 資産の売却等に係る意思決定の有無及び実行可能性

	資産の売却等に係る意思決定が，事業計画や方針等で明確となっており，かつ，資産の売却等に経済的合理性があり，実行可能である場合 ② 売却される資産の含み益等に係る金額の妥当性 　売却される資産の含み益等に係る金額が，契約等で確定している場合又は契約等で確定していない場合でも，例えば，有価証券については期末の時価，不動産については期末前概ね1年以内の不動産鑑定評価額等の公正な評価額によっている場合
分類3の企業	次の①及び②をいずれも満たす場合，タックス・プランニングに基づく一時差異等加減算前課税所得の見積額を，将来の合理的な見積可能期間（概ね5年又は一定の場合5年を超える期間）の一時差異等加減算前課税所得の見積額に織り込むことができる。 ① 資産の売却等に係る意思決定の有無及び実行可能性 　将来の合理的な見積可能期間（概ね5年又は一定の場合には5年を超える期間）に資産を売却する等の意思決定が事業計画や方針等で明確となっており，かつ，資産の売却等に経済的合理性があり，実行可能である場合 ② 売却される資産の含み益等に係る金額の妥当性 　売却される資産の含み益等に係る金額が，契約等で確定している場合又は契約等で確定していない場合でも，例えば，有価証券については期末の時価，不動産については期末前概ね1年以内の不動産鑑定評価額等の公正な評価額によっている場合
分類4の企業	次の①及び②をいずれも満たす場合，タックス・プランニングに基づく一時差異等加減算前課税所得の見積額を，翌期の一時差異等加減算前課税所得の見積額に織り込むことができる。 ① 資産の売却等に係る意思決定の有無及び実行可能性 　資産の売却等に係る意思決定が，適切な権限を有する機関の承認，決裁権限者による決裁又は契約等で明確となっており，確実に実行されると見込まれる場合 ② 売却される資産の含み益等に係る金額の妥当性 　売却される資産の含み益等に係る金額が，契約等で確定している場合又は契約等で確定していない場合でも，例えば，有価証券については期末の時価，不動産につい

	ては期末前概ね1年以内の不動産鑑定評価額等の公正な評価額によっている場合
分類5の企業	（原則） 繰延税金資産の回収可能性の判断にタックス・プランニングに基づく一時差異等加減算前課税所得の見積額を織り込むことはできない。 （特例） 税務上の繰越欠損金を十分に上回るほどの資産の含み益等を有しており，かつ，次の①及び②をいずれも満たす場合，タックス・プランニングに基づく一時差異等加減算前課税所得の見積額を，翌期の一時差異等加減算前課税所得の見積額に織り込むことができる。 ①　資産の売却等に係る意思決定の有無及び実行可能性 　　資産の売却等に係る意思決定が，適切な権限を有する機関の承認，決裁権限者による決裁又は契約等で明確となっており，確実に実行されると見込まれる場合 ②　売却される資産の含み益等に係る金額の妥当性 　　売却される資産の含み益等に係る金額が，契約等で確定している場合又は契約等で確定していない場合でも，例えば，有価証券については期末の時価，不動産については期末前概ね1年以内の不動産鑑定評価額等の公正な評価額によっている場合

◯×問題

Q1

繰延税金資産については，全てその回収可能性の判断を行った上で，計上しなければならない。

A1

×　連結財務諸表上，消去された未実現利益に係る繰延税金資産については，例外的に繰延法の考え方が採用されており，回収可能性を検討する必要がない（日本公認会計士協会　会計制度委員会報告第6号「連結財務諸表における税効果会計に関する実務指針」第16項）。

Q2

繰延税金負債は，その全額を必ず計上しなければならない。

A2

× 繰延税金負債については，その支払可能性を検討した上で計上する（日本公認会計士協会 会計制度委員会報告第10号「個別財務諸表における税効果会計に関する実務指針」第16項及び第24項）。

Q3

連結手続上，減額修正された貸倒引当金が税務上損金として認められていたものであれば，減額修正された貸倒引当金の額に応じて，必ず繰延税金負債を計上しなければならない。

A3

× 原則として繰延税金負債を計上するが，債務者である連結子会社の業績悪化に伴い債権者が個別財務諸表上で貸倒引当金を計上し，これを税務上損金に算入した場合は，これに対応する繰延税金負債は計上しない（日本公認会計士協会 会計制度委員会報告第6号「連結財務諸表における税効果会計に関する実務指針」第19項及び第50項）。

9 【会計処理】減損会計の適用について

事例の概要

　A社は，ゲームソフトの開発を行う企業である。前期より将来のIPOに備えて，監査法人とアドバイザリー契約を締結して，指導を受けている。A社では，前期にリリースしたスマホ向けゲームアプリが大ヒットとなり，今期になり急激に業績が向上した。A社の創業者兼代表取締役CEOのBは，常々海外展開も考えており，優秀で勤勉なIT系技術者が多く，近年脚光を浴びているベトナムに新たなゲームソフト開発拠点を設けようと準備を進めていた。

　Bは自ら現地で面接を行い，日本留学経験もある優秀なゲームソフト開発技術者やキャラクターデザイナー，ミュージッククリエイター等を多数採用した。さらにBは，ベトナムに一大開発拠点を設けようと考え，現地の土地付ビルを1棟購入し，ゲームクリエイターがその創造性をいかんなく発揮できるように，各種のリラクゼーション設備を設けた。こうしてBは，ベトナム開発拠点の整備を進め，総額2億円程度を現地に投資した。Bは現地の安い人件費をベースに，日本向けのゲームソフト開発を行うことで，高い収益性を確保しようと目論んでいた。

　Bは現地の統括リーダーに日本留学経験のあるCを指名した。Cは早速日本向けのゲームソフト開発に取り掛かったが，Cが日本留学していたのは20年以上も前で，現在の日本の流行や文化については疎かった。結果として，リリースしたゲームソフトの販売収益は開発費を回収するに至らず，ベトナム事業は赤字を計上した。

　ベトナム事業は2期連続営業赤字となり，黒字化の見込みも立たないまま，3期目に入った。アドバイザリー契約を締結している監査法人の担当者DはBとの定期ミーティングの中で「ベトナム事業について，

今後の損益の見通しを教えてほしい。場合によっては，ベトナムの固定資産を減損処理しなければならない。」と言った。Bは減損処理の意味を十分にはわかっていなかったが，新聞等で目にしていたため，固定資産の減損処理をした場合には，多額の減損損失の計上が必要になることは認識した。BはDに言った。「ベトナム事業の損益予測は立てていないが，2～3年中には，必ず黒字化する。」

何が問題なのか

A社では，ベトナム事業の損益予測等の経営管理体制が構築できておらず，減損会計適用のための体制整備ができていない点が問題である。

固定資産の減損会計については，未上場企業のほとんどが適用していないのが実態であるが，これには次のような背景がある。

① 未上場企業の決算作業を担う税理士は，減損会計についての理解が乏しい。

② 減損損失が税務上損金不算入となるため，減損会計を適用しても節税効果が無い。

③ 未上場の中小企業向け会計基準である「中小企業の会計に関する指針」においても，減損会計の適用を強制してはいるが，「資産が相当期間遊休状態にあるなど将来使用の見込みが客観的にない」又は「固定資産の用途を転用したが採算が見込めない」場合で，かつ，「時価が著しく下落している」場合に減損損失を認識するとしており，その適用場面が減損会計基準よりも狭い。

IPO準備企業では，上場企業と同じ企業会計基準の適用が求められる。このため，減損会計を適用しないままIPO準備作業に入ると，時には監査法人より巨額の減損損失計上が求められることとなり，IPOスケジュールに支障をきたすなどの悪影響が生じることがある。したがって，企業としては，将来のIPOを意識した場合には，できる限り

> 早い段階で減損会計を検討し，直前々期に入る前の期までに適用すべきである。ところが，減損会計の適用のためには，資産のグルーピングや将来キャッシュ・フローの見積りといった未上場企業では従来一切行っていなかったような新たな作業が入るため，これらの作業を可能とする経営管理体制の整備が必須となり，他の企業会計基準の適用よりもハードルが高い。

⑦ どのように解決するか ⑦

1．企業会計基準適用指針第6号「固定資産の減損に係る会計基準の適用指針」の理解

減損会計を適用するためには，「固定資産の減損に係る会計基準」を理解するのは当然であるが，その際には，会計基準を適用する際の具体的指針となる適用指針を充分に読み込むことが重要である。適用指針によれば，減損会計の適用の流れは以下のとおりである（詳細は後述）。

① 資産のグルーピング
② 減損の兆候の有無の把握
③ 減損損失の認識の判定
④ 減損損失の測定
⑤ 必要事項の開示

2．減損会計適用のための社内体制の整備

減損会計適用のためには，既述のように社内の体制整備が必須である。これには将来の事業部門別の損益予測など，IPO準備作業の中で不可欠な「中期経営計画の策定」とも深く関わるので，詳細については165ページ以降もご覧頂きたい。

体制整備にあたっては，「減損の兆候」が生じているか否か定期的に把握することが重要となる。そのためには，固定資産を使用する現場部門からの

情報収集のみならず，管理部門においても継続的に「減損の兆候」をモニタリングできる体制作りが必要である。

体制整備作業は，会計監査を担当する監査法人と適宜協議し，情報共有を行いながら進める。そして，最終的には会計監査が可能となるように，減損会計適用時の各プロセスについて文書化・マニュアル化を行い，監査法人に適時に提供できるような体制を構築する必要がある。

なお，減損会計適用のための体制整備は，IPO準備会社単独では困難な場合も少なくない。そのため，適宜公認会計士等の外部専門家を活用して体制構築を進めるのがよいであろう。

発展ケース

Q

A社において，固定資産の減損損失に係る税効果会計上の取扱いはどうなるか。

A

固定資産の減損損失は，税効果会計上は将来減算一時差異に該当するが，当該減損損失に係る将来減算一時差異については，繰延税金資産の回収可能性の判断にあたり，まずスケジューリングの可否の判定を行う必要がある。この点について企業会計基準適用指針第26号「繰延税金資産の回収可能性に関する適用指針」では，以下のとおり行うこととしている。

① 償却資産

償却資産の減損損失に係る将来減算一時差異は，減価償却計算を通して解消されることから，スケジューリング可能な一時差異として取り扱う。

また，償却資産の減損損失に係る将来減算一時差異については，「繰延税金資産の回収可能性に関する適用指針」第35項に定める解

消見込年度が長期にわたる将来減算一時差異の取扱いを適用しない
　　　ものとする。
　　② 非償却資産
　　　　土地等の非償却資産の減損損失に係る将来減算一時差異は，売却
　　　等に係る意思決定又は実施計画等がない場合，スケジューリング不
　　　能な一時差異として取り扱う。
　「繰延税金資産の回収可能性に関する適用指針」では，上記のとおり
スケジューリングの可否について判定した後に，企業を 5 つに分類して
繰延税金資産の回収可能性の判断を行うものとしている（詳細は 331 ペ
ージ）。

知識を整理

○ 固定資産の減損処理とは

　事業用固定資産は，売却を予定するものではなく，事業活動に長期に渡り利用することを目的に保有している。したがって，市場における売却価値を重視しているのではなく，そこで重視しているのは使用価値（固定資産を利用することにより得られる将来キャッシュ・フローの割引現在価値）であり，使用価値が売却価値を上回っている限り，企業は事業用固定資産を保有し続ける。

　しかし，事業用固定資産の収益性が低下して，当初想定されたキャッシュ・フローが得られず，使用価値が売却価値を下回るような状態に至った場合は，企業も事業用固定資産の売却を検討せざるを得なくなる。このような事業用固定資産の収益性の低下を財務諸表上で認識して，固定資産の帳簿価額の切下げによる損失計上を行い，将来に損失を繰り延べないようにする会計処理が減損処理である。

　固定資産の減損処理は次の 4 つのプロセスを経て行う。
　① 資産のグルーピング
　　　固定資産の減損処理は，複数の資産が一体となって独立したキャッ

シュ・フローを生み出す場合，その独立したキャッシュ・フローを生み出す最小単位で行うため，合理的な範囲での資産のグルーピングを行う。実務上は，管理会計上の区分（場所別，事業別，製品別等）や投資意思決定上の単位を用いる。グルーピングの方法は，事実関係が変化（例えば，事業再編による管理会計上の区分の変更，主要な資産の処分，事業の種類別セグメント情報におけるセグメンテーションの変更等）しない限り毎期同様に行う。

② 減損の兆候の有無の把握

企業は，資産又は資産グループに減損が生じている可能性を示す事象，すなわち減損の兆候を把握しなければならない。減損の兆候としては，次のような事象がある。

(1) 資産又は資産グループが使用されている営業活動から生じる損益又はキャッシュ・フローが，継続してマイナスとなっているか，又は，継続してマイナスとなる見込みである場合

(2) 資産又は資産グループが使用されている範囲又は方法について，資産又は資産グループの回収可能価額を著しく低下させる変化が生じたか，又は，生ずる見込みである場合

(3) 資産又は資産グループが使用されている事業に関連して，経営環境が著しく悪化したか，又は，悪化する見込みである場合

(4) 資産又は資産グループの市場価格が著しく下落した場合

上記はあくまでも例示であるため，上記以外に減損の兆候と見られる事象がある場合は，詳細な調査を行う必要がある。

③ 減損損失の認識の判定

減損の兆候がある資産又は資産グループについて，当該資産又は資産グループから得られる割引前将来キャッシュ・フローの総額がこれらの帳簿価額を下回る場合には減損損失を認識する。

④ 減損損失の測定

減損損失を認識すべきであると判定された資産又は資産グループについ

ては，帳簿価額を回収可能価額まで減額し，当該減少額を減損損失として当期の損失とする。

　回収可能価額とは，資産又は資産グループの正味売却価額（資産又は資産グループの時価から処分費用見込額を控除した額）と使用価値（資産又は資産グループの継続的使用と使用後の処分によって生ずると見込まれる将来キャッシュ・フローの現在価値）のいずれか高い方の金額をいう。

○×問題

Q1
　市場販売目的のソフトウェアについても「固定資産の減損に係る会計基準」及び「同適用指針」が適用される。

A1
　×　他の会計基準に減損処理に関する定めがあるものは，減損会計基準の適用対象外となる（適用指針第6項）。市場販売目的のソフトウェアについては，「研究開発費及びソフトウェアの会計処理に関する実務指針」において減損処理に関する定めがあるため，減損会計基準は適用対象外となる。ただし，自社利用ソフトウェアについては，そのような定めがないため，減損会計基準の適用対象となる。

Q2
　減損損失については，対象資産の収益性が回復した場合は戻し入れる。

A2
　×　減損損失の戻入れは行わない（減損会計基準三2）。

10 【会計処理】資産除去債務の適用について

事例の概要

　A社は，キュレーションアプリの開発及び各種情報提供サイトの運営を行っている企業である。A社の業績は好調であり，ここ3年ほど増収増益となっていた。A社の創業者兼代表取締役社長のBは，創業当初から将来のIPOを考えていた。Bは大手監査法人SによるIPOセミナーに出席し，そこで講師をしていた公認会計士のCにA社のIPOについて相談した。CはA社の概要を聞き，業績等から十分IPOできる見込みがあると考え，Bに対しショートレビューの実施を提案した。Bも一度専門家による診断を受けてみたいと考えていたことから提案を受け入れ，ショートレビューを実施する運びとなった。

　大手監査法人Sによるショートレビューは1週間ほどで終了し，報告会が開かれた。報告会では，内部管理上の問題点や会計処理上の問題点等が指摘された。Bはある程度会計の知識を持っていたため，会計処理上の問題点について概ね理解できた。しかし，ショートレビュー報告書の中には，Bが知らない「資産除去債務」という言葉があった。

　ショートレビュー報告書（抜粋）
「貴社は，賃借建物内に内装工事を施し，貸借対照表において，当該内装工事に係る有形固定資産を計上しています。建物賃貸借契約の解約時には原状回復が契約上義務付けられていることから，当該有形固定資産に関連する資産除去債務を合理的に見積り，負債に計上するとともに，対応する除去費用を当該有形固定資産の帳簿価額に加えて資産計上する必要があります。」

> **何が問題なのか**
>
> 　A社では，資産除去債務の計上が行われていない。しかし，これはA社に限らず，未上場企業のほとんど全てにおいて，資産除去債務の計上を行っていない。これには次のような背景がある。
> 　①　未上場企業の決算作業を担う税理士は，資産除去債務に関する会計基準についての理解が乏しい。
> 　②　資産除去債務に対応する除去費用の費用配分額が税務上損金不算入となるため，資産除去債務に関する会計基準を適用しても節税効果が無い。
> 　なお，未上場の中小企業向け会計基準である「中小企業の会計に関する指針」において，従来は資産除去債務の計上を強制していなかったが，平成29年3月9日の改正により，「資産除去債務に関する会計基準の適用指針」第9項で定める簡便法（後述）と同様の会計処理を行うことを定めている（「中小企業の会計に関する指針」第39項）。
> 　資産除去債務の計上にあたっては，固定資産の減損会計（340ページ参照）の場合と同様に将来キャッシュ・フローの見積り作業が必要となる。したがって，減損会計の場合と同様な経営管理体制の整備が必要となる。

❓ どのように解決するか ❓

① 企業会計基準第18号「資産除去債務に関する会計基準」及び企業会計基準適用指針第21号「資産除去債務に関する会計基準の適用指針」の理解

　資産除去債務に関する会計基準適用のためには，まずは会計基準そのものを熟読し，十分理解するとともに，会計基準を適用する際の具体的指針となる適用指針も充分に読み込むことが重要である。

② 資産除去債務の算定のための社内体制の整備

　資産除去債務算定のためには，既述のように社内の体制整備が必須である。この点については，固定資産に関係し，将来キャッシュ・フローの見積りが必要となる減損会計の適用のための体制整備と重なる部分が多いため，これと同時並行で行うのが効率的である。なお，将来キャッシュ・フローの見積りにあたっては，減損会計との関係についても注意が必要である。すなわち，資産除去債務が負債に計上されている場合には，除去費用部分の影響を二重に認識しないようにするため，将来キャッシュ・フローの見積りに除去費用部分を含めないこととなる（資産除去債務に関する会計基準第44項）。

■ 発展ケース

Q

　A社において，建物賃貸借契約にあたり，敷金を支払っていた。この場合，適用指針において資産除去債務及び対応する除去費用を負債及び資産に両建計上しない簡便法が認められているが，その内容はどのようなものか。

A

　A社のようなIT系企業の場合，通常は事務所を賃借しており，事務所の内部造作が有形固定資産として計上されている。賃借建物の退去時には原状回復が求められるため，これに係る資産除去債務と対応する除去費用の負債及び資産への両建計上が必要となる。しかし，建物等の賃借契約においては敷金を拠出しているのが一般的であり，その場合に資産除去債務と対応する除去費用を負債及び資産に両建計上すると，敷金と資産除去債務に対応する除去費用が二重に資産計上されるという見方がある。こうした点と資産除去債務に係る実務負担も考慮し，適用指針では，賃借建物に係る敷金が計上されている場合には，資産除去債務及び対応する除去費用の負債及び資産への両建計上という原則的な会計処

理に代えて，敷金のうち回収が見込めない金額を合理的に見積もり，これを同種の賃借建物の平均的な入居期間など，合理的な償却期間で各期の費用として計上する簡便的な会計処理を認めている（資産除去債務に関する会計基準の適用指針第9項）。実際には，A社のようなIT系企業においては，原状回復費用が敷金の範囲に収まることも多く，こちらの簡便法を用いることが増えている。

知識を整理

○ 資産除去債務とは

　日本の会計基準と国際財務報告基準（IFRS）とのコンバージェンス（収斂）作業の一環として，上場企業においては，資産除去債務に係る会計処理が平成22年4月1日以降開始する事業年度から強制適用されている。

　資産除去債務とは，有形固定資産の取得，建設，開発又は通常の使用によって生じ，当該有形固定資産の除去に関して法令又は契約で要求される法律上の義務及びそれに準ずるものをいう（資産除去債務に関する会計基準第3項(1)）。この場合の法律上の義務及びそれに準ずるものには，有形固定資産を除去する義務のほか，有形固定資産の除去そのものは義務でなくとも，有形固定資産を除去する際に当該有形固定資産に使用されている有害物質等を法律等の要求による特別の方法で除去するという義務も含まれる。

　資産除去債務については，発生時に負債として計上するとともに，これに対応する除去費用（資産除去債務と同額）を関連する有形固定資産の帳簿価額に加えて資産計上する。資産計上された除去費用は，減価償却を通じて各期に費用配分されることになる。

　資産除去債務に係る会計処理にあたっては，まずは決算日現在において入手可能な全ての証拠を勘案し，最善の見積りにより資産除去債務に係る割引前将来キャッシュ・フローを見積もる。この際には以下のような情報を基礎とする

(資産除去債務に関する会計基準の適用指針第3項)。
　①　対象となる有形固定資産の除去に必要な平均的な処理作業に対する価格の見積り
　②　対象となる有形固定資産を取得した際に，取引価額から控除された当該資産に係る除去費用の算定の基礎となった数値
　③　過去において類似の資産について発生した除去費用の実績
　④　当該有形固定資産への投資の意思決定を行う際に見積もられた除去費用
　⑤　有形固定資産の除去に係る用役(除去サービス)を行う業者など第三者からの情報

　なお，将来キャッシュ・フローの見積りにあたっては，法人税等の影響額を含めない。

　次に将来キャッシュ・フローを割り引くために用いる割引率を算定するが，これは貨幣の時間価値を反映した無リスクの税引前利率を用いる(資産除去債務に関する会計基準第6項(2))。一般的には有形固定資産の使用見込期間に対応する利付国債の流通利回りを用いる。当該割引率を用いて将来キャッシュ・フローを現在価値に割り引き，資産除去債務を算定する。

○×問題

Q1
　資産除去債務を実際に履行した場合，その支出額についてはキャッシュ・フロー計算書上「投資活動によるキャッシュ・フロー」の項目として取り扱う。

A1
　○　資産除去債務に関する会計基準の適用前の会計実務では，有形固定資産の除去に伴う支出は「営業活動によるキャッシュ・フロー」として処理されていたことが多かった。資産除去債務に関する会計基準適用後では，固定資産の取得による支出を投資活動による支出としてい

ることとの整合性や資産除却債務の履行に伴う支出は固定資産の売却収入の控除項目と考えることもできる点に鑑みて，当該支出は「投資活動によるキャッシュ・フロー」として取り扱うものとされた（資産除去債務に関する会計基準の適用指針第 13 項）。

Q2

資産除去債務の履行時に認識される資産除去債務残高と資産除去債務の決済のために実際に支払われた額との差額は，損益計算書上，原則として特別損益に計上する。

A2

× 除去費用が固定資産の利用期間にわたって配分され，将来キャッシュ・フローに重要な見積りの変更が生じた場合には，資産除去債務の計上額が見直されることを前提とすれば，資産除去債務の履行時に認識される差額は，本質的に除去費用と異なる性格を有するものではないといえる。このため，資産除去債務計上額と実際の支出額との差額は，当該資産除去債務に対応する除去費用に係る費用配分額と同じ区分に含めて計上することを原則とする（資産除去債務に関する会計基準の適用指針第 15 項）。

11 【連結財務諸表】キャッシュ・フロー計算書の作成方法について

事例の概要

　A社は携帯電話向けのサイト構築及びアプリケーションの開発をメインに行っている会社である。BはA社の創立者兼代表取締役社長である。

　A社では設立当初よりIPOを目指していた。現在，創業11期目であり，15期中のIPOを目指し，監査法人とアドバイザリー契約を締結し，様々な指導を受けている。

　A社の会計ソフトはキャッシュ・フロー計算書の作成機能を有していたが，A社では，過去にキャッシュ・フロー計算書を作成したことがなかった。A社の経理部主任であるCは監査法人からの指導の下，会計ソフトの設定を行い，昨年度分のキャッシュ・フロー計算書を作成した。

　C主任は，監査法人パートナーのD会計士に作成したキャッシュ・フロー計算書を見せながら，自信を持って言った。

　「キャッシュ・フロー計算書は，作成してみると意外と簡単ですね。一発で貸借対照表の現金預金残高とキャッシュ・フロー計算書の現金及び現金同等物の期末残高が合いましたよ。」

　これを聞き，D会計士はC主任に対し言った。

　「Cさん，確かに資金残高は合っていますが，営業活動によるキャッシュ・フローの金額と投資活動によるキャッシュ・フローの金額は誤っていますよ。」

　A社では昨年度の期首売掛金のうち100万円が回収困難となり，長期に滞留していたため，監査法人の指導により，昨年度中に全額を流動資産から投資その他の資産に振り替え，長期滞留債権勘定に計上していた。C主任が作成したキャッシュ・フロー計算書上では，この長期滞留債権の増加額が，投資活動によるキャッシュ・フローの区分に「長期

滞留債権の増加による支出」と表示されていた。

何が問題なのか

　流動資産の売掛金から，投資その他の資産の長期滞留債権への振替は，単なる科目間の振替処理であり，キャッシュ・フローを伴うものではない。したがって，本来はキャッシュ・フロー計算書には表示されない。

　最近の会計ソフトのほとんどはキャッシュ・フロー計算書の作成機能を有していることから，会計ソフトによりキャッシュ・フロー計算書を作成することが可能であるが，会計ソフトの設定を正確に行っただけでは，適切なキャッシュ・フロー計算書を作成することができず，人の手による修正が必要となる場合がある。

　なお，キャッシュ・フロー計算書は，貸借対照表及び損益計算書等から精算表を用いて作成することも可能である。

(?) どのように解決するか (?)

　会計ソフトで間接法によるキャッシュ・フロー計算書を作成する場合，会計ソフトは基本的に貸借対照表の各科目の前期末残高と当期末残高の増減額を計算し，これをキャッシュ・フロー計算書の各区分に割り振る作業を行う。その場合，流動資産項目の増減は「営業活動によるキャッシュ・フロー」の区分に割り振り，固定資産項目の増減は「投資活動によるキャッシュ・フロー」の区分に割り振るのが基本となる。このため，事例のように流動資産と固定資産との間で勘定科目の振替処理が行われている場合に，会計ソフトでキャッシュ・フロー計算書を作成すると，「営業活動によるキャッシュ・フロー」の金額と「投資活動によるキャッシュ・フロー」の金額に入り繰りが生じる場合がある。簡単な事例で考えると以下のとおりである。

11 キャッシュ・フロー計算書の作成方法について

（前提条件：間接法によるキャッシュ・フロー計算書の作成）
　前期末売掛金　100，当期末売掛金　0
　前期末長期滞留債権　0，当期末長期滞留債権　100
　期中の仕訳は以下の仕訳のみ。
　（借）長期滞留債権　100　（貸）売　掛　金　100
　上記の場合で，単純に貸借対照表の前期末残高と当期末残高の増減額を計算し，これをキャッシュ・フロー計算書の各区分に割り振ると以下のようになる。

Ⅰ．営業活動によるキャッシュ・フロー
　　売上債権の減少額　100
Ⅱ．投資活動によるキャッシュ・フロー
　　長期滞留債権の増加による支出　△100

　上記の場合，実際は期中のキャッシュの動きは全く無いため，「営業活動によるキャッシュ・フロー」，「投資活動によるキャッシュ・フロー」はともにゼロとなるはずであるが，「営業活動によるキャッシュ・フロー」の金額と「投資活動によるキャッシュ・フロー」の金額に入り繰りが生じ，期中のキャッシュの動きがあるように表示されている。このため，このような場合にはさらに調整を加える必要がある。実務上，同様の調整が必要となる取引としては，例えば，棚卸資産と有形・無形固定資産間の振替処理がある。
　本問の事例のような振替処理の存在等により，いかに会計ソフトの設定を正確に行っても，適切なキャッシュ・フロー計算書を作成することができず，結局人の手による修正が必要となることが多い。
　したがって，IPO準備作業では，会計ソフトの機能を用いた間接法によるキャッシュ・フロー計算書だけではなく，精算表に基づく間接法によるキャッシュ・フロー計算書も作成することをお勧めする。もし，経営管理資料として，

直接法による月次キャッシュ・フロー計算書の作成も行っている場合（最近はこの場合の方が多いであろう）は，間接法によるキャッシュ・フロー計算書と直接法による月次キャッシュ・フロー計算書の累計額に決算修正を加味したものを比較検討することにより，ミスを発見することも容易になる。

また，財務諸表の作成過程が可視化されていると，ノウハウの共有及び業務の均質化を図ることができるとともに，決算業務を効率化できるため，結果的に上場準備コストの低減にもつながる。こうした観点からも，キャッシュ・フロー計算書の作成過程が明らかになる精算表に基づく間接法によるキャッシュ・フロー計算書の作成が望ましいといえる。

発展ケース

Q A社では，月次決算時に「資金繰実績表」を作成していたが，今後は月次キャッシュ・フロー計算書を作成しようと考えている。どのようにすればよいか。

A
従来から資金繰実績表を作成していたのであれば，実質的に内容が同じである直接法によるキャッシュ・フロー計算書の作成が効率的であろう。

資金繰実績表の事例（358ページ）を参照

一般的に「直接法によるキャッシュ・フロー計算書」の作成は煩雑であると思われているが，以下のようなスプレッドシートを作成し，日々入出金を記録することにより，効率的に作成することが可能である。

日次キャッシュ・フロー計算書の事例（359〜361ページ）を参照

なお，経営管理目的で間接法による月次キャッシュ・フロー計算書を

作成する場合は，営業収入や仕入支出，人件費支出といった重要なキャッシュ・フロー項目を把握することができず，一般的に経営管理情報としては不十分である。したがって，経営管理目的からは，直接法によるキャッシュ・フロー計算書の作成が望ましいといえる。

　月次で直接法によるキャッシュ・フロー計算書を作成できる体制を整えることができれば，四半期ごとの公表用キャッシュ・フロー計算書は月次キャッシュ・フロー計算書の累計額に決算修正を加味すればよいので，こちらの作成も効率的に行うことができる。ただし，前述のとおり，正確な決算業務を効率的に行うという観点から，精算表に基づく間接法によるキャッシュ・フロー計算書も同時に作成した方がよいであろう。

資金繰実績表

	項目	4月度	5月度	6月度	7月度	8月度	9月度	10月度	11月度	12月度	1月度	2月度	3月度	当期累計
	資金繰り項目													
経常収入	現金売上													
	売掛金回収													
	受取手形期日取立													
	受取手形割引													
	前受金入金													
	金融収益													
	その他経常収入													
	経常収入合計													
経常支出	現金仕入													
	買掛金支払													
	支払手形決済													
	人件費支出													
	諸経費支出													
	金融費用支出													
	租税公課													
	未払金・前払金													
	その他経常支出													
	経常支出合計													
	差引経常収支過不足													
財務等収入	借入金													
	固定性預金引出													
	有価証券売却収入													
	資産売却収入													
	その他財務等収入													
	財務等収入合計													
財務等支出	借入金返済													
	固定性預金預入													
	有価証券購入													
	設備投資													
	決算関係支出													
	その他財務等支出													
	財務等支出合計													
	差引財務等収支過不足													
	総合収支過不足													
	月初資金													
	月末資金													

11 キャッシュ・フロー計算書の作成方法について

日次キャッシュ・フロー計算書

	内訳					入金									収入合計
	現金売上	売掛金回収	手形期日取立入金	手形割引	前受金入金	その他	売上収入合計	消費税収入	利息配当金収入	定期預金払戻収入	有価証券売却収入	固定資産売却収入	短期借入金収入	長期借入金収入	新株発行収入	その他収入	他口座からの振替収入	
前月繰越																		
20X2/4/1																		
20X2/4/2																		
20X2/4/3																		
20X2/4/4																		
20X2/4/5																		
20X2/4/6																		
20X2/4/7																		
20X2/4/8																		
20X2/4/9																		
20X2/4/10																		
20X2/4/11																		
20X2/4/12																		
20X2/4/13																		
20X2/4/14																		
20X2/4/15																		
20X2/4/16																		
20X2/4/17																		
20X2/4/18																		
20X2/4/19																		
20X2/4/20																		
20X2/4/21																		
20X2/4/22																		
20X2/4/23																		
20X2/4/24																		
20X2/4/25																		
20X2/4/26																		
20X2/4/27																		
20X2/4/28																		
20X2/4/29																		
20X2/4/30																		
4月合計																		

V ディスクロージャー

		内訳							出金								
	現金仕入	買掛金支払	手形決済	前渡金支払	仕入支出合計	給与賞与支払	源泉税・法定福利費等支払	その他人件費関連支出	人件費支出合計	地代家賃支払	広告宣伝費支払	その他営業関連支払	その他営業支出合計	法人税等支払	消費税支払	定期預金預入	有価証券購入
前月繰越																	
20X2/4/1																	
20X2/4/2																	
20X2/4/3																	
20X2/4/4																	
20X2/4/5																	
20X2/4/6																	
20X2/4/7																	
20X2/4/8																	
20X2/4/9																	
20X2/4/10																	
20X2/4/11																	
20X2/4/12																	
20X2/4/13																	
20X2/4/14																	
20X2/4/15																	
20X2/4/16																	
20X2/4/17																	
20X2/4/18																	
20X2/4/19																	
20X2/4/20																	
20X2/4/21																	
20X2/4/22																	
20X2/4/23																	
20X2/4/24																	
20X2/4/25																	
20X2/4/26																	
20X2/4/27																	
20X2/4/28																	
20X2/4/29																	
20X2/4/30																	
4月合計																	

11 キャッシュ・フロー計算書の作成方法について

	内訳					出金							残高
	有形固定資産支出	無形固定資産支出	敷金保証金支出	長期前払費用支出	その他固定資産支出	固定資産関連支出合計	短期借入金返済	長期借入金返済	利息支払	保証料支払	リース債務支払	その他支出	他口座への振替支出	支出合計	
前月繰越															
20X2/4/1															
20X2/4/2															
20X2/4/3															
20X2/4/4															
20X2/4/5															
20X2/4/6															
20X2/4/7															
20X2/4/8															
20X2/4/9															
20X2/4/10															
20X2/4/11															
20X2/4/12															
20X2/4/13															
20X2/4/14															
20X2/4/15															
20X2/4/16															
20X2/4/17															
20X2/4/18															
20X2/4/19															
20X2/4/20															
20X2/4/21															
20X2/4/22															
20X2/4/23															
20X2/4/24															
20X2/4/25															
20X2/4/26															
20X2/4/27															
20X2/4/28															
20X2/4/29															
20X2/4/30															
4月合計															

V ディスクロージャー

知識を整理

　キャッシュ・フロー計算書は，会社法上は作成が求められていないが，IPO企業には作成が求められる財務諸表の1つであり，投資家に対し，企業の資金創出能力や支払能力，利益の質を判断するための情報を提供することが主な目的である。

　また，キャッシュ・フロー計算書は，「資金収支の内訳明細書」であり，キャッシュの出入りを「営業活動・投資活動・財務活動」の3区分に分けて集計し，表示したものである。

　キャッシュ・フロー計算書の作成方法については，日本公認会計士協会が公表している「連結財務諸表等におけるキャッシュ・フロー計算書の作成に関する実務指針」（日本公認会計士協会　会計制度委員会報告第8号）に詳細に記載されている。

　「営業活動によるキャッシュ・フロー」の表示方法として，直接法と間接法の選択適用が認められている。直接法とは，営業収入，原材料又は商品の仕入れによる支出等，主要な取引ごとにキャッシュ・フローを総額表示する方法をいう。一方，間接法とは，税金等調整前当期純利益に，非資金損益項目，営業活動に係る資産及び負債の増減並びに「投資活動によるキャッシュ・フロー」及び「財務活動によるキャッシュ・フロー」の区分に含まれるキャッシュ・フローに関連して発生した損益項目を加減算して「営業活動によるキャッシュ・フロー」を表示する方法をいう（日本公認会計士協会　会計制度委員会報告第8号第12項）。これらは表示方法が異なるだけで，「営業活動によるキャッシュ・フロー」の合計額は，いずれの方法を採用しても一致する。

　なお，直接法によるキャッシュ・フロー計算書は実務上，作成が煩雑であることから，精算表に基づく間接法によるキャッシュ・フロー計算書を作成することが多い（精算表の事例（364～365ページ）参照）。

11 キャッシュ・フロー計算書の作成方法について

直接法による記載例

I　営業活動によるキャッシュ・フロー
営業収入	32,586
原材料又は商品の仕入れによる支出	−12,755
人件費の支出	−4,945
その他の営業支出	−10,757
小計	4,129
利息及び配当金の受取額	608
利息の支払額	−305
法人税等の支払額	−2,285
営業活動によるキャッシュ・フロー	2,147

間接法による記載例

I　営業活動によるキャッシュ・フロー
税金等調整前当期純利益	3,768
減価償却費	685
のれん償却額	30
有形固定資産除却損	20
貸倒引当金の増加額	80
退職給付引当金の増加額	50
受取利息及び受取配当金	−708
支払利息	470
為替差損	10
売上債権の増加額	−869
たな卸資産の減少額	820
仕入債務の減少額	−290
未払消費税等の増加額	63
小計	4,129
利息及び配当金の受取額	608
利息の支払額	−305
法人税等の支払額	−2,285
営業活動によるキャッシュ・フロー	2,147

（いずれも日本公認会計士協会　会計制度委員会報告第8号から引用）

精算表

(単位:千円)

貸借対照表	X/3/31	X+1/3/31	増減	減価償却費	退職給付引当金	現金預金に係る換算差額	固定資産除却	資産負債増減	受取利息	支払利息	法人税等	定期預金収入支出	有価証券取得	固定資産取得	資金調達	資金返済	ファイナンス・リース契約	支払配当金	利益剰余金	現金預金の振替	合計
現金及び預金(定期預金除く)	1,110	825	−285																	285	—
定期預金	200	—	200									200									—
受取手形	—	200	200					−200													—
売掛金	1,200	1,800	600					−600													—
貸倒引当金	−100	−100	—																		—
有価証券	1,010	1,770	760										−760								—
たな卸資産	1,950	1,000	−950					950													—
未収利息	—	100	100					−100													—
有形固定資産―取得価額	1,910	3,755	1,845				80							−975			950				—
有形固定資産―減価償却累計額	−1,060	−1,450	−390	450			−60														—
子会社株式	400	1,070	670										−670								—
買掛金	−1,590	−1,540	50					−50													—
短期借入金	−100	−200	−100												100						—
未払金	−200	−200	—																		—
未払法人税等	−1,000	−850	150							−150										—
未払消費税等	−100	−150	−50					50													—
未払利息	−100	−230	−130							130											—
社債	—	−760	−760												760						—
長期借入金	−400	−550	−150												250	−100					—
リース債務	−860	−860															950	−90			—
退職給付引当金	−300	−350	−50		50																—
資本金	−1,450	−1,700	−250												250						—
利益剰余金	−1,380	−1,780	−400															−1,200	3,650		—
検算				450	50	—	20	150	−100	130	−2,200	−975	−1,430	1,360	−100		950	−90	3,650	285	—
キャッシュ・フロー計算書																					
Ⅰ 営業活動によるキャッシュ・フロー:																					
税金等調整前当期純利益																			3,650		3,650
減価償却費				450																	450
有形固定資産除却損							20														20
退職給付引当金の増加額					50																50
受取利息及び受取配当金									−800												−800

11 キャッシュ・フロー計算書の作成方法について

貸借対照表	X/3/31	X+1/3/31	増減	減価償却費	退職給付引当金	現金預金に係る換算差額	固定資産除却	資産負債増減	受取利息	支払利息	法人税等	定期預金収入支出	有価証券取得	固定資産取得	資金調達	資金返済	ファイナンス・リース契約	支払配当金	利益剰余金	現金預金の振替	合計
支払利息										400											400
社債利息										10											10
為替差損						10															10
売上債権の増加額								-800													-800
たな卸資産の減少額								950													950
仕入債務の減少額								-50													-50
未払消費税等の増加額								50													50
小計				450	50	10	20	150	-800	400											3,940
利息及び配当金の受取額									700												700
利息の支払額										-270											-270
法人税等の支払額											-2,200										-2,200
営業活動によるキャッシュ・フロー				450	50	10	20	150	-100	130	-2,200										2,170
II 投資活動によるキャッシュ・フロー：																					
定期預金の預入による支出												-200									-200
定期預金の払戻による収入												200									200
有価証券の取得による支出													-760								-760
子会社株式の取得による支出													-670								-670
有形固定資産の取得による支出														-975							-975
投資活動によるキャッシュ・フロー												—	-1,430	-975							-2,405
III 財務活動によるキャッシュ・フロー：																					
短期借入金の増加額															100						100
長期借入れによる収入															250						250
長期借入金の返済による支出																-100					-100
社債の発行による収入															750						750
株式の発行による収入															250						250
リース債務の返済による支出																	-90				-90
配当金の支払額																		-1,200			-1,200
財務活動によるキャッシュ・フロー															1,350	-100	-90	-1,200			-40
IV 現金及び現金同等物に係る換算差額						-10															-10
V 現金及び現金同等物の増加額				450	50		20	150	-100	130	-2,200	—	-1,430	-975	1,360	-100	-90	-1,200			-285
VI 現金及び現金同等物の期首残高																			3,650	1,110	1,110
VII 現金及び現金同等物の期末残高				450	50		20	150	-100	130	-2,200	—	-1,430	-975	1,360	-100	-90	-1,200	3,650	1,110	825

○×問題

Q1

「営業活動によるキャッシュ・フロー」の「小計」欄は，概ね経常損益計算の対象となった取引に係るキャッシュ・フローの合計額を意味する。

A1

× 概ね営業損益計算の対象となった取引に係るキャッシュ・フローの合計額を意味している（日本公認会計士協会　会計制度委員会報告第8号第12項）。

Q2

自己株式の取得及び処分に伴うキャッシュ・フローは「財務活動によるキャッシュ・フロー」の区分に記載する。

A2

○　正しい（日本公認会計士協会　会計制度委員会報告第8号第9項）。

12 【連結財務諸表】
企業結合

事例の概要

　A社（発行済株式総数　普通株式200株）は携帯電話向けのサイト構築及びアプリケーションの開発をメインに行っている会社である。BはA社の創立者兼代表取締役社長である。

　A社では設立当初よりIPOを目指していた。現在，創業10期目であり，創業8期目までは増収増益であった。しかし，同業他社との競争が激化したことから創業9期目で初めて減益となり，今期に入り売上の伸びも鈍化傾向にある。

　そんな折，同業のC社より事業統合の提案があった。C社（発行済株式総数　普通株式200株）は，技術力はあるが，営業力に劣っており，近年は何とか黒字を保つ程度の業績であった。B社長はC社社長のDと昔から付き合いがあり，年齢も近いことから話も合った。このような事情もあり，統合話もとんとん拍子に進み，最終的にA社がC社の発行済株式の100％を取得して，完全子会社化することでまとまった。

　C社株式はその全てをD社長とD社長の親族で保有していた。完全子会社化の方法や手続については，B社長はD社長から「うちの顧問会計士や顧問弁護士はM&Aの専門家だ。全てこちらで行うから気にしなくていい」と言われた。A社の顧問税理士はこうしたM&A等の実務に疎いため，B社長もD社長に全てを委ねることとした。

　その結果，A社によるC社株式の取得価額については，C社の顧問会計士が作成したDCF法による株式評価算定書に基づき，C社の直近の決算期における簿価純資産価額の20倍程度の総額2億円で決定した。また，完全子会社化の手法については，D社長から「株式交換により完全子会社化しよう」との提案があった。B社長は株式交換について，

聞いたことはあったが詳細は知らなかった。D社長の説明によると「株式交換ならば資金の拠出がなく完全子会社化できる」とのことであった。B社長としても資金の拠出がないという点は非常に魅力的であったため，提案を受け入れることとした。

C社の顧問会計士によるA社株式の評価結果を踏まえ，C社株式1株に対してA社株式0.667株を割り当てることに決定し（株式交換比率　C株：A株＝1：0.667），A社はC社を株式交換により完全子会社化した。

B社長は「これでIPOに向けて体制が整った。早速準備に取り掛かろう」と考え，監査法人によるショートレビューを受けることとした。ショートレビューでは，完全子会社化したC社の財務内容等の調査も行われた。その結果，C社の売掛金の中には回収不能と思われる債権が多数存在し，また仕掛品については，全くの架空資産であり，退職金制度に基づく退職給付引当金も未計上であった。さらに，退職従業員数名との間で，残業代の未払いをめぐる訴訟を抱えており，C社の顧問弁護士に確認したところ，敗訴が濃厚であることが判明した。これらを加味して，C社の決算書を修正した結果，C社は大幅な債務超過に陥った。

監査法人の担当パートナーであるEは言った。

E：「Bさん，他社を子会社化するときはデューデリジェンスを行った上で，意思決定しなければ危険ですよ。それに今後IPOするためには，連結決算を組める体制にする必要があります」

B社長は困惑した表情で言った。

B：「E先生，デューデリジェンスって何でしょうか？　それと連結決算を組める体制とのことですが，単純にA社とC社の決算書を合算するだけではだめなのですか？」

12　企業結合

何が問題なのか

1．デューデリジェンスの未実施

　M&A取引に関する意思決定を行う際には，デューデリジェンスが不可欠である。デューデリジェンスとは，「買収監査」と呼ばれるもので，買収対象企業の実態を把握するために行う詳細な調査手続のことをいう。デューデリジェンスは，大きく以下の3つに分類できる。

① ビジネスデューデリジェンス

　買収対象企業のビジネスそのものが買収目的に合致するか，現在の自社の事業にどのような影響を与えるか，将来の事業計画に与える影響は何かといったビジネス全般のリスク評価のために行う調査手続をいう。

② 法務デューデリジェンス

　買収対象企業の各種の法律関係から生じる将来の訴訟リスクの評価や現在抱えている訴訟から生じる損害賠償リスクの評価など法務リスクの評価のために行う調査手続をいう。

③ 財務デューデリジェンス

　買収対象企業の資産及び負債を分析し，含み損の有無，税務リスクの有無等を評価する調査手続をいう。

　このうち，基本となる手続は財務デューデリジェンスであり，これによりビジネスデューデリジェンス，法務デューデリジェンスに必要な情報も入手することができる。財務デューデリジェンスは，通常は公認会計士等の専門家に依頼して行う。IPO準備会社においては，こうしたデューデリジェンスの重要性を認識せずに，安易に企業買収を行うことが多い。

　A社においては，D社長の意見を鵜呑みにし，事前にA社独自の財務デューデリジェンスを実施しなかったため，回収可能性に問題のある資産や架空資産及び簿外負債があることを把握できず，また法務デュー

デリジェンスも実施しなかったために，訴訟に伴う損害賠償リスクも把握できなかった。その結果，大幅な実質債務超過の会社を2億円で買収したことになり，株式交換により，D社長及びD社長の親族に約4割（株式交換によりD及びDの親族が取得した株式数200株×0.667＝133株。133株÷（既存株式数200株＋新規発行株式数133株）＝39.9％）もの議決権を持たれてしまった。

なお，DCF法による企業価値評価は最も理論的といわれているが，評価作業は評価対象企業の事業計画に基づく将来キャッシュ・フローに大きく依存するため，事業計画次第で評価結果が大きく変わる。C社の企業価値2億円の妥当性については，事例からは判断することができないが，C社が実質債務超過である点に鑑みれば，その妥当性には疑問が残る。

2．連結決算体制の未構築

現在，企業会計の世界では，連結決算を中心に会計制度が構築されている。IPO準備会社においても，子会社が存在する場合は，連結財務諸表の作成と開示を行える体制を整えなければならない。

連結決算のためには，親会社の決算早期化のみならず，子会社の決算早期化，連結決算に必要な情報を子会社から適時に，かつ，正確に入手することができる体制の構築，さらには親会社における連結決算作業自体の早期化というように，IPO準備作業は大幅に増加する。また，連結決算のための人材確保も容易ではない。

A社においても，完全子会社であるC社が存在するため，原則として連結決算を行える体制を構築しなければならないが，B社長の連結決算への現状認識も考えると，その道のりはかなり険しいと考えざるを得ない。

❓ どのように解決するか ❓

　A社としては，ショートレビューによりC社が実質債務超過に陥っていることが判明したため，改めてC社をそのまま子会社としておくことがA社の経営戦略的に妥当か否か検討する必要がある。これを検討する上で，A社はC社のビジネスデューデリジェンスを改めて実施し，結果次第では，C社の売却又は清算も検討する必要性がある。

　さらに，C社のビジネスデューデリジェンスの結果，実質債務超過ではあるが，やはりC社との経営統合のメリットが大きいとの判断に至った場合，そのまま子会社としておくのか，合併するのかを検討する。しかし，早期のIPOを目指すのであれば，連結決算を避けるため，合併が望ましいであろう（会社法の条文上は必ずしも明確ではないが，法務省担当者の見解によれば実質債務超過の会社を吸収合併することは，認められるものとされている）。

■ 発展ケース

Q
　A社は今後の経営戦略の観点から，C社を子会社のままにすることとした。この場合，IPOに向けてA社として留意すべき事項は何か。

A
1．月次連結決算及び連結予算の編成
　まず，月次連結決算を行えるように主に次の情報が親会社にタイムリーに漏れなく，かつ，正確に集まるようにしなければならない。
　　①　子会社の財務諸表に関する情報
　　②　子会社・親会社間における債権債務に関する情報
　　③　子会社・親会社間における取引高の情報
　　④　未実現損益に関する情報
　その上で，月次連結決算を翌月10日営業日前後で終えることが望ま

しい。ただし，月次連結決算は，迅速性が要求されるため，単体の月次決算に比べて簡素化されているのが通常である。実務上は，取引高の相殺消去や債権債務の相殺消去について，迅速性を優先して親会社が把握している金額で行うこともある。また，業績管理を目的として月次連結損益計算書のみを作成していることも多く，月次連結貸借対照表及び月次連結キャッシュ・フロー計算書は，四半期決算に合わせて，四半期に一度作成するという方法も多いと思われる。

さらに，予算についても，連結予算を編成する必要がある。親会社の単体予算と子会社の単体予算をベースに連結予算を編成し，月次連結損益予算と月次連結損益実績の差異について分析（連結予算実績差異分析）を行い，親会社における定例取締役会（毎月15日前後には開催）に報告することができる体制を整える。

なお，月次連結決算や連結予算編成・統制は，管理会計の分野であるので，求められる精度は，各会社の実情により異なってくる。どの程度の精度をもって体制を構築するかは，監査法人や主幹事証券会社と話し合いながら決定する。

2．四半期報告書・有価証券報告書作成のための準備

四半期報告書の作成及び有価証券報告書の作成については，さらに詳細な情報の入手が必要となる。そのため，主に以下の情報も子会社から入手することができる体制を整える。

① 各種注記事項の作成に必要な情報（リース，金融商品，有価証券，デリバティブ，退職給付，ストック・オプション，税効果，セグメント，関連当事者，後発事象等）

② 連結キャッシュ・フロー計算書作成のための情報（資金の範囲，固定資産増減明細，有価証券増減明細，借入金増減明細等）

③ 連結附属明細表作成のために必要な情報

④ その他四半期報告書及び有価証券報告書作成のために必要な情報（設備投資に関する情報，生産・販売に関する情報，人員に関する

情報等）

　これらの情報は通常，「連結パッケージ」という一覧表形式で子会社から入手するため，親会社にて所定のフォーマットをエクセル等で作成し，子会社に作成を依頼する。

3．子会社の会計方針等の変更

　親子会社間においては，同一環境下で行われた同一性質の取引等について，原則として会計方針の統一が求められる。したがって，親子会社間で会計方針が異なる場合は，会計方針の変更を検討する。

　親会社と子会社の決算日が異なる場合は，決算日の統一を図る。この点，「連結財務諸表に関する会計基準」では，子会社の決算日と連結決算日の差異が3カ月を超えない場合は，子会社の正規の決算を基礎として連結決算を行うことができるとしているが，この規定は基本的には在外子会社との連結決算を想定したものであるため，国内子会社については，原則として決算日の統一が求められる。

4．人材の確保

　子会社での連結パッケージ作成のためには，相当程度の会計に関する知識と実務経験が必要となり，そのための人材確保も課題となる。また，親会社内には，主に以下のような実際の連結決算作業を行うことができる体制を整える必要がある。

　① 親会社と子会社の財務諸表の合算
　② 投資と資本の相殺消去
　③ 債権債務の相殺消去
　④ 取引高の相殺消去
　⑤ 未実現損益の調整
　⑥ 連結上の税効果の認識

　しかし，連結決算作業の特殊性から，必要な人材を確保することは困難であることも多いため，公認会計士のような外部の専門家を有効活用することが考えられる。

知識を整理

○ 連結経営か合併か

　他社と経営統合をする場合，子会社化して連結経営とするか合併するかは，それぞれ一長一短があるが，まとめると概ね以下のとおりとなる。

	連結経営	合併
メリット	・社風，労働条件，各種業務システム等をそのまま維持できる。 ・子会社株式の取得・売却という形で企業グループの事業再構築を行いやすい。 ・事業別や地域別に子会社を再編することにより，セグメント別の業績把握が容易になる。	・単体決算となるため，決算業務を効率化できる。 ・子会社に分散していた管理業務を統合でき，管理コストを低減できる。 ・複数の会社が結合することにより規模の利益を享受し，競争力を強化できる。
デメリット	・各子会社の規模が大きくなると企業グループ全体の統制が困難となる。 ・連結決算作業に時間とコストが掛かる。	・労働条件，各種業務システム等の統合に多くの準備期間を要する。 ・合併後も社風の違いによる影響が残り，「旧○○派」といった派閥が生じ，真に融合するまでに時間が掛かる。

　殊にIPO準備作業においては，子会社として残す合理的な理由が特別にない限り合併等により整理した方がよい。なぜなら，既に述べたとおり，連結経営のためには，月次連結決算や連結予算の編成，人材確保の問題等越えなければならないハードルが山のように多くなり，それだけIPOも遅れる可能性があるからである。また，子会社が存在することにより，子会社を利用した利益操作等の不正につながる可能性も生じるため，主幹事証券会社からも極力合併等により子会社を整理することが求められることが多い。

○×問題

Q1

議決権比率がゼロでも子会社となることがある。

A1

○　現在の連結会計制度では、子会社の範囲は、議決権比率により決定するのではなく、意思決定機関を支配しているか否かによる支配力基準により決定する。このため、議決権比率がゼロでも、他の企業の意思決定機関を支配しているという事実が認められれば、当該他の企業は子会社となる。

Q2

いわゆるオーナー社長の財産保全会社が上場申請会社の議決権の過半数を有しているときは、この財産保全会社は親会社に該当することがある。

A1

×　財産保全会社とは、創業者一族が所有する上場予定会社の株式を保有するために設立される会社をいう。財産保全会社は、相続税の節税目的で設立され、事業実体がないことが一般的である。このため、たとえ財産保全会社が上場申請会社の議決権の過半数を有していても、財産保全会社が上場申請会社を支配している実態はないと判断することができる場合には、財産保全会社が上場申請会社を支配しているのではなく、実質的には創業者一族が支配しているものと考えられ、例外的に親会社に該当しないものと判断することが認められると考えられる（日本公認会計士協会　監査・保証実務委員会実務指針第88号「連結財務諸表における子会社及び関連会社の範囲の決定に関する監査上の留意点についてのQ&A」Q10（2））。

VI

資本政策

1 【資本政策】
ベンチャーキャピタルからの資金調達

事例の概要

　K社は医療再生事業を主力としている企業であり，IPOを目指している。この業界の特徴として，研究開発費用が継続的に発生するため，金融機関からの資金調達が不可欠である。このような状況の中，大手ベンチャーキャピタル（以下「VC」という）のH社の投資担当者と知り合う機会があり，VCからの資金調達について話を聞いたところ，出資に前向きであるという回答を得た。

　そこでVCからの出資を検討したいが，初めての外部者による増資引受けのため，K社としては，どのようなメリット，デメリットが存在するのか知らなかった。しかし，資金繰りに余裕を持たせるためのよい機会であったため，メリット，デメリットを十分検討せずにVCからの提案を受諾することに決めてしまった。

何が問題なのか

　VCからの資金調達を行う上でのメリット，デメリットを比較し，自社の置かれた状況と見比べて，VCからの投資を受け入れるか否か判断すべきである。VCからの資金調達のメリット，デメリットは次のとおりである。

1．メリット

① 直接金融による資金調達が可能

　　VCから投資を受けることは，担保を前提にした借入などに頼らず株式を発行し資金を調達することを意味する。金融機関からの借入は返済する資金であるが，株主からの資金調達は，自己株式の取得をし

ない限り，基本的には返済することはない。したがって長期的な視野に立ち，設備投資，研究開発投資，人員拡大などに資金を活用することができ，会社成長の原動力となる可能性がある。

② IPOに向けた準備の宣言をアピール

　VCの資金の性格上，VCから投資を受け入れたことは，対外・対社内向けにIPOを目指すことを宣言したことを意味する。VCからの投資をきっかけに，IPOに向けた社内体制整備を開始する会社もある。

③ VCからの経営支援の期待

　投資先とVCは，IPOや企業価値向上による投資回収に向け，同じベクトルで進むことになる。そのためにVCは，自らの優秀な人材を投入して経営支援を行うほか，幹部候補の人材の紹介や提携先の紹介を行い，投資先の業績向上に向けた支援を行う。

2．VCからの資金調達のデメリット

① オーナー社長の株式保有シェアの低下

　資本政策の立案方法次第だが，VCからの投資の実行により創業者の株式保有シェアが低下する。例えば，株主総会の決議に必要なシェアをVCに握られてしまうと，オーナー社長の意向を反映した機動的な会社運営ができなくなる可能性がある。そのため，株式保有シェアの水準により，会社法上の承認決議や決議否決ができる内容が定められているため，内容ごとの決議要件を適切に把握すべきである。

　なお，オーナー社長の株式保有シェアの低下というデメリットはあるが，設備投資や研究開発投資などが事業継続・事業価値向上のために現時点で不可欠な場合には，資金確保が経営上の最重要課題と考え，VCからの資金調達を優先する局面も考えられる。

② 投資契約書に束縛される

　投資契約書は，VCと投資先との間の決め事を明文化したものである。投資契約書が威力を発揮する場合は，残念ながら投資先の経営が困難に陥った時が多い。したがって，VCとの投資契約書をよく理解した上で投資を受ける必要がある。場合によっては，投資契約書の条項の内容を変更する交渉が必要となるため，どんなに資金繰りが苦しい時でもこの確認作業を怠ると将来的にVCとの確執に発展する可能性があるため，十分に検討する必要がある。

③ IPO時には短期間で売却に向かうため，株価低下の要因になることもある

　VCの性格上投資回収が基本のため，IPO時にVCは保有株式の売出を行い，持分の売却を図る。上場後も，株価の動向を見ながら市場を通じ株式の売却を行う。したがって，上場後の長期安定株主にはその属性としてなり得ない。また，目論見書の上位株主にVCの名が連なって保有割合が大きい場合には，上場後の売り圧力が強いとみなされ，投資家から敬遠されることもある。このため，株主構成は重要なポイントである。

❓ どのように解決するか❓

　前述のとおりVCからの資金調達にはメリット，デメリットがあるため，自社の置かれた状況を見比べるとともに，投資契約書の内容をよく理解した上で投資を受け入れるか否か判断すべきである。

　なお，投資契約書は，VCと投資先の間で，投資にあたり当事者間で様々な取り決めを明文化した契約である。投資契約書に記載されている事項は，各VCにより異なるが，共通して記載されている事項は次の事項である。

【投資契約書の主な記載項目例】
- 提出資料の真実性の保証に関する定め
- 取締役会へのオブザーバーの指名
- 経営者の職務専念義務，競業避止義務
- VC持分の株式買取事項
- VCに対する事前通知義務の内容

発展ケース

Q1

H社からの出資を受けて1年経過したが，臨床研究の結果が思わしくなく，このまま治験まで継続した場合，当初予定していた研究開発予算を大幅に超過することが明らかになった。そこで，別のVCのM社から，増資を受けようと検討している。この場合注意すべき事項は何か。

A1

大規模な増資を行う場合は，株主間の調整が必要となる場合がある。特に業績悪化時の大規模な追加増資により，発行済株式数が大幅に増加する場合，株式の希薄化が生じ，既に投資したVC側では投資対象の持分比率が下がることから，大幅な希薄化を伴う増資を実行されるのは避けたいのが本音である。そのため，調達した資金による追加投資によって業績向上がどの程度見込めるかが，（M社からの）増資の是非を見極めるポイントといえる。

Q2

K社は研究開発を行ったが，当初の事業計画の達成は困難と判断し，IPOに向けた取組みを断念することを決めた。これをVC側に伝えたところ，投資契約に基づく株式の買取りを要求された。しかし買取りにあたり，お互いに株価をどうするか折り合いがつかない状態にある。株

式の評価方法はどのような方法が妥当なものとしてあるのだろうか？

A2

投資契約書に契約の終了事項があり，その中の項目に該当した場合には，買取りが行われることになる。投資契約書に，買取時の株価の算定方法が明示されていることが多い。代表的な算定方法は，次のとおりである。

- VCの取得価格
- 時価純資産方式
- 簿価純資産方式
- 収益還元法
- 類似会社比準法
- 第三者が鑑定した評価額

なお，投資契約書に明示されていない場合には，第三者の専門家に株価算定を依頼し，その評価書に基づいてお互い交渉を進め，株価の折り合いをつけることになる。

Q3

クラウドファンディングとはどのような資金調達手段なのか。

A3

一般には「新規・成長企業等と資金提供者をインターネット経由で結び付け，多数の資金提供者（＝crowd〔群衆〕）から少額ずつ資金を集める仕組み」を指すものとされている。クラウドファンディングには，大きく次の類型に分けることができる。

寄附型	インターネット上で寄附を募り，基本的にはリターンを伴わない。寄附者に対し何らかの感謝の印を送付することもある。
購入型	出資者から前払いの形で集めた資金を元手に製品開発等を行い，出資者には完成品等の製品を提供する。
貸付型	資金ニーズのある企業が，融資形式で資金調達を行い，投資家に対し利息を支払う。契約期間が終了した場合には元本が返還される。
ファンド型	資金ニーズのある企業に対し，匿名組合を通じて投資を行う。投資家は，匿名組合の持分を保有し，利益配分を受ける。
株式型	資金ニーズのある企業に対し，出資を行う。投資家は未公開の株式を保有することになる（1年間に一人当たり50万円以下，発行総額1億円未満）。

Q4

VCからの資金調達とクラウドファンディングとの違いは何か。

A4

通常VCから資金を調達する場合，VCに対し事業内容の説明や質疑応答，経営資料の作成，投資金額の交渉といった手続が発生するが，クラウドファンディングではインターネット上で事業内容や調達希望金額が公開されており，投資家に個別に説明することはない。

投資判断の決定にも違いがある。VCの場合は投資委員会が投資の実行を決めることになるが，クラウドファンディングの場合，基本的には資金の出し手である各投資家が決定しており，行おうとする事業内容に魅力や共感を呼ぶ内容である場合には希望金額が集まる仕組みである。言い換えれば，クラウドファンディングの場合，資金調達を行う時点で，事業そのものに社会的なニーズがあるかどうか判断されることになる。

調達金額にも違いが見られる。クラウドファンディングの調達資金の

総額は，数十万円の小規模な案件から数千万円のものまで多彩である。購入型の案件には，希望調達金額に達しなかった場合は案件が成立せず，それまでに集めた資金が返還されるケースもある。一方，VCの場合，投資金額は数千万円～数億円といった内容になることが多く，数十万円～数百万円といった小口の投資はあまり行われない。

経営の関与の度合いについても，VCは出資比率に応じ議決権を行使するがクラウドファンディングでは，株式型を除き議決権はない。

知識を整理

① VCからの出資によるメリット，デメリットについてよく考慮の上，出資を受け入れるか検討すべきである。また，出資後の資本構成のバランスも十分に検討する必要がある。
② 出資を受け入れる際，投資契約書を取り交わすことになるが，その契約内容についてよく理解する必要がある。例えば，VCに対する事前通知義務，月次決算の報告資料の提出，取締役会のオブザーバー出席などである。
③ 投資契約書の中に，経営者がVCから株式の買取りをしなければならない事項は何であるかを把握する。その際，買取価格に算定方法についてどのような方法によるのか理解する。

○×問題

Q

複数社のVCから出資を受け，上場承認を受けた。VCの株式保有比率が高いが，リスク情報に記載する必要はない。

A

× VCの保有比率が高い場合はリスク情報にその旨記載する必要がある。

2 【資本政策】デッドロック解消策

事例の概要

　Aは，甲社の創立者兼代表取締役社長である。甲社はソフトウェア開発を主たる事業としている。一方，甲社の共同創業者のBは甲社の取締役（ただし，代表権はない）である。

　A社長とB取締役は前職である乙社の同僚で，年齢も近いことからお互いに意気投合し，乙社から独立して甲社を設立した。独立にあたっては，乙社代表取締役Cにはいろいろ相談に乗ってもらい，甲社設立時にはA社長，B取締役の良き相談相手として甲社の社外取締役に就任してもらった。

　設立時の持株比率は，A社長，B取締役と仲良く50：50とすることとし，引受株数は双方100株とし，1株当たり5万円を出資し，資本金1千万円で甲社を設立した（株式は全て普通株式）。なお，甲社は非公開会社かつ取締役会設置会社であり，設立時の原始定款には以下の規定がある。

> （株式及び新株予約権の割当を受ける権利の決定）
> 第××条　　当会社は，当会社の株式（自己株式の処分による株式を含む。）及び新株予約権を引き受ける者の募集をする場合において，株主にその割当を受ける権利を与える場合には，その募集事項，株主に当該株式又は新株予約権の割当を受ける権利を与える旨及びその申込みの期日の決定は取締役会の決議によって定める。

　設立から3期を経て，業績も順調に推移し，従業員も20名を超え，

A社長はIPOも意識するようになってきていた。そこでB取締役にその旨を打ち明けると，B取締役は強く難色を示した。B取締役としては現状の規模で仲のよい仲間のみで，和気あいあいと事業を行っていくことを希望していた。

　このころからA社長とB取締役の方向性の違いが顕著となり，徐々に不仲となっていった。その背景には，A社長は寝る間も惜しんで会社経営に没頭している一方で，B取締役は自らが興味を持っている技術開発のみに没頭し，会社経営については全く無頓着で全てA社長に任せきりであることに対するA社長のB取締役に対する不満があった。そして第5期を迎えたころには，A社長とB取締役の仲はもはや修復不可能なほどに悪化していた。

　第5期の定時株主総会時に，A社長は将来のIPOを視野に入れた事業拡大のため，第三者割当増資による資金調達を計画しているが，一方でB取締役は現状維持で十分であり資金調達は不要と考えている。

何が問題なのか

　第5期の定時株主総会において第三者割当増資の議案が承認されないおそれがある。共同創業者であるA社長，B取締役の持株比率は50：50であり，経営方針の違いやAB双方の仲が修復不可能なほどに悪化している点から，いわゆる「デッドロック」（多数派株主が存在せず株主総会において何も決議できない状態）に陥っていると考えられる。デッドロックとなった場合，株主総会が機能不全に陥るため，事業運営に大きな支障をきたすことになる。

　仲のよい創業者同士であるほど，平等性を重んじて，事例のように50：50の持株比率にしてしまうことは多い。しかし，関係がこじれるとこのようなデッドロックに陥ってしまうため，創業時から持株比率については，専門家の助言を仰ぎながら慎重に決めた方がよい。

❓ どのように解決するか ❓

　デッドロックとなった場合，株主総会決議事項は全て否決となり，決算の承認すらできなくなる。デッドロック解消のためには持株比率を変動させて，いずれかの株主グループの議決権比率が過半数超となるようにする必要がある。しかし，株式譲渡による持株比率変動を除き，非公開会社で持株比率を変動させるためには，会社法上原則として株主総会決議が必要となるため，これを経ずに適法に持株比率を変動させることはかなりの難問である。

　事例の場合は，幸い定款で株主割当増資を取締役会決議事項とする旨が規定されているので，株主割当増資により結果的に持株比率が変動するということは考えられる。例えば，資金調達の必要性がある場合に，A社長が発案の上取締役会決議（事例の場合，社外取締役であるCが賛成すれば，取締役会決議は可決される）により株主割当増資を決議する。これに対し株主であるB取締役が自己資金不足により申し込まない場合（会社法第204条第4項）又は申し込んでも出資の履行をしない場合は失権（会社法第208条第5項）し，持株比率が変動して，結果的にA社長が過半数の議決権を得ることができる。

　ただし，株主割当増資の目的はあくまでも資金調達であり，当初から持株比率変動を意図して行う場合は，著しく不公正な新株発行として差止請求の対象となり得る（会社法第210条）。また，こうした新株発行は審査上も問題視される可能性があるため，慎重に進める必要がある。

■ 発展ケース

Q1
仮に甲社の定款上で事例のような定めがない場合，A社長が採り得るデッドロック解消手段としてはどのようなものがあるか。

A1

　例外規定である定款上で株主割当増資を取締役会決議事項とする旨の定めがない場合，株主割当増資は原則である株主総会決議事項（会社法第202条第3項第4号）となり，Bが賛成しない限り，過半数に達しないため，その実行は不可能となる。したがって，デッドロック解消手段としてはB取締役の株式をA社長（又はA社長の意思に賛同する他者）が買い取るしかない。両者間の交渉が不成立となった場合，会社法上，適法にデッドロックを解消する手段は，もはや存在しないといえる。

　ただし，甲社が金融機関から借入を行っている場合は，メインバンクがA社長を支持し，融資の継続や増額についてA社長が主導する会社になることを条件に株主構成や取締役構成の是正を促し，結果としてデッドロックを解消できるケースが稀にある。

Q2

　事例の場合で，A社長が株主総会決議を経ないで，自己を割当先とする第三者割当増資を実行した場合，どのような問題があるか。また，B取締役はこれに対しどのような手段を講じることができるか。

A2

　違法な新株発行として新株発行無効事由となる。ただし，会社法上，新株発行の無効主張は法的安定性を考慮し，訴えをもってのみ主張することができるとされている（会社法第828条第1項第2号）。したがって，B取締役は新株発行の効力発生日から1年以内に「新株発行の無効の訴え」を提起することにより，自己の利益を確保することになる。

2 デッドロック解消策

知識を整理

① 「非公開会社」とは、その発行する全部の株式の内容として譲渡による当該株式の取得について株式会社の承認を要する旨の定款の定めを設けている株式会社をいう。なお、会社法では「公開会社」について定義（会社法第2条第5号）しており、非公開会社については直接的には定義していない。会社法上の「公開会社ではない会社」という意味で一般的に「非公開会社」といわれている。また、会社法では「公開会社」という用語は、通常意味するところの「上場会社」とは異なる意味で用いられているので注意が必要である。

② 「取締役会設置会社」とは、取締役会を置く株式会社又は会社法の規定により取締役会を置かなければならない株式会社をいう（会社法第2条第7号）。上場時には必ず取締役会設置会社となっていなければならない（ただし、ジャスダック・グロースに上場する内国会社については、上場日から1か年経過した日以後、最初に終了する事業年度に係る定時株主総会の日までに取締役会を設置するものとして猶予措置が定められている）。

③ 「株主割当増資」とは、新株発行による資金調達方法の一種で、現在の株主に新株の割当を受ける権利を与えて行う増資形態をいう（会社法第202条）。

④ 「第三者割当増資」とは、新株発行による資金調達方法の一種で、特定の第三者に対してのみ新株の割当を行う増資形態をいう。なお、現在の株主に対して新株を割り当てる場合でも、株主の持株比率に比例的に割り当てない場合は、第三者割当増資という。

○×問題

Q1
非公開会社では、株主以外の第三者に新株を割り当てる場合、株主総会決議が必要である。

A1

○ 正しい（会社法第 199 条第 2 項，第 200 条第 1 項）。

Q2

新株発行が第三者に対する有利発行である場合，株主総会の普通決議が必要である。

A2

× 有利発行の場合，株主総会の特別決議が必要である（会社法第 199 条第 2 項，第 3 項，第 309 条第 2 項第 5 号）。

Q3

非公開会社においては，いかなる場合でも，取締役会決議のみで新株を発行することは許されていない。

A3

× 非公開会社であっても，定款において株主割当増資を取締役会決議で行う旨の定め（会社法第 202 条第 3 項第 2 号，事例参照）がある場合は，取締役会決議のみで株主割当増資による新株発行が可能である。

3 【資本政策】ストック・オプション

事例の概要

　甲社（取締役会非設置会社）はゲームソフト開発会社であり，Aは甲社の創立者兼代表取締役社長である。甲社は創業3期目を迎え，欠損金を解消しつつあった。大手ゲームメーカーからの大型案件の受注が決定し，今後の大幅な業績上昇が期待できることから，A社長はIPOを考え始めていた。

　IPOを考えたA社長は，顧問の会計士に資本政策の策定を依頼することにした。A社長は，IPO後においても一定の持株比率を維持したい一方で，A社長には手持資金がない状況であった。顧問の会計士にその旨を相談したところ，「それならば，取締役や従業員に対してストック・オプションを発行することも検討に入れておく。ただし，この場合，ストック・オプション発行前に持株比率の調整を検討する必要がある。」と言われた。なお，この時点での甲社の株主及び持株比率は，以下のとおりであった。

株主	持株数	持株比率
代表取締役社長A	100株	50.0％
取締役B	50株	25.0％
取締役C	30株	15.0％
取締役D	20株	10.0％
合計	200株	100.0％

何が問題なのか

　税制適格か税制非適格かによって、ストック・オプションに対する課税が異なってくることが問題となる。

　ストック・オプションとは、「自社の株式を原資産とするコール・オプションのうち、特に企業がその従業員及び役員（取締役、監査役、執行役、会計参与）に、報酬として付与するもの」をいう（ストック・オプション等に関する会計基準2項(2)）。法的には会社法上の新株予約権（会社法第236条）として発行する。

　共同創業者であるA、B、C、Dのうち、A社長の持株比率のみ3分の1を超えており、大口株主に該当する。この状態のまま、各取締役にストック・オプションを発行した場合、税制適格の各要件を満たすならば、持株比率が3分の1を超えていない取締役B、C、Dに対するストック・オプションは「税制適格ストック・オプション」となるが、A社長に対するストック・オプションは「税制非適格ストック・オプション」となってしまう（税制適格要件については後述）。

　「税制適格ストック・オプション」と「税制非適格ストック・オプション」とでは、税金負担額の面で以下のような大きな差異が生じるため、通常は「税制適格ストック・オプション」となるように設計して発行する場合が多い。事例の場合で「税制適格ストック・オプション」にするには、まずA社長の持株比率を3分の1以下にするための施策を行う必要がある。

【ストック・オプションの課税関係（取締役に付与した場合）】

	付与時	権利行使時	売却時
税制適格ストック・オプション	無	無	有 （株式譲渡益課税 （申告分離課税））

税制非適格ストック・オプション（ただし，有償時価発行，株主割当にする発行の場合を除く）	無	有（給与所得課税（所得税，復興特別所得税及び住民税合計で15.105％～55.945％））	有（株式譲渡益課税（申告分離課税））

❓ どのように解決するか ❓

　大口株主に対してストック・オプションを付与した場合，税制適格要件を満たさないこととなるが，ここでの「大口株主」とは以下の者をいうとされている（租税特別措置法第29条の2，同施行令第19条の3）。

① 　金融商品取引所に上場されている株式又は店頭売買登録銘柄として登録されている株式である場合
　　発行済株式総数の10分の1を超える株式を保有する個人株主

② 　上記①以外の株式である場合
　　発行済株式総数の3分の1を超える株式を保有する個人株主

　大口株主に該当するか否かは，ストック・オプションの付与決議日現在において，その株主自身が上記①又は②の数の株式を保有しているか否かによるのであり，その株主の親族等が保有する株式数を含める必要はない。

　したがって，事例の場合，非上場株式であるため，税制適格要件を満たすためには，まずA社長の株式を信頼できる親族（配偶者，両親等）に譲渡し，自らの持株比率を3分の1以下に低下させることが考えられる。

　その他にも，いわゆる「財産保全会社」（375ページ参照）を設立し，この会社にA社長の株式を保有させることで自らの持株比率を3分の1以下に低下させることが考えられる。

発展ケース

Q1

現在，甲社には監査役が存在しないが，今後 IPO に備えて監査役設置会社とする予定である。監査役にもストック・オプションを付与したいが，その場合どのような問題が生じるか。

A1

　　税制適格ストック・オプションとなるためには，その会社又はその会社の子会社の従業員，取締役，執行役に付与する必要がある。このため，監査役にストック・オプションを付与した場合，無条件で税制非適格ストック・オプションとなってしまう。また，監査役による監査の実施は，時には株価上昇と相反する結果となる場合もある（監査役監査により不正行為が発覚した場合は，株価下落要因になる）。このため，監査役にストック・オプションを付与することは，手抜き監査を誘発する「逆インセンティブ効果」も生じかねないため，あまりに多くのストック・オプションを付与することは，審査上問題視される可能性がある。

Q2

　　事例の場合で，どうしても A 社長の持株を移動できない場合，付与されたストック・オプションの権利行使時における課税を避けるためにはどうすればよいか。

A2

　　ストック・オプション（新株予約権）の有償時価発行を行うことが考えられる。また，新株予約権の株主無償割当による発行を行った場合も，当該新株予約権の権利行使時における課税は行われないため，この方法も検討に値する。

参考：株式会社インボイスによる東京国税局への事前照会に対する文書回答

https://www.nta.go.jp/about/organization/tokyo/bunshokaito/joto-sanrin/08/01.htm

Q3
　A社長としては，資本政策の柔軟性を高めるため，上場前のかなり早い段階での権利行使も可能なようにストック・オプションを設計したい。この場合，留意すべき事項としては何があるか。

A3
　税制適格ストック・オプションの要件として，権利行使により取得した株式については，権利行使前に会社と証券会社等があらかじめ所定の取決めをした上で，取得した株式を証券会社等に対して保管委託等を行うことが求められており（後述の税制適格要件を参照のこと），通常は上場が見えてきた段階で，会社と主幹事証券会社とが契約し，それに基づき，権利行使により取得した株式について保管委託等を行い管理することになる。

　しかし，主幹事証券会社も決まっていないようなIPO準備の初期の段階では，上記の要件を満たすことは難しい。このため，せっかく税制適格要件を満たすようにストック・オプションを発行したとしても，そのままでは権利行使時に課税されることとなる。

　こうした事態を避けるため，最近はストック・オプション発行時に有償時価発行の手法を採用する会社が増えている。有償時価発行であれば，権利行使時の課税は行われない。

　しかし，未上場会社の新株予約権の時価については，未上場会社の株価以上に算定が難しく，容易には算定できない。未上場会社の新株予約権の算定のためには，まず算定対象会社の株価の算定も必要となり，ま

た，通常はボラティリティについては，上場類似会社のボラティリティを用いるが，上場類似会社の選定も難しい。

こうした事情があることから，IPO準備会社において，有償時価発行を行う場合は，必ず未上場会社における新株予約権の時価評価について経験豊富な公認会計士等の外部専門家による時価評価算定書を入手する必要がある。

Q4

A社長は従業員に対してもストック・オプションを新株予約権の有償時価発行で付与し，払込みについては，従業員が会社に対して有する債権と相殺する方法（会社法第246条第2項）により実行しようと考えている。この場合の留意事項は何か。

A4

ストック・オプションを付与する場合，税制適格要件を満たすように設計するのが一般的であるが，新株予約権の無償発行（会社法第238条第1項第2号）の場合は，現在の会社法では無償発行＝有利発行というわけではないものの，株主総会の特別決議が必要となる新株予約権の有利発行（会社法第238条第3項）に該当するのではないかとの懸念が常につきまとう。そこで，こうした懸念を解消するために，最近は上場企業において，新株予約権の有償時価発行によるストック・オプション付与が増加している傾向が見受けられる。この方法によれば有利発行とされる可能性はなくなり，権利行使時の課税もない。

新株予約権の有償時価発行を行った場合，新株予約権者は新株予約権時価相当額の払込みを行う必要がある。この払込みは，実務上は新株予約権者が発行会社に対して有している債権と相殺する方法によりなされることが多い。従業員に付与した場合もこうした方法は当然可能ではあるが，発行会社に対して有している賃金債権をもって，一律に一方的に

相殺した場合は，労働基準法第24条違反となる可能性があるため注意が必要である（新株予約権ハンドブック第2版（商事法務）401ページ）。労基法違反とならないようにするためには，賃金債権と相殺する際に，従業員側から自由意思による相殺通知書を提出してもらうか，自由意思に基づく従業員と発行会社との相殺契約を締結した上で，さらに従業員代表と発行会社との間で賃金控除協定（労働基準法第24条第1項）を締結し，新株予約権の払込金額を賃金の控除項目とする必要がある。

なお，この方法によるストック・オプション発行時に，新株予約権の払込債務と相殺することのみを目的として，新株予約権の時価相当額の金銭給付を従業員に対して新たに行うことがある。この場合，当該金銭給付が就業規則の規定外の全くの任意恩恵的給付であるときは，労働基準法上の賃金には該当しない（昭22.9.13発基17号）ため，上記のような労基法違反の問題は生じない。

知識を整理

ストック・オプションの税制適格要件は，以下のとおりである（租税特別措置法第29条の2，租税特別措置法施行令第19条の3，租税特別措置法施行規則第11条の3）。

1．付与対象者が下記に該当する個人であること
① 会社の取締役，執行役及び従業員（ただし，大口株主及び大口株主の特別関係者※を除く）
② 会社が議決権の50％超を保有する子会社の取締役，執行役及び従業員（ただし，大口株主及び大口株主の特別関係者※を除く）

※ 大口株主及び大口株主の特別関係者とは
　ア 大口株主とは（393ページ参照）
　イ 大口株主の特別関係者とは
　　・ 大口株主の親族（配偶者，六親等内の血族及び三親等内の姻族）
　　・ 大口株主と事実上婚姻関係と同様の事情にある者及びその者の直系血族

- 大口株主の直系血族と事実上婚姻関係と同様の事情にある者
- 大口株主から受ける金銭その他の財産によって生計を維持している者及びその者の直系血族
- 大口株主の直系血族から受ける金銭その他の財産によって生計を維持している者

2．会社法の規定に基づき「金銭の払込み（金銭以外の資産の給付を含む）をさせない」※で発行されたものであること

※「金銭の払込み（金銭以外の資産の給付を含む）をさせない」とは，無償又は新株予約権者が会社に対して有する債権と新株予約権の払込債務を相殺して払い込む方法のいずれかをいう。

3．新株予約権割当契約において，次の要件が定められていること
① 年間（暦年）権利行使可能額が1,200万円までであること
② 譲渡できないこと
③ 権利行使時の新株の発行又は株式の移転が会社法に定める手続に基づいて行われること
④ 権利行使可能期間が付与決議の日後2年を経過した日から10年を経過する日までであること
⑤ 付与契約締結日の時価以上の権利行使価額が定められていること
⑥ 権利行使により取得する株式について，あらかじめ発行会社と金融商品取引業者等との間で締結される振替口座簿への記載もしくは記録，保管の委託又は管理等信託に関する取決めに従い，取得後直ちに，発行会社を通じて金融商品取引業者等の振替口座簿に記載若しくは記録を受け，又は金融商品取引業者等の営業所等に保管の委託若しくは管理等信託がされること（なお，上記の「金融商品取引業者等」として，証券会社と信託銀行が税法上規定されているが，通常は証券会社との間でストック・オプション専用口座を開設して管理する）
4．権利行使時に会社に対して誓約書等の提出をすること

なお，論者によっては，「特定新株予約権の付与に関する調書」の税務署への提出を税制適格要件（つまり，権利行使時における課税免除の要件）の一つ

として説明する者もいるが，これは誤りである。この点，非常に誤解が多いのであるが，条文（租税特別措置法第29条の2）を確認すれば明らかである。

税制適格要件は，租税特別措置法第29条の2第1項及び第2項において定められている。一方で，「特定新株予約権の付与に関する調書」に関しては，同条第6項において定められているが，税制適格要件を定めている第1項及び第2項において，第6項を参照していない。したがって，調書の提出が税制適格要件に入っていないということは条文構造上明らかである。

また，そもそも税制適格ストック・オプションによる権利行使時課税の免除の利益は，ストック・オプションを付与された個人側が享受するものである。それにもかかわらず，ストック・オプションを付与する側である会社による税務署への調書の提出の有無を税制適格要件にしてしまうと，ストック・オプションを付与された個人側では調書提出に関与できないにもかかわらず，ストック・オプションを付与した会社側において，調書の提出対象者を選別することにより，恣意的に税制メリットの享受対象者を選べることになってしまい大変不合理な結果を招くことになる。

○×問題

Q1
従業員に対して，税制適格要件を満たしたストック・オプションとしての新株予約権を付与し，その後その従業員が監査役に就任した場合，当初付与したストック・オプションは税制非適格ストック・オプションとなる。

A1
× 税制適格要件を満たしているか否かは付与時点で判定する。

Q2
給与としてストック・オプションを付与することにより，金銭による

給与を支給しないことも許される。

A2

×　ストック・オプションは労働基準法上の賃金に該当しないため（平9.6.1 基発 412 号），ストック・オプションを付与することによって金銭による給与の支給を行わないことは，労働基準法及び最低賃金法に違反する。

Q3

取締役に対して，税制適格要件を満たしたストック・オプションとしての新株予約権を付与し，その後その取締役が退任した場合，退任が理由となり，当初付与した新株予約権は必ず失効し，消滅する。

A3

×　ストック・オプションとして新株予約権を付与する場合，通常は「権利行使時においても取締役又は従業員の地位にあること」という権利行使条件を定めるのが一般的である。この場合は，取締役を退任した時には，もはや新株予約権を行使できなくなるため新株予約権は消滅する（会社法第 287 条）。しかし，この権利行使条件を定めない新株予約権の発行も許されるため，必ず失効し消滅するというわけではない。このため，付与前に権利行使条件をしっかり検討する必要がある。

Q4

取締役会非設置会社においてストック・オプションとしての新株予約権（譲渡制限新株予約権）を，総数引受契約を締結する方法により発行する場合は，定款に別段の定めがある場合を除き，株主総会の特別決議によって当該契約の承認を受けなければならない。

A4

○ 総数引受契約とは，募集新株予約権を引き受けようとする者がその総数の引受けを行う契約をいう（会社法第244条第1項）。総数引受契約といえるためには，実質的に同一の機会に一体的な契約で募集新株予約権の総数の引受けが行われたものと評価し得るものであることを要し，引き受ける者の人数は問わないが，引き受ける者があらかじめ定まっている必要がある（論点解説新・会社法（商事法務）208ページ，241ページ）。従来は，総数引受契約の承認決議は不要であったが，平成26年改正会社法により契約の承認決議が必要となった（会社法第244条第3項）。

4 【資本政策】
種類株式

事例の概要

　甲社（取締役会非設置会社）はゲームソフト開発会社であり，Aは甲社の創立者兼代表取締役社長である。甲社が開発したソーシャルゲームがヒットし，業績は絶好調であった。甲社はつい先日，監査法人のショートレビューを受け，本格的にIPO準備作業をスタートさせたところである。

　ある日，A社長は異業種交流会に参加し，そこで独立系VCの社長であるBと知り合った。B社長は甲社の事業内容を聞き，「是非当社に出資させてほしい」とA社長に伝えた。ちょうど甲社では人員の増加でオフィスが手狭となり，オフィス移転のための資金の調達が必要であった。A社長はB社長のベンチャービジネスに対する熱い思いを聞き，またB社長の紳士風の風貌も相まってB社長に対して信頼感を抱き，B社長が経営するVCから総額3,000万円（持株比率20％）の出資を受けた。

　その後，主幹事証券会社の選定に入った段階で，証券会社の法人営業担当者から株主名簿の提出を依頼された。A社長がこれを提出したところ，後日その担当者から連絡があった。「貴社に出資している独立系VCは指定暴力団○○組のフロント企業です。このVCが株主に入っている以上，上場はできません。」と伝えられた。A社長は愕然とし，頭が真っ白になった。

何が問題なのか

　株主として反社会的勢力が存在していること自体が問題となる。反社

> 会的勢力の排除は現在のIPO審査上，最重点項目の1つである。証券取引所，証券会社，警察当局は連携をとり反社会的勢力の排除に日々努めている。
>
> 　反社会的勢力は言葉巧みにベンチャー企業に近づいてくる。事例のような異業種交流会で意気投合し，気づいたときには株主になっているということも珍しいことではない。取引関係であれば，最近は暴力団排除条項（暴排条項）の利用が一般的になりつつあり，これを根拠に関係を断ち切ることも可能かもしれないが，株主になってしまっている場合は，その排除は容易ではない。
>
> 　通常であれば，出資時に株主の素性について一定の心証を得ておく必要がある。それでも反社会的勢力が株主となってしまった事例のような場合は，一般的には株式の買取りを打診することになる。おそらく，先方は，法外な買取価格を提示してくるであろう。買取りについて合意に至れば関係を断ち切れるが，合意できない場合は，スクイーズアウト（少数株主排除策）による排除も考えざるを得ない。

❓ どのように解決するか ❓

1．株式買取りの打診

　この場合は，買取価格が問題となる。買取価格は資本政策上問題のない価格でなければならない。あまりに法外な高価格で買い取った場合は，IPO時の創業者利潤の確保が困難になり，場合によってはIPO時の株価の方が低くなり，損失となる可能性もある。買取価格については，会計士等の専門家に株価算定を依頼し，その価格をたたき台として交渉に臨むことになる。

2．スクイーズアウト（少数株主排除策）

　まずは，1．の買取打診をすべきだが，交渉が不成立に終わった場合は，スクイーズアウトが考えられる。具体的には反社会的勢力の株主が保有する普通

株式を取得条項付株式（このときの取得条項については後述の発展ケース参照）に転換し，取得条項に基づき自己株式として取得する。

ただし，通常，普通株式を取得条項付株式に転換するには全株主の同意が必要である（会社法第110条）。反社会的勢力の株主からは同意を得ることは無理なため，このままでは，取得条項付株式に転換することはできない。しかし，次の方法によれば，全株主同意を必要とせずに反社会的勢力の株主が保有する株式を取得条項付株式に転換することができる。

① 取得条項付株式の発行を可能とする株式の種類の追加の定款変更を株主総会特別決議で行う。
② 全ての株式（普通株式）について，株主総会及び普通株主による種類株主総会の特別決議により全部取得条項を付す。
③ 全部取得条項付種類株式（普通株式）の取得のための株主総会特別決議を行い，取得対価として取得条項付株式を交付する。

この場合，特別決議については総議決権の3分の2以上の賛成が必要なため，仮に諸事情によって新たな株主を受け入れるとしても，当該株主の有する議決権数は総議決権数の3分の1未満にするべきである。今回のケースのように，背景をよく理解していない者からの出資話は，どんなに資金繰りが困難な場合であっても慎重に対応する必要がある。

なお，スクイーズアウトは，株主権を強制的に剥奪する方法であるので，審査上問題視される可能性もある。したがって，その実施にあたっては，主幹事証券，顧問弁護士等と相談しながら慎重に進めるべきである。

発展ケース

Q
事例のような場合に備えて，会社にとって望ましくない者が株主となった場合に，その株主をいつでも排除できるようにする方法はあるか。

> **A**
>
> 　事例のような事態に備えるため，当初から自社の株式を取得条項付株式とし，「反社会的勢力者であることが判明した場合は取得条項発動」となるように暴排条項的な取得条項を入れるという予防策を講じることが考えられる（ただし，IPO 時には取得条項付株式は普通株式に転換することが必要である）。
>
> 　なお，こうした条項を定めることが株主平等の原則（会社法第109条）の観点から，問題がないのか気になるところであるが，会社法の立法担当者は「（取得条項付株式の一部を取得する場合，その取得する株式の決定方法について）定款に具体的な定めが置かれている場合には，発行前に定めた場合には取得条項付株式の株主はその条項を知って株主となっており，また，発行後に定めた場合には取得条項付株式の株主の全員の同意を得ているため，その具体的な定めに従う限りにおいて，当該取得条項付株式の株主を平等に扱う必要はない」（『立案担当者による新・会社法の解説』商事法務，42 ページ）と述べている。

【企業防衛を考えた取得条項付株式とする場合の定款規定例】

（A 種類株式）

第×条　　当会社は，A 種類株式を有する株主（以下「A 種類株主」という。）が次の各号のいずれにも該当しないときは，取締役会決議により別に定めた日をもって，当該 A 種類株主より A 種類株式を取得することができる。

　　　　① 　当会社又は子会社の取締役
　　　　② 　当会社又は子会社の監査役
　　　　③ 　当会社又は子会社の従業員

　　2　　当会社は，前項のほか，A 種類株主に次の各号に定める事由が生じたときも，取締役会決議により別に定めた日をもって，当該

A種類株主より株式を取得することができる。
① A種類株主が前項各号に定める者以外にA種類株式を譲渡しようとしたとき又は譲渡したとき。
② A種類株主がA種類株式を質入れしようとしたとき又は質入れしたとき。
③ 自然人であるA種類株主が死亡したとき。
④ 自然人であるA種類株主が心身の障害により判断能力を喪失したとき。
⑤ A種類株主につき破産手続開始の申立てがあったとき。
⑥ A種類株主につき再生手続開始の申立てがあったとき。
⑦ A種類株主に重大な法令違反行為があったとき。
⑧ 当会社又は子会社の従業員であるA種類株主に就業規則で定める減給以上の懲戒処分が下されたとき。
⑨ A種類株主が次に掲げる反社会的勢力者であることが判明したとき。

　ア　暴力団（暴力団員による不当な行為の防止等に関する法律（以下「暴力団対策法」という。）第2条第2号に規定する暴力団をいう。以下同じ。）

　イ　暴力団員（暴力団対策法第2条第6号に規定する暴力団員をいう。以下同じ。）

　ウ　暴力団準構成員（暴力団員以外の暴力団と関係を有する者であって，暴力団の威力を背景に暴力的不法行為等（暴力団対策法第2条第1号に規定する暴力的不法行為等をいう。以下同じ。）を行うおそれがあるもの又は暴力団若しくは暴力団員に対し資金，武器等の供給を行うなど暴力団の維持若しくは運営に協力し，若しくは関与するものをいう。以下同じ。）

　エ　暴力団関係企業（暴力団員が実質的にその経営に関与している企業，暴力団準構成員若しくは元暴力団員が経営す

る企業で暴力団に資金提供を行う等暴力団の維持若しくは運営に積極的に協力し若しくは関与するもの又は業務の遂行等において積極的に暴力団を利用し，暴力団の維持若しくは運営に協力している企業をいう。以下同じ。）

　　オ　総会屋等（総会屋その他企業を対象に不正な利益を求めて暴力的不法行為等を行うおそれがあり，市民生活の安全に脅威を与える者をいう。以下同じ。）

　　カ　社会運動等標ぼうゴロ（社会運動若しくは政治活動を仮装し，又は標ぼうして，不正な利益を求めて暴力的不法行為等を行うおそれがあり，市民生活の安全に脅威を与える者をいう。以下同じ。）

　　キ　特殊知能暴力集団等（暴力団との関係を背景に，その威力を用い，又は暴力団と資金的な繋がりを有し，構造的な不正の中核となっている集団又は個人をいう。以下同じ。）

　　ク　その他前記アからキに準ずる者

　　ケ　前記アからクに該当する者と密接な交友関係にある者

　⑩　A種類株主に前各号のいずれかに準ずる事由が生じたとき。

3　前2項にかかわらず，当会社は取締役会決議により別に定めた日をもって，いつでもA種類株式を取得することができる。

4　前3項にかかわらず，A種類株主は，A種類株主となった日の翌日から起算して3年を経過した日以降，毎事業年度に係る定時株主総会の終結後3ヶ月以内に限り，当会社に対しA種類株式の取得を請求することができる。

5　前4項の定めにより，当会社がA種類株式を取得する場合の対価は金銭とする。

6　前項に定める金銭の額は，最終事業年度に係る貸借対照表の純資産額を発行済株式総数（ただし，自己株式数を除く。）で除して得た額に対象株式数を乗じて得た額（ただし，1円未満の端数が生

> じた場合は切り上げるものとする。）とする。

知識を整理

1．種類株式

　種類株式とは，会社法上で明確な定義はないが，会社法第108条第1項に掲げる事項について権利内容の異なる株式を発行した場合における各株式のことをいう。一般に普通株式（定款上で権利内容について特段の定めをしていない株式）に対する概念として種類株式といわれることが多い。会社法上は，定款上で権利内容の異なる複数の株式を定めて，これらを発行している場合には，それら全て種類株式というため，普通株式も種類株式の一種となる。種類株式としては，具体的には次の9種類が会社法に定められている。

【種類株式の類型】

	名　称	対象となる基本的権利	会社法第108条第1項	その内容
①	配当優先株式 配当劣後株式	剰余金配当請求権	第1号	剰余金の配当につき，優先権付かどうかの株式の種類
②	残余財産分配優先株式 残余財産分配劣後株式	残余財産分配請求権	第2号	残余財産の分配につき，優先権付かどうかの株式の種類
③	議決権行使条項付株式	総会議決権	第3号	株主総会の議題につき，議決権を行使できるかどうかによる株式の種類
④	譲渡制限株式	譲渡処分権	第4号	譲渡による株式の取得につき，会社の承認を要する株式

⑤	取得請求権付株式	譲渡処分権	第5号	会社に取得せよという権利のついた株式
⑥	取得条項付株式	譲渡処分権	第6号	一定の事由が発生すると、会社のほうから強制的に取得できる株式
⑦	全部取得条項付種類株式	譲渡処分権	第7号	株主総会決議で会社が全部を取得できる種類株式
⑧	拒否権付種類株式	総会議決権	第8号	黄金株ともいい、株主総会決議等にノーといえる権利をもった種類株式
⑨	取締役・監査役選解任権付種類株式	総会議決権	第9号	種類株主総会で取締役又は監査役を選任又は解任できる種類株式

(『これが新増減資だ種類株式だ』中央経済社,66ページより抜粋,執筆者が一部変更)

2．議決権種類株式に係る上場制度について

　平成18年の会社法の施行により種類株式制度が柔軟化されたことなどを踏まえ，東京証券取引所では，平成20年1月に「議決権種類株式の上場制度に関する報告書」を公表した。そして，その後報告書を踏まえて，平成20年7月に東証の諸規則を改正し，議決権種類株式の上場制度が整備された。

　この制度を利用した初めての上場事例として，大学発ベンチャー企業で介護ロボットスーツの開発販売を行うCYBERDYNE株式会社が東証マザーズに上場した。CYBERDYNE社の株式の概要は，以下のとおりである。

【CYBERDYNE社の株式の概要】

（目論見書より抜粋）

	普通株式	B種類株式
剰余金の配当 残余財産の分配	同順位・同額	
単元株式数	100株 （100株につき 1個の議決権）	10株 （10株につき 1個の議決権）
種類株主総会の決議を要しない旨の定款による定め	あり	なし
取得請求権 取得条項	なし	あり（注1） （B種類株式1株を 普通株式1株に転換）
上場	東京証券取引所 マザーズ市場に上場予定	非上場

(注1) 取得条項は，①公開買付けが実施された結果，公開買付者の所有する当社の株式の数が当社の発行済株式の総数に対して占める割合が4分の3以上となった場合（ブレークスルー条項（注2）），②山海嘉之が取締役を退任した後約1年以内に，またその後も約5年毎に，B種類株式の単元株式数を100株とみなして計算される普通株主及びB種類株主の議決権の3分の1以上を有する株主の意思が確認でき，意思を確認した当該株主の議決権の3分の2以上に当たる多数が賛成した場合（サンセット条項（注3）），③当会社が消滅会社となる合併，完全子会社となる株式交換または共同株式移転を行う場合，④B種類株式についてB種類株主以外の者に対する譲渡につき譲渡承認請求がなされ，またはB種類株主が死亡した場合（B種類株主に譲渡等されたB種類株式を除く）に発動します。

(注2) 「ブレークスルー条項」とは，発行済株式総数のうち一定割合の株式を取得した者が現れた場合，自動的にB種類株式が普通株式に転換される仕組みをいいます。

(注3) 「サンセット条項」とは，議決権種類株式導入の目的が終了した場合又はこれらの事由が生じたとみなすことのできる場合に，B種類株式が普通株式に転換される仕組みをいいます。

CYBERDYNE社は，上場する普通株式と比較して，剰余金の配当及び残余財産の分配については同一の権利を有しているが，単元株式数について異なるB種類株式を設けている。具体的には，普通株式の単元株式数を100株とし，B種類株式の単元株式数を10株とすることにより，B種類株主が有する議決権の数は，同数の普通株主に比べて，10倍となっている。B種類株主は，創業者で代表取締役の山海嘉之氏，山海嘉之氏が代表理事を務める2つの財団法人のみである。その結果，創業者である山海嘉之氏の有する株式の持株比率は普通株式とB種類株式を合わせて約43％であるが，一方で議決権比率は約88％となっている。

これについて，同社は「当面の間，山海嘉之氏及び財団法人に高い議決権が保有されることにより，CYBERDYNE社の先進技術の平和的な目的での利用が確保され，また株主共同利益に繋がるもの」と説明をしている。

CYBERDYNE社の上場により，にわかに議決権種類株式を利用した上場が脚光を浴びるようになった。こうした背景もあり，東京証券取引所では，CYBERDYNE社の上場時における審査考慮事項も踏まえながら，「上場審査等に関するガイドライン」を平成26年7月2日付で改正し，同年7月7日より施行している（改正の概要及びガイドラインの新旧対照表については，日本取引所グループのホームページより確認可能である）。

本改正では，議決権種類株式に係る上場審査において，次の事項への適合状況を確認することを明確化している。

① 議決権の多い株式を利用することにより，特定の者が経営に関与し続けることができる状況を確保することが，株主共同の利益の観点から必要であると認められ，かつ，そのスキームが当該必要性に照らして相当なものであると認められること。
② 議決権の多い株式の利用の主要な目的が，新規上場申請者の取締役等の地位の保全や買収防衛策ではないこと。
③ 議決権の多い株式の利用の目的，必要性及びそのスキームが適切に開示されていること。

④ 上記①～③のほか，議決権の多い株式の株主が新規上場申請会社の取締役等でない場合は，「上場審査等に関するガイドライン」に定める追加的な要件に適合すること。

○×問題

Q1

取得請求権付株式及び取得条項付株式の取得対価が株式以外のものである場合は，財源規制がある。

A1

○　正しい（会社法第 166 条第 1 項，会社法第 170 条第 5 項）。

Q2

非参加型配当優先株とは，優先配当後の残余の配当に普通株式と一緒に参加することができない配当優先株をいう。

A2

○　正しい。

Q3

非公開会社（発行する株式の全てが譲渡制限株式である株式会社）では，議決権制限株式が，発行済株式総数の 2 分の 1 を超えた場合は，直ちに議決権制限株式の数を発行済株式総数の 2 分の 1 以下にするために必要な措置をとらなければならない。

A3

×　上記のような措置を要求されるのは非公開会社ではなく公開会社である（会社法第 115 条）。

5 【資本政策】自己株式の取得と税務上の株価

事例の概要

　甲社（取締役会設置会社）は携帯向けサイト構築及び携帯向けアプリ開発をメインに行っている会社である。Aは甲社の創立者兼代表取締役社長である。甲社はA社長のほか，取締役B（技術担当），取締役C（管理担当）の3名共同で創業した。創業時の出資額は1株当たり50千円である。なお，創業以来株式の移動及び増資はしていない。会社の株主，持株比率，純資産の部の内訳は，以下のとおりである。

【株主及び持株比率】

株　主	持株数	持株比率
代表取締役社長A	200株	50.0％
取締役B（技術担当）	100株	25.0％
取締役C（管理担当）	100株	25.0％
合　計	400株	100.0％

【純資産の部の内訳】

（第4期終了時　単位：千円）

資本金	10,000
資本準備金	10,000
その他利益剰余金	12,568
純資産合計	32,568

　A社長は創業当初から将来のIPOを考えていた。創業4期を終え，業績も好調であった。そんな中，B取締役が突然「会社を辞めたい」と言い出した。A社長が事情を聞いてみると，大手ソフトウェアメーカー

からB取締役に対しヘッドハンティングの誘いが来ているとのことであった。B取締役の技術力は高く，創業以来一緒のメンバーであったため，A社長，C取締役は強く慰留したが，B取締役の意志は固かった。A社長，C取締役はB取締役の説得を断念し，B取締役の後任として部下であったDを新たに取締役として選任することとした。

　B取締役は会社を去って行ったが，A社長はBの持株の処理について悩んでしまった。「Bが会社から離れた以上，その持株は本来ならば自分が買い取りたいが，創業以来多額の資金を運転資金として会社に貸し付けてきたため，今は手元資金がない。会社で買い取ることはできないのだろうか」。A社長は顧問会計士に相談した。顧問会計士は「前期末でその他利益剰余金が 12,000 千円以上ありますし，今期も今のところ黒字ですので，会社として自己株式の買取りも可能でしょう」とA社長に伝えた。

何が問題なのか

　事例のような問題は，IPO準備会社ではよく起きることである。創業時からの株主の一部が会社から離れる際に，代表者がその持株を買い取れれば問題はないが，代表者自身は，自己資金を運転資金として会社に貸し付けていることも多く，買取りができない場合も多い。こうした場合，会社が自己株式として取得することも選択肢の1つとなる。

　会社が特定の株主から株式を自己株式として買い取る場合は，買取り時の分配可能額（会社法第461条第2項）の範囲内で取得できる。注意が必要な点は，IPO準備会社の場合，監査法人の会計監査による決算修正により，過去の決算内容が変わり剰余金が減少するケースもあり，その場合に分配可能利益も減少し，結果として自己株式の取得金額が分配可能額を上回り，会社法違反行為となる可能性がある点である。特に税法基準による決算を行っている場合には，その可能性も高くなる。こ

のため，会計監査を受けていない状況での自己株式取得は，できる限り避けた方がよい。

❓どのように解決するか❓

　特定の株主からの自己株式取得手続については，会社法第160条以下に定められている。会社法の規定では，あらかじめ確定している買取価格を当該株主に会社側から通知することになっているが，実際は会社と株主との間で交渉の上，決定した価格を通知する。このとき交渉スタート時のたたき台となる価格は時価純資産価額となることが多い。ただし，あまりにも高額又は低額での買取は課税上の弊害が生じる。したがって，税務上の株価（後述の発展ケース参照）も常に意識する必要がある。

　また，特定の株主から自己株式として取得する場合，会社法上，他の株主に売主追加請求権（会社法第160条第2項，第3項）が認められている。このため，特定の株主からピンポイントで自己株式として取得できるようにするためには，定款で売主追加請求権を排除しておくとよい（会社法第164条第1項）。ただし，この定款変更のためには全株主の同意が必要である（会社法第164条第2項）。したがって，あらかじめ会社設立時の原始定款で売主追加請求権排除の規定を設けるのが得策である。

　事例の場合は，1株当たり純資産価額を算定すると81,420円/株（32,568千円÷400株）となり，また売買実例や増資もないため，買取価格の総額は81,420円×100株（B取締役の持分）＝8,142千円前後に落ち着くと思われる。分配可能額の主な内訳であるその他利益剰余金が12,000千円程度存在し，買取総額を3,800千円以上上回っており，ある程度金額的な余裕があるため，会計監査による決算修正が3,800千円以内であれば分配可能額を超えた違法な自己株式取得とならない可能性が高いのではないかと思われる。

　また，自己株式取得時は，みなし配当課税にも注意が必要である。事例の場合，もし1株81,420円で買い取るときは，買取額のうち1株当たり資本金等

の金額である 50,000 円（（資本金 10,000 千円＋資本準備金 10,000 千円）÷発行済株式総数 400 株）を超える額である 31,420 円/株については，税法上は「みなし配当」と認定され通常の配当と同様に扱われる。このため，買取時に所得税の源泉徴収が必要となる。この場合は，みなし配当額である 3,142 千円（31,420 円×100 株）の 20.42 ％（復興特別所得税を含む）（641,596 円）を源泉徴収しなければならない。

発展ケース

Q

事例のような場合に備えて，あらかじめ退任した取締役から会社が株式を取得できるようにする方法はあるか。

A

事例のような事態に備えるため，当初から自社の株式を取得条項付株式とし，「取締役退任時に取得条項発動」となるように取得条項を設計することが考えられる（取得条項と株主平等原則との関係，定款規定例については 404～408 ページ参照）

知識を整理

・税務上の株価とは

税務上の株価は，取引当事者によって，根拠となる法律が異なる。

5 自己株式の取得と税務上の株価

【取引当事者間で用いる税務上の株価】

売買当事者		適正な価額（時価）	
売主	買主		
個人	個人	相続税法上の株価	
個人	法人	売主側：所得税法上の株価	買主側：法人税法上の株価
法人	個人	売主側：法人税法上の株価	買主側：所得税法上の株価
法人	法人	法人税法上の株価	

なお，所得税法及び法人税法上では次のとおり定められている。

【所得税法上の評価方式と株式の時価】（所得税法基本通達 59-6, 23～35 共-9）

評価方式	株式の時価
① 売買実例方式	売買実例があるものは，最近行われた売買のうち適正と認められる価額
② 公開価格方式	①以外の場合で，公開途上の株式で，上場などに際して株式の公募などが行われるものは，その公募などの価格などを参酌して通常取引されると認められる価額
③ 類似会社比準価額方式	①及び②以外の場合で，その法人と事業の種類，規模，収益の状況などが類似する他の法人（類似会社）の株価があるものは，その類似会社の株価からその会社の株式の時価を推定した価額
④ 純資産価額方式	①から③がないものは，取引日又は同日に最も近い日におけるその株式の発行法人の１株当たりの純資産価額などを参酌し通常取引されると認められる価額
⑤ 条件付財産評価基本通達方式	①から③がないものは，みなし譲渡の場合に限定して，一定の条件の下，相続税法の財産評価基本通達により算定した価額

【法人税法上の評価方式と株式の時価】（法人税基本通達 9-1-13, 9-1-14）

評価方式	株式の時価
① 売買実例方式	売買実例があるものは，事業年度終了日前6カ月間において行われた売買のうち適正と認められる価額
② 公開価格方式	①以外の場合で，公開途上の株式で，上場などに際して株式の公募などが行われるものは，その公募などの価格などを参酌して通常取引されると認められる価額
③ 類似会社比準価額方式	①及び②以外の場合で，その法人と事業の種類，規模，収益の状況などが類似する他の法人（類似会社）の株式があるものは，その類似会社の株価からその会社の株式の時価を推定した価額
④ 純資産価額方式	①から③がないものは，取引日又は同日に最も近い日におけるその株式の発行法人の事業年度終了時における1株当たりの純資産価額などを参酌し通常取引されると認められる価額
⑤ 条件付財産評価基本通達方式	③④の場合で，課税上弊害がないときは，一定の条件の下，相続税法の財産評価基本通達により算定した価額

○×問題

Q1

単元未満株主からの単元未満株式の買取請求に基づき自己株式を取得する場合，財源規制がある。

A1

× 財源規制はない。

Q2

自己株式取得に伴う株主総会決議においては，売主となる株主は議決権を行使できない。

A2

○ 正しい（会社法第160条第4項）。

Q3

自己株式は議決権を有しないが，株式分割に伴う新株取得は認められている。

A3

○ 正しい。株式分割について定めた会社法第183条に自己株式を除外する旨の規定はない。

6 【資本政策】デット・エクイティ・スワップ

事例の概要

　甲社（取締役会設置会社）は携帯向けサイト構築及び携帯向けアプリ開発をメインに行っている会社である。A は甲社の創立者兼代表取締役社長である。

　甲社では共同創業者である B が会社を去り，B の持株は自己株式（帳簿価額 8,142 千円）として取得していた（413 ページ参照）。A 社長はこの自己株式を有効に活用したいと考えた。「そうだ。以前デット・エクイティ・スワップ（DES）という方法により，会社に対する貸付を出資に替えることができると聞いたことがあった。」

　A 社長は過去に手持ち資金を運転資金として何度か甲社に貸し付けたが，最近は業績好調もあり，金融機関からの借入が行い易くなったため，甲社への新たな貸付は行っていなかったが，前期末で貸付残高は 10,000 千円超になっていた。

　A 社長は顧問会計士にその旨相談した。顧問会計士は A 社長に言った。「現在の税法では，その方法は税務リスクが高く行えません。疑似 DES により出資に切り替えるのがよいでしょう。」

何が問題なのか

　IPO 準備会社では，代表者自身が，自己資金を運転資金として会社に貸し付けていることが多い。貸付である以上，いずれは返済してもらうことになるはずであるが，実際は運転資金として使用されているため，返済の見込みもないままに長期に渡って滞留していることも非常に多い。このような「役員借入金」は特別利害関係者間取引にも該当する

ため，審査上，原則として解消が求められる。

その解消方法として，以前は DES が用いられていた。DES は法的には「金銭債権の現物出資」であり，債務者側での会計処理として単純に借入金を資本金（及び資本準備金）に振り替える処理が行われていた。ところが，平成 18 年度税制改正により，債務消滅益課税のリスクが生じ，DES が行いにくくなってしまった。このため，現在では疑似 DES（金銭出資後に債務者が債権者に債務を弁済する方法）が用いられることが多くなっている。

⁇ どのように解決するか ⁇

通常の DES は債務消滅益課税の可能性があるため，DES と同様の経済効果をもたらす疑似 DES を行う。事例の場合は，自己株式処分によって，A 社長が甲社株式を取得し，一方で A 社長が自己株式処分の引受対価として甲社に払い込んだ資金を A 社長に対する借入金の返済資金として活用する。結局，当初 A 社長が払い込んだ資金は借入金の返済という形で A 社長の手元に戻る。

問題は A 社長が自己株式処分引受の対価として，甲社に当初払い込む資金を用意できるか否かである。この点については，A 社長に手元資金がない以上は，外部から調達するしかない。信頼できる人物に事情を説明し，一時的に融通してもらうしかないであろう。

発展ケース

Q
仮に甲社に A 社長からの借入がなかったと仮定して，疑似 DES と同様の行為（すなわち，A 社長が外部の第三者から資金を調達し，これを増資払込に充て，増資完了後に A 社長が直ちに甲社から資金を引き出して，資金調達先に返済）をした場合，どのような問題があるか。

> **A**
>
> 　上記の行為は「見せ金」という仮装払込の一種で違法な行為である。「見せ金」による増資は会社の財産的基礎を害するため無効である。また，「見せ金」による増資変更登記を行った場合は，虚偽登記となる。
>
> 　「見せ金」は，一見，疑似 DES と何ら変わりがない行為のように見えるが，「見せ金」の場合は，払い込まれた資金を会社から引き出した場合，回収可能性のない架空資産（帳簿上は役員に対する「貸付金」や「未収入金」，「仮払金」等として処理）が計上され，会社債権者を害する可能性がある。一方，疑似 DES は通常の DES と経済的効果が同じであることや債務（帳簿上は役員からの「借入金」）の弁済となり，架空資産は計上されず，会社債権者を害する可能性がないことなどから有効と考えられている。

知識を整理

○　デット・エクイティ・スワップ（DES）とは

　デット・エクイティ・スワップ（DES）とは「債務の株式化」と呼ばれ，法的には会社に対する金銭債権の現物出資として構成される。

　DES を巡っては，現物出資された金銭債権の評価と払込資本計上額について，債権の額面金額で評価し払込資本として計上すべきという考え方（券面額説）と，債権の実質価額（時価）で評価し払込資本として計上すべきという考え方（評価額説）の対立があった。しかし，この学説の対立も，商事法務1590号に掲載された「東京地裁商事部における現物出資等検査役選任事件の現状」の公表後は，企業法務上は券面額説に収束した。なお，会社法においては，立法担当者の解説によれば，「いずれの処理によることも，それが公正なる会計慣行である限り，特に問題ない」としている。

　一方，平成18年度改正税法は，評価額説の立場を明確に示した。評価額説に従った場合，回収可能性の低い金銭債権を現物出資した場合には，当該金銭

債権の時価は債権の額面金額よりも低く評価されることから，資本金等の増加額よりも混同（民法第520条）により消滅する債務の帳簿価額が大きくなり，「債務消滅益」が認識されることになる。

IPO準備会社では，オーナー社長が会社に対して運転資金を貸し付けていることが多い。従来はこの貸付金（会社にとっては借入金）を対象債権としたDESが実務上よく行われ，その際の評価は券面額説に従い，借入金の帳簿価額をそのまま資本金等に振り替えていた。しかし，平成18年度改正税法施行後は評価額説に従う必要がある。その結果，通常の場合オーナー社長の貸付金は長期に渡り滞留していることが多いことから，その回収可能性に疑義が生じ，DES実行時に多額の債務消滅益を認定課税される可能性が生じる。

こうしたリスクを避けるために疑似DESが利用されている。これは会社に運転資金を貸し付けているオーナー社長が，外部の第三者から資金を融通してもらい，この資金を増資払込に充て，増資完了後，会社はその資金を用いて役員からの借入金を弁済し，オーナー社長は弁済された資金を調達先に返済する手法である。疑似DESでは，資金が実際に動くため，増資と借入金の弁済に関してそれぞれ別個の取引と捉えることができ，原則として債務消滅益課税のリスクはない。ただし，経済合理性を欠いた租税回避のみを目的とした疑似DESは税務リスクがあるため，実務上は専門家を交えて慎重に実施すべきである。

○×問題

Q1
金銭債権の現物出資の場合，検査役の調査が必ず必要である。

A1
×　以前の商法では金銭債権の現物出資について，原則として検査役の調査が必要であった。しかし，現在の会社法では弁済期が到来している金銭債権について，会社側での負債の帳簿価額以下で出資する場合

には，検査役の調査が不要とされている（会社法第 207 条第 9 項第 5 号）。したがって，DES を行う場合には，弁済期未到来の金銭債権について，期限の利益を会社自ら放棄することにより，当然に検査役の調査は不要となる。

Q2

第三者割当増資（株主の持株数に比例的に株式の割当を受ける権利を付与する方法以外の方法による募集株式の発行）は最短でも 2 日は要する。

A2

× 通常の第三者割当増資の場合は，株主総会の決議省略（会社法第 319 条）によった場合でも，払込期日の前日までに申込者に対して割り当てる募集株式数を通知することが義務付けられている（会社法第 204 条第 3 項）ため，最短でも 2 日を要する。しかし，総数引受契約（会社法第 205 条）によった場合は，会社法第 204 条第 3 項は適用されない。したがって，株主総会決議を省略し，その日を払込期日として，引受人との間で総数引受契約を締結することで，最短 1 日で募集株式を発行できる。

7 【資本政策】従業員持株制度

事例の概要

　甲社（取締役会非設置会社）はゲームソフト開発会社であり，Aは甲社の創立者兼代表取締役社長である。

　A社長は将来的にIPOすることを考え，顧問会計士のアドバイスに従い，従業員に対するインセンティブプラン（モチベーション向上施策）として，税制適格ストック・オプションとしての新株予約権を発行した。しかし，制度説明会も開かなかったためか，従業員の多くは，ストック・オプション制度への関心もなく，中には「会社から，おかしな金融商品の契約締結を迫られた」などと言う者もいて，インセンティブプランとしての効果はほとんど見られなかった。A社長は，顧問会計士に相談した。

　「先生，せっかく導入したストック・オプション制度ですが，どうもうちの従業員は制度の内容すら，ほとんど理解していないようで，インセンティブプランとしての効果が見えません。何か他のインセンティブプランはないでしょうか。」

　顧問会計士は言った。「A社長，ストック・オプション制度を導入した場合，まずは従業員説明会を開いて，従業員に対し制度の周知徹底を図りませんと，せっかく従業員のためを思って導入してもインセンティブ効果は理解されにくいですよ。まあ，ただ，ストック・オプション制度は確かに上場が具体的に見えてきてからでないと，インセンティブ効果が弱いというのはあります。もし，インセンティブ効果を重視したいということでしたら，当初から株式を保有していることを実感できる従業員持株制度なども検討してみてはいかがですか。」

> **何が問題なのか**
>
> 　最近のIPO準備作業における資本政策では，インセンティブプランとしてストック・オプションとしての新株予約権を利用した比較的シンプルなものが多い。しかし，新株予約権によるインセンティブプランでは，次の理由からその効果が弱い場合がある。
> 　① 　ストック・オプション制度が，複雑で付与対象者には理解しにくく，制度への理解不足から，却って会社に対する不信感を抱く場合がある。
> 　② 　通常は税制適格要件を満たすために，新株予約権を無償発行する。しかし，自ら資金拠出等を行っていないため，資金拠出を行った場合に比べて，投資回収意欲が働かない。
> 　③ 　新株予約権には権利行使を行うまで議決権がないため，株主としての実感が生じないことから経営参加意識の向上を図りにくい。

❓ どのように解決するか ❓

　インセンティブ効果を高めるためには，まず導入済みのストック・オプション制度について，制度説明会を開催し，制度の理解促進と周知を図る。

　さらにインセンティブ効果を高めるためには，従業員持株制度の導入を検討する。従業員持株制度としては，持株会方式の場合と株式そのものを直接従業員に持たせる場合がある。

　持株会方式の場合，その設立と運営については，日本証券業協会が定める「持株制度に関するガイドライン」に則って行う。また実際の事務運営については証券会社に委託する。

　持株制度に関するガイドライン（日本証券業協会ホームページ）
　http://www.jsda.or.jp/shiryoshitsu/houkokusyo/h20/mochikabu.html

7 従業員持株制度

　持株会方式による場合は，ある程度拠出金が集まらないと運営ができない。このため従業員数が少ない企業では，導入が難しい場合がある。持株会方式の導入が難しい場合は，直接従業員に対し株式を持たせることも考えられる。その場合は，株式が分散しないように，退職時の株式の取扱いについて，あらかじめ念書によりオーナー経営者が約定価格で買い取るように従業員との間で取り決めておくなどして，その取扱いを明確化しておく必要がある。

発展ケース

Q

　甲社では，検討した結果，直接従業員に株式を持たせることとした。ただ，オーナー経営者であるA社長は，過去に多額の運転資金を甲社に貸し付けていたこともあり，手元資金に余裕がなく，従業員退職時に株式を買い取れるか否か不安があった。A社長が退職従業員から株式を買い取れないリスクを回避するための代替策はあるか。

A

　種類株式を活用し，自己株式として取得することが考えられる。具体的には，現状の普通株式を取得条項付株式（会社法第108条第1項第6号）に転換し，取得条項として，従業員の退職を定めることにより，退職時に株主として残るリスクを回避できる。ただし，取得条項付株式の取得の際には，会社法上，取得財源規制（会社法第170条第5項）があるため，一定の業績が見込め，剰余金の計上により分配可能額を確保できることが重要であり，その点について注意を要する。

　なお，普通株式から取得条項付株式への転換のためには，原則として全株主同意が必要であるが，全株主同意なしで転換する方法については，404ページを参照のこと。

知識を整理

○ 従業員持株会とは

　一般的に従業員持株会は民法上の組合（民法第667条以下）として設立し，日本証券業協会が定めている「持株制度に関するガイドライン」に則って運営を行う。これは，一般に証券会社方式と呼ばれる持株会であり，IPOの際には必ず当該方式による。

　従業員持株会の主なメリットを挙げれば，以下のとおりである。

会社側	従業員側
① 従業員福利厚生策の柱となる。 ② 従業員に経営参加意識を持たせることができる。 ③ 株式の社外流出を防止できる。 ④ オーナーの相続税対策に役立つ。 ⑤ 上場に向けたパワーを結集できる。 ⑥ 上場後の安定株主として期待できる。 ⑦ 上場後，着実に浮動株を吸収でき，株価形成に役立つ。 ⑧ 従業員が多くなった場合，従業員持株会の方が個別の従業員株主に比べ管理が容易となる。	① 配当金や奨励金により，財産形成に役立つ。 ② 上場時にはプレミアムを獲得できる。 ③ ストック・オプションに比べ，議決権行使により会社経営に自らの意思を反映させることができる。

（『改訂 従業員持株会導入の手引き』三菱UFJリサーチ＆コンサルティング，4～5ページより引用）

　従業員持株会の運営にあたり，拠出金を従業員の給与から控除する場合には労働組合又は労働者の過半数代表者との労使協定（労働基準法第24条第1項）が必要となる。また，実際の運営事務は，主幹事証券会社に委託する。したがって，従業員持株会の設立にあたっては，主幹事証券会社及び労使間で十分な協議を行いながら設立準備を行う必要がある。

　従業員持株会が取得した株式は，理事長名義とし，会員を共同委託者，理事長を受託者とする管理信託財産として保管する。また，議決権行使は従業員持株会の理事長が行使することになる。ただし，各従業員会員の議決権行使の独

立性は確保されており，従業員会員の持分に相当する株式の議決権行使について，理事長に対し株主総会ごとに特別の指示を与えることができるとして，議決権の不統一行使（会社法第313条）が可能である。

退会時には，未上場株式の場合，通常は株式の分散を防止するため，従業員持株会が対象株式を買い取る。買取価格については，従業員持株会規約で定めることになる。

従業員持株会への株式の供給方法としては，大株主（通常はオーナー経営者）からの供給と，第三者割当増資による供給がある。大株主が供給する場合は，従業員持株会に贈与することが多い。その際には，贈与税の課税対象とならないように，従業員会員1人当たり持分が，相続税法上の配当還元価額（ただし，従業員会員が少数株主に該当することが前提）により算定して，贈与税の基礎控除（年間110万円）の範囲内となるようにする。第三者割当増資により供給する場合も，通常は従業員持株会が配当還元価額により引き受ける。

また，従業員持株会への株式供給行為が，金融商品取引法上，「募集」（取得勧誘対象者50名以上）に該当する場合は，有価証券届出書又は有価証券通知書の提出が必要となる。しかし，概ね次のような条件に合致している場合には，従業員持株会を一人株主として取り扱うことができる（企業内容等開示ガイドライン5-15）。

① 株主名簿に「持株会」の名義で登録されていること
② 議決権の行使は「持株会」が行うこと
③ 配当金を「持株会」でプールし運用するシステムをとっていること

なお，証券会社方式によって設立される持株会はこれらの条件を満たすように設計される。

○×問題

Q1
日本証券業協会「持株制度に関するガイドライン」によると，拠出金の限度額は1会員1回につき100万円未満とされている。

> **A1**
> ○ 「持株制度に関するガイドライン」第2章6．参照。これは持株会において会員が有する権利が金融商品取引法上の「集団投資スキーム持分」に該当しないための要件である。

> **Q2**
> 持株会の実施会社は，会員に対し，福利厚生制度の一環として取り扱われる範囲内において，定時拠出金に関して一定比率を乗じた額又は一定額の奨励金を付与することができる。

> **A2**
> ○ 「持株制度に関するガイドライン」第2章9．参照。なお，当該奨励金は会員の給与として課税され，源泉徴収が必要となる。

EY | Assurance | Tax | Transactions | Advisory

EY について

EY は，アシュアランス，税務，トランザクションおよびアドバイザリーなどの分野における世界的なリーダーです。私たちの深い洞察と高品質なサービスは，世界中の資本市場や経済活動に信頼をもたらします。私たちはさまざまなステークホルダーの期待に応えるチームを率いるリーダーを生み出していきます。そうすることで，構成員，クライアント，そして地域社会のために，より良い社会の構築に貢献します。

EY とは，アーンスト・アンド・ヤング・グローバル・リミテッドのグローバルネットワークであり，単体，もしくは複数のメンバーファームを指し，各メンバーファームは法的に独立した組織です。アーンスト・アンド・ヤング・グローバル・リミテッドは，英国の保証有限責任会社であり，顧客サービスは提供していません。EY による個人情報の取得・利用の方法や，データ保護に関する法令により個人情報の主体が有する権利については，ey.com/privacy をご確認ください。EY について詳しくは，ey.com をご覧ください。

EY 新日本有限責任監査法人について

EY 新日本有限責任監査法人は，EY の日本におけるメンバーファームであり，監査および保証業務を中心に，アドバイザリーサービスなどを提供しています。詳しくは，www.shinnihon.or.jp をご覧ください。

© 2020 Ernst & Young ShinNihon LLC.
All Rights Reserved.

ED MMYY

本書は一般的な参考情報の提供のみを目的に作成されており，会計，税務およびその他の専門的なアドバイスを行うものではありません。EY 新日本有限責任監査法人および他の EY メンバーファームは，皆様が本書を利用したことにより被ったいかなる損害についても，一切の責任を負いません。具体的なアドバイスが必要な場合は，個別に専門家にご相談ください。

＜監修・編集代表＞

三浦　太（みうら　まさる）
公認会計士
EY新日本有限責任監査法人　シニアパートナー

　上場会社監査，上場準備実務をはじめ，経営者に対するコーポレートガバナンス・業務改善・事業計画・資本政策などの助言・支援業務を中心に従事。大手金融機関，大学・大学院などでの講演実績多数。上場会社役員ガバナンスフォーラム・代表世話人。日本公認会計士協会・社外役員会計士協議会委員兼社外役員研修研究専門委員会専門委員，日本公認会計士協会東京会常任幹事（公認会計士たる役員支援委員会委員長，公認会計士によるIPO関連業務支援PT構成委員長）。日本ベンチャー学会・元理事。中小企業基盤整備機構・元ファンド審査専門委員などを歴任。著書としては，「成功へのストーリーが見える，伝わる！事業計画書のつくり方」，「A3一枚でつくる　事業計画の教科書」「IPO実務用語辞典」，「株式上場マニュアル」，「わが社が株式上場するときの基準がわかる本」，「金融マンのための「IPO支援」業界別ガイドブック」，「実践 事業計画の作成手順」，「資本政策の考え方と実務の手順」，「内部統制の実務がよくわかる本」，「いちばんわかりやすい内部統制のポイント」，「M&Aを成功させる　デューデリジェンスのことがよくわかる本」ほか多数。

＜執筆者＞

関　和彦（せき　かずひこ）
公認会計士
EY新日本有限責任監査法人　シニアマネージャー

　主として，製造業，建設業，小売，サービス等幅広い業種での上場会社監査に従事するとともに，上場準備会社監査にも従事。数年間，大手証券会社に出向し，引受審査部において，上場準備会社，上場会社への引受審査，上場適格性審査業務などを手掛け，企業公開室への異動も経験し，ベンチャー企業の発掘業務，上場準備会社のIPO及び上場会社の市場変更・一部指定のアドバイザリー業務において，組織整備，内部統制構築，資本政策，事業計画策定，労務管理，上場審査対応等の指導業務などにも従事。

柴　謙一（しば　けんいち）
公認会計士
EY新日本有限責任監査法人　マネージャー

　主として，流通業，建設業，商社，サービス業，製造業といった多種多様な業種の上場会社などの会計監査を担当しつつ，IT関連会社のアドバイザリー業務等も手掛ける。
　上場準備会社に対しては，ショートレビューを法人内で最も多く手掛けてきており，合わせてIPOアドバイザリー業務も数多く提供することで新規上場会社が上場に至るまでの内部統制，監査，会計に関連した指導，助言を30年間実践してきている。

桑原　美佳（くわばら　みか）
公認会計士
EY新日本有限責任監査法人　マネージャー

　主として，国内監査部門において，鉱業，情報・通信業，サービス業，金属製品業等の監査に従事するとともに，IPO準備会社の監査のほか，ショートレビューなどにも複数従事。上場会社役員ガバナンスフォーラム（https://govforum.jp/）新任役員向けトレーニングプログラム講師。著書として，「財務報告実務検定【開示様式理解編】公式テキスト」「財務報告実務検定【開示様式理解編】公式問題集」，「財務報告実務検定【開示様式理解編】重要ポイント＆精選問題」，「財務報告実務検定【開示様式理解編】計算問題対策問題集」などを共同執筆。

髙橋　聡（たかはし　さとし）
公認会計士，税理士，特定社会保険労務士，中小企業診断士
高橋聡公認会計士事務所　所長

　本田技研工業株式会社を経て，太田昭和監査法人（現：EY新日本有限責任監査法人）に入社，主に株式公開支援業務，法定監査業務に従事。その後監査法人トーマツ（現：有限責任監査法人トーマツ）を経て，独立。平成27年4月から平成29年3月まで公益財団法人川崎市産業振興財団マネージャーを兼務。

　独立後は，創業支援業務，株式公開支援業務をメインに，会計・税務・労務・企業法務に渡る幅広い視点からの助言・支援業務を実施。

　書籍：「担当者別株式上場マニュアル」（共著，同友館），「IPO実務検定試験公式テキスト」（共著，中央経済社）。

　詳しくは，http://www.takahashi-cpa.jp

辻村　良弘（つじむら　よしひろ）
WIN Consulting 株式会社　コンサルタント

　松井証券株式会社にて，株式公開準備（2001年8月上場）に従事（在職中にディー・ブレイン証券株式会社への出向も経験）。その後，国内大手VC子会社にて上場準備支援業務に従事。現在，WIN Consulting 株式会社にて，上場準備支援業務，業務改善コンサルティングを実施。著書：「IPO実務検定試験公式テキスト」（共著，中央経済社）。

　＜WIN Consultingの業務内容＞

　IPO（株式上場）支援コンサルティング，PMI（企業買収・企業再生）支援コンサルティング（株価算定・事業価値評価／デューディリジェンス），ビジネスプロセスコンサルティング（業務改善コンサルティング／原価計算構築支援コンサルティング／システム導入・改善支援コンサルティング／RFP（システム提案依頼書）作成代行），内部統制制度構築支援コンサルティング，上場準備資料作成代行（事業計画／資本政策／業務フロー／諸規程／上場申請書類（Ⅰの部，Ⅱの部）等），人事制度構築支援コンサルティング，有料職業紹介（事業許可番号13-ユ-304756）。詳しくは，http://www.winconsul.co.jp

ケーススタディ・上場準備実務【三訂版】

2013年4月20日　初　版第1刷発行
2016年5月20日　改訂版第1刷発行
2020年6月20日　三訂版第1刷発行

編　　者	EY新日本有限責任監査法人
発行者	大坪　克行
製版所	美研プリンティング株式会社
印刷所	美研プリンティング株式会社
製本所	牧製本印刷株式会社

発行所　東京都新宿区下落合2丁目5番13号　株式会社 税務経理協会

郵便番号　161-0033　振替　00190-2-187408　電話　(03) 3953-3301 (編集部)
FAX (03) 3565-3391　　　　　　　　　　　　　　(03) 3953-3325 (営業部)
URL　http://www.zeikei.co.jp/
乱丁・落丁の場合はお取替えいたします。

© 2020 Ernst & Young ShinNihon LLC. All Rights Reserved.

編者との契約により検印省略

本書の無断複写は著作権法上での例外を除き禁じられています。複写される場合は，そのつど事前に，(社)出版者著作権管理機構 (電話03-3513-6969，FAX03-3513-6979, e-mail: info@jcopy.or.jp) の許諾を得てください。

JCOPY ＜(社)出版者著作権管理機構 委託出版物＞

Printed in Japan
ISBN 978-4-419-06719-9　C3034